Diálogos Urbanos:

Territórios, Culturas, Patrimónios

Organizadores

Carlos Fortuna

Rogerio Proença Leite

DIÁLOGOS URBANOS:
TERRITÓRIOS, CULTURAS, PATRIMÓNIOS
ORGANIZADORES
CARLOS FORTUNA
ROGERIO PROENÇA LEITE
EDITOR
EDIÇÕES ALMEDINA, S.A.
Rua Fernandes Tomás, nºs 76-80
3000-167 Coimbra
Tel.: 239 851 904 · Fax: 239 851 901
www.almedina.net · editora@almedina.net
DESIGN DE CAPA
FBA.
PRÉ-IMPRESSÃO
EDIÇÕES ALMEDINA, S.A.
IMPRESSÃO E ACABAMENTO
PENTAEDRO, LDA.
Fevereiro, 2013
DEPÓSITO LEGAL
355376/13

GRUPOALMEDINA

BIBLIOTECA NACIONAL DE PORTUGAL – CATALOGAÇÃO NA PUBLICAÇÃO

DIÁLOGOS URBANOS

Diálogos urbanos : territórios, culturas, patrimónios / org. Carlos Fortuna, Rogério Proença Leite. – (CES)
ISBN 978-972-40-4919-9

I – FORTUNA, Carlos
II – LEITE, Rogério Proença

CDU 316
711

Com o apoio da:

FCT Fundação para a Ciência e a Tecnologia
MINISTÉRIO DA CIÊNCIA E DO ENSINO SUPERIOR

SUMÁRIO

APRESENTAÇÃO
Proximidades e distâncias entre cidades
Carlos Fortuna e *Rogerio Proença Leite* 5

SECÇÃO I: **TERRITÓRIOS EM MUDANÇA**

São Paulo e Lisboa: Reestruturação urbana, políticas públicas e novas centralidades 13
Lúcia Bógus, Claudino Ferreira e *Clarissa Gagliardi*

Cidades com centro: Entre São Paulo e o Porto
João Teixeira Lopes 51

O bairro da Luz (São Paulo) e o Bairro Alto (Lisboa) nos entremeios de mudanças e permanências
Heitor Frúgoli Jr. e *Jessica Sklair* 75

Favelas: Políticas e práticas de intervenção em moradia precária em São Paulo, Brasil
Suzana Pasternak 105

SECÇÃO II: **EXPRESSÕES DE CULTURA**

Os tempos (diferentes) do uso das praças da Sé em Lisboa e em São Paulo
Fraya Frehse 127

Índios em contextos urbanos: O caso de Manaus e outras cidades da Amazônia
José Guilherme C. Magnani 175

A reorganização da exibição cinematográfica no México e em Portugal
Paula Abreu e *Ana Rosas Mantecón* 201

Escombros da Cultura: O Cine-Éden e o Teatro Sousa Bastos
Carlos Fortuna e *Cristina Meneguello* 233

SECÇÃO III: **PATRIMÓNIOS EM DIÁLOGO**

O passado das cidades: Revalorizações patrimonialistas em Fortaleza e Coimbra
Carlos Fortuna, Irlys Alencar Barreira, Roselane Bezerra e *Carina Sousa Gomes* 261

Processos de patrimonialização do fado e do samba
Luciana F. Moura Mendonça e *Paula Abreu* 291

Santo António de Lisboa (Portugal) e de Borba (Amazonas): Entre o rito e o teatro em espaços públicos
Sérgio Ivan Gil Braga 319

"Lugares de desafio": Cidades, património cultural, nação e turismo
Ana Lúcia Duarte Lanna e *Silvana Rubino* 341

Sobre os Autores 359

APRESENTAÇÃO

PROXIMIDADES E DISTÂNCIAS ENTRE CIDADES

Carlos Fortuna* e *Rogerio Proença Leite

Diálogos Urbanos é um livro sobre proximidades e distâncias entre cidades e dentro delas. Umas e outras são hoje visíveis como nunca, em resultado do modo como as cidades se enunciam e interpelam. Mas as proximidades e as distâncias entre e no seio das cidades não se conhecem apenas pela sua visibilidade imediata. São fruto também do modo como se invisibiliza e esconde o que aproxima e distancia. O olhar atento, próximo e crítico da sociologia, da antropologia, da política, do urbanismo, torna-se por isso o instrumento inadiável que dá sentido próprio àquilo que na cidade é manifesto e, do mesmo passo, torna compreensível o que ela esconde. As cidades são, por excelência, portanto, os lugares onde mais imperioso se torna dar sentido à ausência ou à deturpação do sentido das coisas e ações e onde é mais urgente revelar e conferir significado às configurações societais que insistem em permanecer encobertas.

Diálogos Urbanos enfrenta este desafio dúplice de atribuição e revelação de sentidos e significados do viver urbano. Sem promover comparações diretas, o livro põe algumas cidades e alguns contextos urbanos perante as suas contrapartes de circunstância e fá-las falar. Em língua portuguesa, já que o universo destes *diálogos*, intermediados pelo olhar das ciências sociais, respeita, quase em exclusivo, a cidades portuguesas e brasileiras. De que tratam entre si as cidades deste *Diálogos Urbanos*? Começam por falar dos seus *territórios* e das *mudanças* que os atravessam. Percorrem de seguida o campo das *expressões de cultura* que se exibem na cidade. Finalizam com uma narrativa em torno dos *patrimónios* e dos contextos das suas revalorizações.

Os *territórios em mudança* destas interlocuções referem-se, por um lado, às transformações urbanísticas que alteram e embelezam a paisagem urbana e política e interferem com a qualidade da vida urbana. Mas convocam também revelações sobre o viver precário dos territórios situados à margem de quase tudo. Assim temos a exuberância da Operação Faria Lima de São Paulo que dialoga com o viçoso acrescento de cidade e de urbanidade constituído pelo Parque das Nações em Lisboa, a partir de um confronto que se desenrola em torno dos atributos que tipificam a imagem de uma cidade global. Apesar da controvérsia que subjaz a tal discussão, Faria Lima explicita o que o Parque das Nações aspira ser: uma marca territorializada da globalidade das cidades. O que retira Lisboa da condição de cidade global é precisamente o que coloca São Paulo perante a escala obscena da habitação e das vidas precárias vividas nas suas favelas. Enquanto cidade global, São Paulo integra no seu interior as marcas da destituição que alastra por todo o "planeta favela" e pontua esta e as restantes *cidades normais* do Sul global. O território da favela que o *Diálogos Urbanos* propõe não tem equivalente em Portugal. Nem na sua escala nem na sua natureza. Por isso, aqui, não há *diálogo*, mas apenas um monólogo em que a territorialidade da moradia precária fala de si mesma, da cidade no seu todo e das sempre abortadas políticas de desfavelamento, incluindo o inalcançável projeto de se tornar bairro.

Entre um e outro destes territórios – os hipermodernos espaços de habitação, lazer e consumo de São Paulo e de Lisboa e as favelas paulistanas – encontram-se os relatos socioetnográficos dos centros e dos bairros históricos das cidades. Quem se revela agora são os centros de São Paulo e do Porto, por um lado, e o bairro da Luz e o Bairro Alto, do outro. As narrativas são eloquentes na tecnicidade da descrição que oferecem. Os centros tradicionais ou renovados das cidades de São Paulo e do Porto ilustram como democracia e decadência, trânsito e residência, perigosidade e resiliência coabitam nas cidades e as tornam difíceis de decifrar. ("*Er lasst sich nicht lesen*!" – "Não se deixa ler!" –, comentaria Edgar Allan Poe). Ambíguas e fractais, situadas algures entre os discursos da mera destituição e do catastrofismo, as praças dos centros das cidades interrogam-nos e interrogam-se acerca do seu futuro enquanto espaços públicos urbanos e democráticos. Nas praças de São Paulo e do Porto, mas quiçá também em Tiananmen, Tahrir, Sintagma ou na Plaza del Sol, não há consenso senão em torno da incerteza do que será o seu devir.

As sonoridades imaginadas deste *diálogo* de praças urbanas marcam presença também na conversa entretecida entre o paulistano bairro da Luz e o lisboeta Bairro Alto. O discurso da prática etnográfica que os modela busca elucidar que fundamentos poderão sustentar as extremadas representações (diatópicas?) que cada um destes Bairros parece carregar consigo à sua maneira: bairro cultural ou cracolândia? Pelo meio, ressaltam as questões decorrentes das ações de enobrecimento e, sobretudo, das vinculações socioafetivas e espaciais, amadurecidas por longas e perenes sociabilidades locais.

As realidades interpretativas derivadas do potencial etnográfico utilizado sugerem uma leitura que desvenda um *diálogo* entre relações diferenciadas de proximidade e de distância entre e dentro de cada um destes lugares.

Se o elemento socioespacial é crucial na interpretação destas territorialidades, o tempo histórico mostra-se determinante para a cabal interpretação do sentido da distância inerente à condição atual e futura dos lugares urbanos. Continuamos em *diálogo* intercidades, mas agora o livro desloca-se gradualmente da questão das territorialidades para se deter na sua complexificação e abordar algumas *expressões culturais* que pontuam as cidades portuguesas e brasileiras selecionadas. Os tempos (diferentes) do uso das Praças da Sé (de Lisboa e de São Paulo) envolvem uma escavação no passado dos lugares como plataforma primeira da compreensão do seu devir. Torna-se manifesta a intertextualidade que o *Diálogos Urbanos* promove entre esta narrativa e as que antes se debruçaram sobre outras praças das cidades. Os lugares são de novo as praças das cidades. Os atores são agora os corpos que ali se detêm ou simplesmente transitam, inscrevendo em ambos os casos, indelevelmente, a sua presença. O método (regressivo-progressivo) é sobejamente lefebvriano e faz ressoar o "anjo da história" benjaminiano: faz ressaltar o modo como o (trágico) trajeto percorrido cauciona a densidade sociopolítica do presente e do futuro que se aproxima. A escrita é intimista e intersticial, revelando cumplicidades com o objeto. O fim do *diálogo* é categórico: o vínculo afetivo estabelecido com os lugares, vividos e concebidos, conduz os sujeitos à (re)produção de representações valorativas que pouco importam à política, mas conferem sentido, isso sim, às modalidades pessoais de se estar/pertencer ali.

Estar e pertencer à cidade traduzem *expressões de cultura* que se insinuam também quando o *diálogo urbano* surge metamorfoseado, dando voz aos índios urbanos. O texto clássico brasileiro – "Cidade do Índio" – surge invertido na ordem dos termos e dá lugar à narrativa sobre o "índio da cidade". O pano de fundo é Manaus a conversar consigo mesma. A Manaus moderna, escolhida para ser uma das sedes da Copa do Mundo em 2014 – essa cidade amazónica e europeia, turística, estranha, feita de água e floresta ao mesmo tempo – surge paradoxalmente convertida em "pedaço" adverso, onde grupos de índios de etnias diversas têm que lutar pelo reconhecimento heterotópico de si. Longe da floresta, dos igapós e dos igarapés, a condição de "índio da cidade" será o que forem os seus direitos conquistados de cidadania urbana – habitação, escola, trabalho, saúde, consumo, cultura e lazer. Esses são os ingredientes disputados da sua nova condição identitária: ser urbano e continuar a ser índio.

Ainda no âmbito das *expressões de cultura* das cidades, o *Diálogos Urbanos* propõe uma incursão nas transformações na esfera dos consumos culturais. Primeiro, analisa a reorganização da exibição cinematográfica e, depois, a decrepitude dos espaços tradicionais de consumo de cinema e de teatro nas cidades. Quanto ao cinema – essa arte maior do capitalismo urbano – o *diálogo* estabelece-se entre as tendências gerais verificadas em Portugal e no México, no que constitui o único desvio ao universo urbano de língua portuguesa. Com historicidades múltiplas e singulares, as tendências atuais, pós-anos 90, são convergentes e os leitores podem acompanhar uma linha consistente de argumentação e prova da diminuição do número das grandes salas de cinema e da imposição da lógica *multiplex*. Insidiosamente, esta retira dinamismo e animação cultural à rua, privilegia a domesticidade dos *shoppings* e, não menos importante, arrasta consigo um processo de impiedosa concentração geográfica que penaliza as pequenas e médias cidades. No Brasil de hoje, por exemplo, mais de 90% das 5.565 cidades do país não possuem qualquer sala de cinema. Portugal caminha para um figurino de proporções semelhantes.

Insistindo em percorrer os trilhos da intertextualidade, podemos dizer, é da singularidade destes "desertos de cultura" que trata o *diálogo* estabelecido entre o Cine-Éden (Espírito Santo do Pinhal, no estado de São Paulo) e o Teatro Sousa Bastos (centro da cidade de Coimbra). Sob a inspiração poética de Carlos Drummond de Andrade, que escreveu um dia "Não amadureci ainda bastante / para aceitar a morte das coisas", enfrentamos as peripécias históricas e patéticas que afetaram irreversivelmente aqueles dois espaços de cultura e os reduziram a escombros. São as cidades no seu todo que saem derrotadas desta renovada tragédia da cultura que faz conviver democracia com ruína cultural. Uma derrota que não tem sentido, a não ser o sentido que lhe atribui quem se mobiliza para resistir ao deslizante urbicídio que, por antonomásia, constitui a decadência e morte de todos os Cine-Édens e Sousas Bastos brasileiros e portugueses.

O *Diálogos Urbanos* encerra com o debate entre *patrimónios*. Uns vêm de um passado longo, enquanto outros percorreram um trajeto temporal mais curto. Uns, os primeiros, são preservados de modo *hard*. Outros, os segundos, são conquistados de modo *soft*. Será este o lastro que, a um tempo, aproxima e distancia Coimbra e Fortaleza? A pergunta exata é a de saber se as cidades podem dispensar os seus patrimónios enquanto estratégia da sua valorização. Sim, valorização no preciso sentido económico e comercial em que se move a economia simbólica das cidades contemporâneas. O fado e o samba, sujeitos a processos recentes de patrimonialização universal, ilustram bem esta tendência atual de valorizar a cultura imaterial, para assim robustecer a materialidade das economias urbanas modernas. Na nova lógica económica, não é o património, portanto, que pensa e legitima a cidade. É, ao contrário, a cidade que pensa o património e o promove, (auto)promovendo-se com ele. Os meandros da política patrimonial são determinantes para essa revalorização. Implicam negociações e compromissos com o passado local das cidades e bairros. É preciso regressar a Lefebvre e ao método regressivo-progressivo para reconhecer que o património vindo do passado só tem sentido se pensado futurantemente.

Foi essa a lúcida discussão sobre os patrimónios nacionais e locais que Michel Parent reabriu no Brasil, a partir de meados dos anos 60 do século passado. As ramificações políticas de tal reflexão sobre estes "lugares de desafio" eram, ontem como hoje, cristalinas no seu significado: os patrimónios locais, os do passado, mas sobretudo os do futuro, são íntimos demais do afã de mercado, do comércio e do turismo, para escapar à sua própria mercadorização. E, perguntamos invertendo os termos, seremos nós tão íntimos dos patrimónios que conseguiremos suster a sua imparável mercadorização? Os ritos e a teatralização dos festejos de Santo António são boas ilustrações desta realidade económico-cultural das *cidades em diálogo*. Santo António de Lisboa e Santo António de Borba (Amazonas) são simetrias socioculturais cujo contato surge condensado simbolicamente nas procissões em honra do Santo. Fugindo a singularidades particularísticas, têm em comum a capacidade de improvisar um *diálogo* entre a cultura religiosa e o profano cultural. É o primeiro sinal da mercadorização dos patrimónios simbólico-religiosos que, de ressignificação em ressignificação, pode conduzir no futuro à celebração improvisada de um património sem distinções de tempos, lugares, naturezas ou funções.

Ao longo deste *Diálogos Urbanos*, ensaiam-se, portanto, processos de atribuição e renovação de significados sociais e políticos de práticas urbanas e expressões culturais diversas, plasmados num universo particular de cidades portuguesas e brasileiras. O recurso a diversos pontos de partida epistemológicos e teóricos permite que o livro constitua um singular exercício de produção social da presença e da pertinência desses traços urbano-culturais. A adoção de uma escrita de confronto e de *diálogo* entre situações particulares, escritas ou não em coautoria, revelou uma inusitada riqueza interpretativa que, aceitar-se-á a formulação, umas vezes, aproxima o que parece distante e, outras, distancia o que se julgava estar próximo.

Porventura, os leitores reconhecerão nos textos um estilo, uma filiação temática ou uma estratégia argumentativa familiar. Será o efeito do trabalho conjunto, também ele próximo e distante ao mesmo tempo, que este grupo de estudiosos portugueses e brasileiros tem vindo a desenvolver no quadro da *Rede Brasil-Portugal de Estudos Urbanos*, constituída em 2006. A parte mais visível do trabalho produzido anteriormente encontra-se no *Plural de Cidade: Novos Léxicos Urbanos* (Coimbra, Almedina, 2009). *Diálogos Urbanos* prolonga e amplia a experiência de investigação académica entre os membros da *Rede*. Ao mesmo tempo, contudo, a parte menos visível deste trabalho conjunto, ousamos confessar, encontra-se no reforço e no estreitamento dos laços de cumplicidade universitária entre estudiosos que têm a separá-los o mesmo mar que os avizinha e que, além disso, partilham uma mesma língua que, às vezes, mas só superficialmente, parece apartá-los. Quanto aos leitores, a nossa proposta é que, como sucede com o seu antecessor *Plural de Cidade*, também estes *Diálogos Urbanos* possam tornar-se objeto privilegiado dos seus confrontos com a realidade urbana luso-brasileira contemporânea.

Por todas essas razões, queremos deixar o nosso agradecimento formal às instituições que têm financiado a *Rede Brasil-Portugal de Estudos Urbanos* (o Programa CPLP do CNPq/Brasil, a CAPES/Brasil e a FCT/Portugal), assim como as instituições científicas que têm albergado, sem nunca regatear o seu apoio, os trabalhos de instalação da investigação e da coordenação da *Rede*: O Centro de Estudos Sociais e a Faculdade de Economia da Universidade de Coimbra e o Programa de Pós-Graduação em Sociologia da Universidade Federal de Sergipe.

SECÇÃO I

TERRITÓRIOS EM MUDANÇA

SÃO PAULO E LISBOA: REESTRUTURAÇÃO URBANA, POLÍTICAS PÚBLICAS E NOVAS CENTRALIDADES

Lucia Bógus, Claudino Ferreira, Clarissa Gagliardi

Introdução

Ao longo da segunda metade do século XX, a sociologia urbana veio mostrando o quanto, na era do capitalismo avançado e da globalização, a produção do espaço urbano se pauta pelas lógicas do mercado e da acumulação do capital. Mas, não obstante o reconhecimento da forte determinação que as dinâmicas económicas e os interesses de mercado exercem sobre a modelação das cidades, as evidências acumuladas no âmbito dos estudos urbanos dão igualmente conta do papel decisivo que o Estado e a administração pública desempenham nesse domínio, seja através da sua ação reguladora sobre a vida e as atividades que se desenvolvem na cidade, seja através de iniciativas diretas de planeamento e intervenção no território urbano. Na verdade, uma das questões cruciais que a transformação das cidades contemporâneas coloca à análise sociológica é a que remete para o modo como na produção atual dos espaços urbanos se articulam Estado e mercado, dinâmicas políticas e económicas, interesses públicos e privados.

Uma das situações em que tais articulações melhor se revelam, na sua complexidade e ambivalência, é a das grandes operações de intervenção urbana que, realizadas por iniciativa direta dos poderes públicos ou sob a sua tutela, ambicionam regenerar amplas áreas da cidade. O desgaste que foi abalando a crença nas virtudes do planeamento urbano ao longo da segunda metade do século XX não impediu, com efeito, que em muitas cidades os poderes públicos, em alianças de geometria variável com o setor privado, continuassem a avançar com projetos de intervenção transformadora em grande escala sobre o espaço urbano. Em regra, esses grandes projetos são atualmente lançados ao abrigo de medidas de política pública que, ao mesmo tempo que procuram reestruturar áreas urbanas que se considera necessitadas de regeneração social, económica ou ambiental, visam reforçar o poder de atração da cidade sobre capitais, atividades de elevada rentabilidade, profissionais altamente qualificados, residentes, consumidores e turistas. Nessa medida, os grandes projetos de regeneração urbana constituem objetos duplamente relevantes para a análise dos processos de transformação das cidades.

Por um lado, eles são, em si mesmos, importantes agentes transformadores da paisagem e da estrutura morfológica e funcional dos territórios urbanos. Por outro lado, revelam de forma particularmente nítida as forças, os interesses e as lógicas de atuação que concorrem quer para a produção material e simbólica das cidades e da vida urbana no presente, quer para a projeção do seu desenvolvimento futuro.

É nesta linha de questionamento que se coloca o presente trabalho, ao analisar comparativamente dois processos de regeneração urbana de grande escala, desenvolvidos em duas cidades distintas: a Operação Urbana Consorciada Faria Lima em São Paulo e o projeto Expo'98/Parque das Nações em Lisboa. Apesar das diferenças de dimensão e natureza entre as duas cidades e das singularidades de cada um dos processos, em ambos os casos se trata de intervenções urbanas que, sob a iniciativa dos poderes públicos, pretenderam reestruturar amplas áreas da cidade, tendo em vista o seu alinhamento competitivo com as tendências contemporâneas da economia global e da concorrência entre cidades e territórios.

No caso de São Paulo, a Operação Urbana Consorciada Faria Lima foi lançada no quadro de um instrumento legal que teve como objetivo identificar um perímetro urbano dotado de infraestrutura com capacidade ociosa e passível de ter a sua vocação alterada, determinando as mudanças a realizar na área. A Operação foi aprovada em 1995 e abrangeu 450 hectares. Visou a obtenção de recursos para compensar os investimentos públicos que seriam efetuados com o prolongamento da Avenida Faria Lima, com a implantação de infraestrutura e com o pagamento de indemnizações das áreas desapropriadas. Alterou profundamente uma porção importante da região sudoeste da cidade de São Paulo, gerando transformações não somente na área em si, como também em seu entorno imediato.

Por seu turno, a intervenção urbana em Lisboa promoveu uma reconversão profunda de uma área de 330 hectares que era predominantemente industrial, localizada na zona oriental da cidade, transformando-a num novo espaço urbano polarizado por aquilo que é hoje conhecido como Parque das Nações. O projeto foi lançado no início da década de 1990 e teve como motivo a realização da Exposição Mundial de 1998 (Expo'98). O espaço escolhido para acolher a exposição era um local industrial degradado e parcialmente abandonado, apesar de se situar em área próxima ao centro da cidade. À realização do evento foi associado um grande projeto de requalificação da área, que seria levado a cabo pelo governo, em parceria com as Câmaras

Municipais de Lisboa e Loures, tendo em vista transformar a zona oriental da cidade num território urbano sustentado e de caráter multifuncional, embora especialmente vocacionado para acolher residência para classe média e alta e serviços de lazer e de terciário avançado.

Ambos os projetos tiveram um forte impacto sobre as respetivas cidades, não apenas em virtude da extensão das áreas abrangidas e da intensidade das mudanças morfológicas e funcionais operadas, mas também do modo como procuraram criar novas centralidades nos territórios metropolitanos de Lisboa e São Paulo. A relevância dos projetos à escala das duas cidades vai, no entanto, para além disso, sinalizando um aspeto decisivo que mais os assemelha: nos dois casos estava em causa produzir novas áreas urbanas que se tornassem referenciais da modernização e do posicionamento internacional das duas cidades. Naturalmente, porque enquadrados em duas realidades urbanas e geoestratégicas distintas, os dois projetos diferenciam-se, tanto nos seus modos operativos, quanto nos traços específicos que em cada caso assumiram quer as metas de modernização e de posicionamento internacional das cidades, quer os efeitos socioeconómicos das intervenções.

A análise comparada que aqui se apresenta[1] pretende precisamente explorar as semelhanças e as diferenças entre os dois projetos, procurando, com base nesse confronto, problematizar a natureza e os impactos dos processos de transformação das cidades operados por via de grandes intervenções urbanas promovidas ou tuteladas pelo poder público. Nesse sentido, procuramos analisar as estratégias e as políticas urbanísticas que estão na base dos dois projetos; seus processos de planeamento e desenvolvimento, com atenção aos tipos de atores e promotores envolvidos e aos respetivos interesses e programas de ação; os efeitos já observáveis das duas operações nos planos urbanístico, socioeconómico e sociodemográfico. A abordagem dos dois casos ponderará também em que medida os dois projetos vêm gerando, ou não, e em que planos, novas centralidades urbanas, explorando a natureza social, económica, cultural e simbólica dessas centralidades e as suas traduções do ponto de vista das hierarquias e das segmentações socioespaciais que moldam o território das duas cidades.

[1] A análise resulta de um trabalho realizado entre julho de 2007 e setembro de 2009, no âmbito do qual, além de pesquisa documental e bibliográfica, foram realizadas pesquisas de campo nas duas cidades, com consultas a profissionais envolvidos com os respetivos projetos e pesquisadores com trabalhos desenvolvidos nas áreas de estudo, observação direta das áreas regeneradas e entrevistas com diversos atores locais.

O contexto global e a inserção política e económica dos grandes projetos de regeneração urbana

Com a nova fase de internacionalização do capital, a dinâmica socioespacial das cidades sofreu alterações, revelando um permanente processo de reconstrução que cria novas bases espaciais de produção e consumo através da substituição, renovação e rutura das estruturas preexistentes. Tanto ou mais do que as políticas públicas de planeamento urbano, os fluxos de investimento e a circulação de atividades, profissionais, consumidores e turistas exercem fortes impactos sobre a organização do espaço urbano, imprimindo na cidade modos de apropriação e uso do solo e formas de gestão do território fortemente condicionadas pelas lógicas da concorrência económica e simbólica, não só entre agentes económicos, mas também entre cidades, assim tomadas como entidades coletivas que disputam entre si recursos e oportunidades.

A reboque desta dinâmica, emerge a ideia de que é preciso criar um modelo urbano capaz de garantir a sobrevida das cidades no contexto da globalização. Este modelo traz em si a necessidade de prover atributos típicos materiais que se traduzam em vantagens comparativas e atraiam efetivamente empresas transnacionais, fluxos internacionais de capitais financeiros, empreendedores e profissionais altamente qualificados, consumidores e turistas, obtendo vantagens na competição mundial entre cidades. De entre tais atributos, além das várias sedes de empresas transnacionais e uma forte economia de serviços, defende-se como desejável a existência de redes de centros de convenções, modernos aeroportos e hotéis de primeira linha, equipamentos e serviços culturais e lúdicos vocacionados para os grupos mais qualificados escolar e profissionalmente, bem como um significativo fluxo de capital financeiro internacional, de empresários e de mercadorias.[2]

Conjugadamente, as novas atividades económicas, os empreendimentos imobiliários, o crescimento populacional e as políticas públicas (ou a ausência delas) têm levado ao adensamento e à intensificação do uso de determinadas áreas urbanas, enquanto que a evasão de atividades económicas e de população ocasiona o abandono e a degradação de outras. Esse é um processo no qual o capitalismo reorganiza o espaço urbano, ocupando e

[2] De entre os autores que mais têm debatido estas questões, a respeito da cidade global ou da cidade na era da globalização, vejam-se em especial Castells (1983), Harvey (1989), Friedmann (1986), Sassen (2001) e Borja (2003).

produzindo espaço, formando áreas especializadas em distintas partes do território, intensificando o uso e a ocupação do solo urbano, estimulando o mercado imobiliário e as parcerias entre os setores público e privado, segundo facilidades de infraestrutura.

Essa organização depende, ainda, da forma como os agentes políticos, económicos e sociais agem sobre determinados espaços. A cidade é fruto de intervenções privadas e estatais, que atuam no espaço através de investimentos estruturais e organizacionais da infraestrutura urbana, regulamentando os diversos interesses de poder e de classe, estabelecendo estratégias sociais e políticas, muitas vezes geradoras de segregações e exclusões sociais (Gadelha, 2004).

Neste quadro, é particularmente importante questionar os modos de atuação do Estado e da administração pública nos domínios do planeamento e da regulação do espaço urbano. Este aspeto é tanto mais relevante quanto as operações urbanas aqui analisadas são justamente concebidas como instrumentos de planeamento e desenvolvimento das respetivas cidades, com forte impacto na reestruturação morfológica, funcional e simbólica de partes significativas dos seus territórios. Não cabe aqui retomar o debate inaugurado no pós-2ª Guerra Mundial em torno da economia política urbana e do modo como o Estado atua em maior ou menor grau ao serviço da lógica do capital e de interesses privados ou setoriais. Importa no entanto considerar as tendências que marcam, nas atuais condições da economia globalizada, o planeamento urbano e as lógicas de atuação do poder público nesse campo. Como argumenta David Thorns (2002), foi-se observando no domínio do planeamento, a partir dos anos 1980/90, uma ênfase crescente na regeneração urbana conduzida ou orientada pelo setor privado, em detrimento de uma ideia de planeamento como intervenção e controlo das atividades empresariais ou como regulação mais ampla do conjunto do território urbano. Ganham assim relevo no planeamento e nas políticas públicas para a cidade prioridades relacionadas com a resolução de entraves ao livre funcionamento do mercado e o desenvolvimento do marketing territorial, capaz de atrair investidores e empreendedores.

Neste quadro, reduz-se a ideia de interesse público aos interesses do mercado e a gestão urbana vai incorporando contornos semelhantes aos da gestão empresarial, aspeto que vai de par com a privatização e a mercantilização do espaço público das cidades. Como vêm salientando numerosos estudos, estes são efeitos que, em regra, os grandes projetos de regeneração urbana tendem a intensificar (Smith, 2002; Swyngedouw, Moulaert e Rodriguez, 2002). Concebidos e programados de modo fortemente centralizado, a partir da iniciativa do poder público ou de alianças estratégicas entre os setores público e privado, os grandes projetos de regeneração urbana do género dos que aqui nos ocupam surgem, em geral, enquadrados no "novo urbanismo" de inspiração neoliberal de que fala Neil Smith (2002). Funcionam, desse ponto de vista, como instrumentos ao serviço de estratégias de atuação do poder público alinhadas com as lógicas da empresarialização da gestão urbana, com os princípios liberais do mercado, com os interesses e as visões desenvolvimentistas para as cidades das elites económicas e tecnocráticas, das classes médias e altas, dos representantes do capital internacional. Pela sua natureza, tendem por isso também, como argumentam Swyngedouw, Moulaert e Rodriguez (2002), a apresentar graus muito baixos de envolvimento ativo da comunidade urbana em geral, a desconsiderar os interesses e necessidades das franjas mais desfavorecidas da população das cidades e a gerar fortes efeitos de fragmentação espacial e polarização socioeconómica. Por outras palavras, sendo em geral promovidos com objetivos de revitalizar económica e socialmente as cidades e estimular o seu desenvolvimento e a sua competitividade, fazem-no ao abrigo de uma visão de cidade e de desenvolvimento alinhada com os interesses e as mundivisões de determinadas classes e setores sociais.

Os dois projetos de intervenção urbana aqui analisados enquadram-se nestas tendências. Ambos surgiram no contexto de reestruturação económica mundial e pretenderam provocar alterações importantes na urbanização das respetivas cidades. Tais alterações estão fortemente associadas a um padrão de intervenção urbana onde a cidade é vista de forma fragmentada e na qual o Estado tem um papel fundamental. Nessa medida, ambos revelam igualmente a convergência entre o poder público, as elites locais e, sobretudo no caso brasileiro, o capital internacional, em torno de uma visão regeneradora das duas cidades, tendente a reforçar o seu posicionamento internacional. Ou, melhor dizendo, o seu posicionamento estratégico face às diversas geografias em que os poderes político e económico dominantes em cada uma das cidades projeta privilegiadamente a sua inserção internacional: os circuitos do capital global polarizados pelos EUA, no caso de São Paulo, e a Europa, no caso de Lisboa.

A dinâmica imobiliária de São Paulo e a Operação Urbana Consorciada Faria Lima

As Operações Urbanas Consorciadas

O processo de reestruturação urbana da área correspondente à Avenida Faria Lima e entorno, ao mesmo tempo que possibilitou usos mais intensos do solo, facilitando empreendimentos privados tendentes ao desenvolvimento de novas áreas de habitação e negócio geradoras de elevado rendimento, pretendeu captar recursos aplicáveis na melhoria de infraestruturas para benefício geral da cidade e da sua população. Para gerar o equilíbrio entre interesses do capital, desenvolvimento económico da cidade e atendimento às necessidades da população que, no plano dos princípios, o processo devia assegurar, o poder público recorreu à figura da Operação Urbana Consorciada.

Segundo o Estatuto da Cidade, a Operação Urbana Consorciada

> é o conjunto de intervenções e medidas coordenadas pelo poder público municipal, com a participação dos proprietários, moradores, usuários permanentes e investidores privados, com o objetivo de alcançar em uma área transformações urbanísticas estruturais, melhorias sociais e a valorização ambiental.
>
> (Artº 32/1)

O Plano Diretor Estratégico completa:

> tem como objetivo ampliar os espaços públicos, organizar o transporte coletivo, implantar programas habitacionais de interesse social e criar melhorias de infraestrutura e sistema viário, num determinado perímetro.
>
> (Artº 225)

As Operações Urbanas em São Paulo têm como principal orientação o desenvolvimento urbano com a renovação de espaços pré-determinados da cidade, através do adensamento construtivo, de melhorias na rede viária, de ações e programas voltados para a diminuição de desigualdades socioespaciais e a melhoria das condições de vida da população. Na verdade, como referido por Castro (2006: 54), as Operações Urbanas são "essencialmente empreendimentos de natureza imobiliária onde o poder público assume a iniciativa e o controle da produção do espaço urbano, em uma área determinada, articulando a ação dos agentes privados e públicos para alcançar um amplo conjunto de objetivos, como: viabilização da produção de habitação para a população de baixa renda; viabilização da implantação de equipamentos e de infraestrutura; obtenção de recursos adicionais para investimento público em habitação; inibição das atividades imobiliárias especulativas, principalmente a retenção de terrenos para valorização [os vazios urbanos] e estímulo às atividades imobiliárias produtivas".

No entanto, para lograr êxito na consecução desses objetivos, é preciso definir uma estratégia capaz de despertar o interesse da iniciativa privada, para que esta venha, efetivamente, custear a implantação de obras, melhorias ou equipamentos de interesse público, sem perder de vista a qualidade na produção do espaço.

A Operação Urbana Faria Lima

A Operação Urbana Faria Lima (Lei Municipal de 05/11/1995) tem os seus antecedentes no processo de ocupação da várzea do Rio Pinheiros, iniciada a partir da década de 1920, quando muitas áreas desocupadas da região foram aos poucos sendo ocupadas pela elite. Na época, nessa porção da cidade, classes abastadas habitavam em muitos dos terrenos adquiridos pela empresa Companhia City, que eram pouco valorizados. Esses terrenos, entre o espigão central e o Rio Pinheiros, foram sendo paulatinamente ocupados, com características de áreas residenciais voltadas para a elite.

Quando analisamos a formação inicial do município de São Paulo e, posteriormente às modificações na legislação, as suas sucessivas transformações, observamos que o crescimento e a manutenção do espaço urbano paulista estiveram voltados para o interesse de uma classe dominante. A elite deslocou-se, criou-se uma nova centralidade e o antigo centro (embrião da cidade) foi abandonado. Na visão de Villaça (1998), trata-se de uma manipulação através de "ideologia". A direção de deslocamento foi dada pela classe dominante, o antigo centro foi ocupado pelo comércio das classes populares e, consequentemente, houve a desvalorização dos imóveis. O mercado imobiliário mudou o foco de interesse, o que contribuiu para a reestruturação da cidade. É uma nova centralidade que passa a ser considerada "cidade", o que para Villaça é ideologia, é generalização do particular, ou seja, tomar como sendo "cidade" somente a parte ocupada pela elite.

Corroborando com esses interesses, aparece nova legislação urbana, que demonstra um claro interesse em beneficiar a região onde está localizada a classe de alta renda e o foco imobiliário. Ao longo do tempo, isso contribuiu para uma crescente valorização da terra e dos imóveis dessa região. E aqui podemos mencionar uma vez mais, Villaça que fala do planeamento como uma "fachada ideológica", onde a ação concreta do Estado não é legitimada, ao contrário, é ocultada (*idem*).

Entre 1968 e 1970 foi feito o primeiro trecho da Avenida Faria Lima, totalmente financiado pelo poder público, configurando uma nova etapa no processo de deslocamento do centro financeiro e de serviços, antes localizado na Avenida Paulista. Essa obra acabou por se constituir numa das mais importantes da gestão do prefeito Paulo Maluf (Fix, 2001). Isso, associado à inauguração do *Shopping Center* Iguatemi, em 1966, levou à valorização e à verticalização da área, com escritórios e residências de alto padrão, confirmando o processo de especulação e de atendimento à pequena classe de alta renda, através de modificações da legislação:

> os moradores de alta renda, garantem sua qualidade de vida urbana, ao preservar seus bairros jardins, agora transformados em zonas de usos estritamente residenciais. Ao longo da avenida recém criada, as condições para o desenvolvimento de um novo padrão de ocupação: possibilidade de verticalização e usos mistos de alta densidade, na zona de uso Z3 em volta do *shopping center*. Anunciava-se à época a consolidação de uma nova Avenida Paulista.
>
> (Castro, 2006: 84)

O projeto inicial de intervenção nessa área foi divulgado em 1988 pela Prefeitura de São Paulo e foi elaborado pelo Escritório Técnico Júlio Neves S. C. Ltda., pela empresa de base norte-americana Richard Ellis Consultores Internacionais de Imóveis e pela Empresa Brasileira de Estudo do Patrimônio – EMBRAESP. Esse projeto, inicialmente denominado Boulevard Zona Sul, propunha um novo traçado da Avenida Faria Lima, para permitir a conexão com a Avenida Luiz Carlos Berrini, cortando parte da Vila Olímpia (bairro da região nobre da cidade de São Paulo). Esse traçado viria junto com "desapropriações e reurbanização de quadras inteiras, ou seja, significaria simplesmente jogar Vila Olímpia e Vila Nova Funchal no chão" (Fix, 2001: 53).

Em 1991, na gestão Luiza Erundina, o projeto voltou a ser discutido por ocasião da discussão do Plano Diretor, passando a ser tratado no âmbito da Operação Urbana Faria Lima-Berrini.

Os principais objetivos urbanísticos propostos na lei específica da Operação Urbana Consorciada Faria Lima (Lei Nº 13.769/2004) foram: (i) permitir a alteração dos parâmetros urbanísticos estabelecidos na legislação vigente de uso e ocupação do solo, de modo a motivar o interesse dos investidores e proprietários dos imóveis, para que, através da outorga onerosa, contribuíssem para os melhoramentos da circulação viária; (ii) gerar condições e recursos para que os proprietários de lote atingidos fossem indemnizados ou pudessem obter financiamento para, caso pretendessem continuar a residir na zona, terem acesso às habitações já construídas ou a ser construídas; (iii), estimular o adensamento construtivo, sem prejuízo da qualidade ambiental; (iv) incentivar usos diferenciados nas áreas contidas no perímetro da Operação Urbana; (v) atender à população favelada residente na área da Operação Urbana e entorno, através da provisão de Habitação de Interesse Social.

Os bairros que sofreriam intervenção estavam totalmente consolidados e ocupados por uma população de classe média e classe média alta: Pinheiros, Itaim, Vila Nova Funchal e Vila Olímpia (Fix, 2001). Portanto, para que esse prolongamento se efetivasse e para a implantação de infraestrutura complementar, seriam necessárias várias desapropriações.

Após alguns anos de discussão a lei foi aprovada com algumas mudanças no projeto do traçado da nova via. A aprovação foi envolvida de muita resistência por parte dos moradores. Isso aconteceu porque envolvia uma população de classe média e média alta, que demonstrou capacidade de mobilização e discussão. Ressaltando a importância que a condição social da população residente assume no modo como estes processos são dirigidos, Mariana Fix remete-se à implantação da Operação Urbana Água Espraiada (em área contígua à Operação Urbana Faria Lima), onde os desapropriados de baixa renda foram vítimas de violência física (*idem*).

Essas discussões com os moradores não impediram que a Operação Urbana fosse implantada, porém levou a alterações parciais. A preservação das características de zona de uso predominantemente residencial da Vila Olímpia, sem verticalização e atividades de comércio e serviços locais, é um exemplo. Foi também possível negociar o valor das indemnizações, ou seja, de alguma forma os moradores participaram.

Os projetos de Operação Urbana em São Paulo geralmente incluíram um significativo volume de investimento inicial por parte do Governo Local, criando perspetivas concretas de valorização que atraíssem investidores privados. São exemplos disso investimentos no sistema viário e os chamados "empreendimentos-âncora" (um *shopping center*, um centro empresarial), capazes de promover efeitos propagadores de valorização da área e, consequentemente, seduzir outros investidores privados.

Desde então, muito pouco foi alterado na forma das parcerias do poder público com a iniciativa privada utilizadas com o objetivo de requalificação do espaço. As operações urbanas, enquanto instrumento de planeamento urbano, viabilizaram negócios imobiliários lucrativos e promoveram a intensificação da densidade na ocupação do solo urbano. Conforme Magela Costa e Cota,

> até o momento, no entanto, não se observa qualquer resultado relacionado ao pretenso caráter redistributivo do instrumento em termos de impactos positivos socializados para a coletividade. Ao contrário, a permissão de construção acima de índices permitidos pela lei do zoneamento promoveu a apropriação das mais-valias pela iniciativa privada, além de ter contribuído para o agravamento de desigualdades socioespaciais.
>
> (Magela Costa e Cota, 2009: 9)

Impactos locais: a gentrificação da zona

A maior parte das intervenções previstas para o período de 2004 a 2009 já foram executadas e o projeto básico e executivo do corredor viário e a reconversão urbana do Largo da Batata está em execução. A construção das Habitações de Interesse Social e a remoção das favelas Coliseu e Real Parque, no entanto, ainda não foram iniciadas. Os custos das obras ultrapassaram o valor estimado inicialmente e as opiniões sobre o emprego e a eficácia do mecanismo de obtenção de recursos com a permissão da intensificação do uso do solo – os CEPAC[3] – tendo em vista a sua aplicação em medidas e infraestruturas para benefício geral da cidade, dividem-se.

[3] Com a revisão da lei 11.732/1995, em 2004, foi regulamentado o Certificado de Potencial Adicional de Construção (CEPAC). Trata-se de um título mobiliário rastreado pelo mercado imobiliário, emitido pelo poder público, atrelado a uma única operação urbana e também aos projetos por ela previstos. Pode ser negociado livremente na Bolsa de Valores e comercializado em leilões públicos de papéis, com rendimento variável. Com a sua emissão são gerados os chamados "direitos adicionais de construção" nas áreas definidas pelas Operações Urbanas, o que possibilita a realização de construções acima do limite permitido pela legislação ou ocupação de solo diversa do vigente, mediante uma contrapartida financeira que é paga à Prefeitura local, com a utilização destes títulos. A definição de seus valores mínimos e sua gestão são competências da Empresa Municipal de Urbanização (EMURB) (Bógus e Pessoa, 2008: 127-128).

De um lado argumenta-se que o montante arrecadado com os CEPAC's na Operação Urbana Consorciada Faria Lima é inferior aos gastos da Prefeitura com as obras e desapropriações (Maricato e Witaker *apud* Nobre, 2006); de outro, defende-se que a criação das CEPAC's representa um sucesso diante da possibilidade de arrecadação antecipada dos recursos necessários à execução das obras públicas, permitindo ao poder público apropriar-se de parte das mais-valias geradas pelos investimentos privados (Biderman e Sandroni, 2005).

Na realidade, observa-se que os bairros beneficiados com as duas Operações na região em estudo foram alvos de aumento da valorização e do interesse imobiliário. A região é disputada pelas grandes empresas e pela classe de alta renda, porém demonstra saturação na infraestrutura, principalmente a viária, com longos congestionamentos, o que faz com que o poder público priorize ainda mais os investimentos nesse setor.

Neste contexto, além da instalação de serviços associados à competitividade da área, dois aspetos essenciais merecem ser ressaltados: a alteração do perfil demográfico e a mudança das características socioeconómicas de seus moradores. Diminuiu o número de residentes e aumentou a proporção de faixas etárias mais elevadas. Antigas residências unifamiliares de classe média deram lugar a edifícios de apartamento de classe média alta e a edifícios comerciais de alto padrão, levando à elitização e à mudança de uso (Biderman e Sandroni, 2005).

Os Quadros 1 e 2 evidenciam as mudanças no perfil sociodemográfico da área de estudo.

QUADRO 1. Percentagem de população por anos de estudo na região das Operações Urbanas, 1991 e 2000[4]

AEDS	Anos de estudo			
	1 a 4	**5 a 8**	**9 a 11**	**12 ou mais**
1991	22	16	20	32
2000	13	14	22	43

Fonte: *Censos Demográficos 1991 e 2000*. Quadro elaborado pelo Observatório das Metrópoles (São Paulo).

[4] Não estão ainda disponíveis dados do Censo de 2010, razão pela qual se usam dados apenas até 2000.

QUADRO 2. Estrutura etária da população residente na região das Operações Urbanas

	0-14	15-29	30-44	45-59	60-75	75 e +	Total
1991	25327	32172	31326	18580	13890	3997	12592
2000	12534	22352	21781	17434	11960	5391	91452
2000-1991 incremento	-12793	-9820	-9545	-1146	-1930	1394	-33840

Fonte: *Censos Demográficos 1991 e 2000*. Quadro elaborado pelo Observatório das Metrópoles (São Paulo).

Esta mudança da tonalidade socioeconómica da região é efetivamente um dos efeitos mais relevantes da operação de regeneração. Ao mesmo tempo que valorizou economicamente esta parte da cidade, gerou tensões e desequilíbrios entre os novos e os antigos usuários e residentes. Entre estes últimos, prevalece o sentimento de terem sido ultrapassados pela transformação e de os seus interesses e necessidades terem sido pouco considerados pelas mudanças operadas.

A perceção de uma entrevistada, moradora antiga da região, reafirma a mudança de uso observada na área:

> Eu vim pra cá na década de 1970. Eu vi surgir a Berrini, vi fazer o *Shopping* Ibirapuera, depois o *Shopping* Morumbi, aí o bairro aos poucos foi crescendo e tomando essa proporção. (...) Mudou totalmente. Na década de 1970 isso aqui era realmente um bairro residencial, onde é prédio hoje era tudo residência, casas, em todo o bairro eram casas. (...) A Berrini não existia e na época, tinha até uma "pinguelinha" para atravessar o córrego...
>
> (Excerto de entrevista a Zulmira, 55 anos)

Trechos dos depoimentos de uma outra moradora que está no bairro há 36 anos e de sua vizinha de apartamento e nova moradora do bairro, revelam conflitos vividos com as transformações na ocupação e nas formas de sociabilidade:

> Acho também que o pessoal que veio trabalhar aqui, apesar de serem executivos, uma classe melhor, ao mesmo tempo são pessoas muito sem educação. Eu sinto isso e são muito diferentes do pessoal do bairro. Penso que talvez o fato de trabalhar aqui faz com que eles se sintam importantes, melhores. (...) Descendo aqui a rua Sansão com a Guararapes, ali tinha

> comércio, tinha quitanda, açougue, padaria, tinha comércio a 2 quadras daqui, que era do bairro mesmo. O comércio daqui agora é voltado mesmo mais para quem trabalha. ...Para nós aqui do bairro, para quem mora aqui, temos que ir para o outro lado, atravessar a Berrini.
>
> (*idem*)

> Onde ela está falando, hoje tem loja de roupas, papelaria, correio, barzinho. (...) Se eu tivesse dinheiro para investir eu abriria um mercadinho aqui perto da estação. Porque do lado de cá não tem comércio, esse tipo de comércio cotidiano tipo açougue, mercearia, padaria. Tem só uma loja de doce na praça... Tinha um açougue aqui, mas virou lavanderia.
>
> (Excerto de entrevista a Inês, 56 anos)

Com o processo de intervenção a área sofreu grande valorização imobiliária. O aumento da verticalização (caso do Brooklin, Vila Olímpia e outros) e da renda da população residente, associado à queda na densidade habitacional, é indicador do avanço da *gentrificação* (Biderman e Sandroni, 2005). Como também assinala Nobre (2000), "do ponto de vista socioespacial uma das principais implicações dessas intervenções urbanas foi a atração de uma nova classe social abastada de jovens executivos, que, atraída pela proximidade do trabalho e por novos valores culturais, acabou por se instalar nessas regiões".

Em outros estudos (Bógus e Pessoa, 2008), observamos que a verticalização foi identificada em algumas áreas da região já a partir de 1985 e não somente após as intervenções urbanas, o que poderia indicar que esse processo já vinha acontecendo em função de uma visão prévia do mercado imobiliário e dos estudos e indicações de mudanças na legislação local. Essa expectativa de valorização futura traz um aumento da demanda pelas áreas, o que faz com que o valor da terra e dos terrenos se eleve.

Os estudos evidenciam a valorização imobiliária da área, a substituição da classe média pela classe média alta e, como referem Biderman e Sandroni (2005), a *gentrificação* no âmbito dos negócios, ou seja, uma troca de casas e sobrados por edifícios verticais luxuosos, que foram ocupados, na sua maioria, por pequenos negócios, levando à mudança do uso e, consequentemente, à queda da densidade habitacional. Esses resultados mostram que a Operação Urbana Consorciada Faria Lima (tal como a Água Espraiada), ao contrário do que se propunha – construir espaços renovados voltados para os interesses da coletividade – foi responsável pela criação de centros que concentram riqueza e expulsam parte da população residente.

A verticalização sem planeamento e a insuficiência dos serviços de transporte coletivo também são aspetos a considerar. A região tornou-se a principal referência para os ônibus fretados, sendo também muito frequente o uso de helicópteros como meio de transporte dos altos executivos que trabalham no local. De acordo com o jornal Folha de São Paulo,[5] no trecho da Vila Olímpia constituído por 10 ruas ocupadas por comércio e escritórios existiam, em 2009, 25 helipontos contra 24 paradas de transporte coletivo.

No contexto da Operação Urbana Faria Lima – Berrini, assumiu também notória importância o surgimento de um turismo hoteleiro voltado ao novo tipo de visitante da cidade global, e que compõe o rol dos serviços de apoio adequados à configuração deste espaço. A concentração de serviços do terciário especializado atrai o turismo de negócios, com a presença de hotéis, muitos dos quais pertencentes a redes internacionais que atendem ao novo perfil de usuários.

No entanto, espaços extremamente equipados desta região da cidade convivem com uma série de desigualdades sociais, o que também revela a fragilidade das caracterizações unívocas sobre a competitividade global de São Paulo. No caso da proliferação de meios de hospedagem que corroboram a imagem de cidade global, alguns estudos evidenciam a coalisão entre o mercado hoteleiro e o imobiliário, apontando que no período de 1995 a 2005 teria havido uma oferta excessiva, cujos resultados, advindos da promoção imobiliária, superariam aqueles provenientes das operações hoteleiras (Kolioumba, 2002; Spolon, 2006).

Na adequação do mercado hoteleiro ao mercado imobiliário convergiram no entanto, além das incorporadoras, construtoras, investidores do setor hoteleiro nacional e internacional e o Estado, como provedor de uma estrutura urbana extremamente atraente para os setores imobiliário e turístico-hoteleiro. O movimento de expansão do setor hoteleiro de 1995 a 2005 praticamente dobrou a quantidade de "unidades habitacionais" (Spolon, 2006), especialmente concentradas na área sudoeste da cidade, demonstrando sua reação com relação ao movimento de formação desta nova centralidade urbana, onde se concentra excelente infraestrutura básica e de apoio.

[5] "Região da rua Funchal tem mais helipontos que pontos de ônibus", *Folha de São Paulo*, Caderno Cotidiano, 13 de setembro de 2009.

Entre os meios de hospedagem que se instalaram na cidade durante o período de consolidação da área da Operação Urbana Faria Lima, destaca-se a presença de redes internacionais que até então não tinham empreendimentos no Brasil, como a Hyatt e Pestana. Das quase 24 mil novas unidades hoteleiras abertas no período, mais de 93% pertence a redes. Ana Paula Spolon identifica que, ao contrário do que propalam os média, as redes internacionais, em lugar de servirem à modernização real do quadro hoteleiro, reforçam o caráter global da cidade que hospeda a rede internacional que, na realidade, é administrada em forma de franquia por agentes nacionais, pessoas físicas, fundos de pensão e uma série de proprietários brasileiros de unidades habitacionais que pagam muito bem os *royalties* das bandeiras internacionais (Spolon, 2006).

Se considerarmos os principais eventos cadastrados pelo *São Paulo Convention & Visitors Bureau*, verifica-se também que os meios de hospedagem oficiais, utilizados pelos participantes destes eventos, se concentram nesta mesma região. Segundo o documento *Indicadores e Pesquisas da Cidade de São Paulo de 2008*, esta área é a que concentra a maior quantidade de unidades habitacionais da cidade e as maiores taxas de ocupação. A alta presença de equipamentos que dão suporte, especialmente, ao turismo de negócios e de eventos, acaba também por agir no sentido de legitimar o caráter internacional desta porção da cidade.

Embora a Operação Urbana Água Espraiada não seja aqui objeto de análise, tendo em vista a sua contiguidade com a área em estudo, cabe destacar uma obra que, com seu caráter espetacular, reforçou a marca de distinção na invenção desta centralidade: a Ponte Octavio Frias de Oliveira. Segundo Mariana Fix, a operação urbana consorciada Água Espraiada veio sedimentar a escolha de transformar a região em uma nova centralidade, que abrigasse a chamada "nova economia" em São Paulo, incrementando a especulação imobiliária na metrópole (Fix, 2006). Para ela, a ponte serviu como chamariz ao mercado imobiliário, pois, com seu caráter espetacular, criou uma marca de distinção, inventou uma centralidade para o empresariado, o que, necessariamente, englobava a necessidade, para a Prefeitura e para as empresas, de tirar as favelas do local. Bógus e Pessoa (2008) também apontam no mesmo sentido, frisando o *boom* imobiliário e a subida exponencial dos preços do solo, concorrendo para a alteração da tonalidade socioeconómica de um bairro que há 30 anos era ainda popular.

Figuras 1 e 2. Imagens da região da Operação Urbana Faria Lima

Fotografias dos autores, 2010.

Para essa alteração concorrem ainda decisivamente uma série de empreendimentos voltados para a classe de alta renda, como o Parque Cidade Jardim (complexo imobiliário também voltado para o luxo, incluindo locais para consumo e espaços residenciais), o *Shopping* Vila Olímpia e o JK Iguatemi, este com 240 lojas, muitas delas com as mais sofisticadas grifes de luxo do mundo, com inauguração prevista para este ano.

Lisboa à conquista de uma modernidade europeia: A Expo'98 e o Parque das Nações

Da realização de uma Exposição Mundial à regeneração da zona oriental de Lisboa

A operação Expo'98/Parque das Nações, embora partilhe muitas características com a Operação Urbana Faria Lima, evidencia também especificidades. Para além das diferenças relacionadas com a diversidade das escalas e das dinâmicas urbanas de São Paulo e Lisboa, essas especificidades remetem para o modo como o processo de regeneração urbana foi conduzido e enquadrado política e institucionalmente, assim como para as circunstâncias em que o projeto nasceu e se desenvolveu.

A regeneração da zona oriental de Lisboa, que conduziria à nova área urbana atualmente ocupada pelo Parque das Nações e entorno, teve origem na iniciativa de candidatar Lisboa à organização de uma exposição internacional, a Expo'98.

Em meados de 1989, por iniciativa gerada no quadro do programa de comemorações das descobertas portuguesas, o Governo do país comprometeu-se com a apresentação junto do *Bureau International des Expositions* de uma candidatura à realização de uma Exposição Mundial, que celebrasse com pompa os 500 anos da viagem de Vasco da Gama para a Índia. O trabalho gerado no seio da equipa constituída para elaborar o plano da Exposição Mundial acabou por se afastar consideravelmente desse objetivo comemorativo inicial. Resultou um evento dedicado ao tema dos Oceanos, que se pretendia que fosse uma grande campanha de charme e de promoção diplomática, política, económica e cultural do país no cenário internacional, apresentando uma imagem moderna e cosmopolita de Portugal e de Lisboa, virada para o futuro e os grandes problemas mundiais, e não já para o passado e o imaginário das descobertas (Ferreira, 1998 e 2006).

O projeto de regenerar a zona oriental de Lisboa nasceu junto com a tomada de decisão sobre o local onde se realizaria a exposição. Tratava-se de um mega-evento, que necessitava de uma área ampla e disponível para toda a infraestrutura implicada. A zona oriental de Lisboa surgiu aos olhos da equipa promotora da candidatura, da Câmara Municipal de Lisboa e do Governo nacional como o local ideal, já que permitia juntar à exposição um desígnio mais amplo e duradouro: regenerar, à imagem do que se havia feito muito anos antes com a Expo de Nova Iorque de 1939, uma vasta zona urbana degradada, convertendo-a numa nova centralidade da cidade e da sua área metropolitana (Ferreira, 2002 e 2006; Ferreira, 1997; Ferreira e Indovina, 1999).

Em consequência, foi delimitada uma área de 330 hectares, que incluía 5 quilómetros da frente ribeirinha do rio Tejo, em torno da Doca dos Olivais, se estendia por três freguesias de dois municípios contíguos (as freguesias de Santa Maria dos Olivais, de Lisboa, e de Moscavide e Sacavém, de Loures) e era atravessada por um rio muito poluído, o Trancão. Antes da operação, a área, onde a presença de habitação era escassa e residual, era ocupada sobretudo com instalações industriais e uma doca em prolongado processo de degradação, sendo considerada pelas autoridades públicas zona de risco ambiental e abandono socioeconómico. Na avaliação da Câmara Municipal de Lisboa, esse risco resultava da conjugação de vários aspetos: do processo de desindustrialização; da permanência de atividades industriais poluentes e perigosas; da degeneração do edificado, com "edifícios fabris em ruínas" e "bairros operários antigos e de habitação social recente muito degradada"; das "acessibilidades deficientes"; da "predominância dos estratos sociais mais baixos" (Câmara Municipal de Lisboa, 1992; Vaz, 1999: 163-164).

Desde o início da década de 1990, em simultâneo portanto com o processo de candidatura da Expo'98, a Câmara Municipal de Lisboa vinha definindo a zona oriental como área de intervenção prioritária e estratégica, visando a sua requalificação e melhor integração sociourbanística na cidade e na Área Metropolitana de Lisboa. Os principais documentos de planeamento então elaborados pelas autoridades municipais[6] apontavam para a reconversão da zona industrial e portuária numa zona de serviços de apoio à indústria e numa plataforma logística que servisse de interface da cidade com o exterior. A candidatura à Expo'98 foi integrada nesses projetos como uma forma de acelerar a sua concretização e de, ao mesmo tempo, potenciar novas dinâmicas urbanas: instalação de atividades de terciário avançado e de investigação e desenvolvimento tecnológico; edificação de novos equipamentos de cultura, lazer e apoio aos serviços e indústria (um parque de feiras e exposições, um pavilhão de desportos, um parque de diversões, zonas verdes); aproximação da cidade ao rio, criando corredores de ligação entre a área

[6] Referimo-nos aos seguintes planos: o PDM – Plano Diretor Municipal; o PEL – Plano Estratégico de Lisboa; e o PROTAML – Plano Regional de Ordenamento do Território da Área Metropolitana de Lisboa.

a reurbanizar e as zonas envolventes (Câmara Municipal de Lisboa, 1992; Ferreira, Lucas e Coelho, 1999; Soares, 1998 e 1999; Vaz, 1999).

Também a Câmara Municipal de Loures aproveitou a oportunidade criada pela Expo'98 para lhe associar uma série de projetos de beneficiação do município. Destacam-se as prioridades concedidas às acessibilidades rodoviárias e ferroviárias (a extensão da rede de Metropolitano de Lisboa), ao planeamento de novos equipamentos coletivos, à resolução de problemas com o parque habitacional e à despoluição e tratamento ambiental dos rios Tejo e Trancão, de modo a facilitar a sua fruição pela população concelhia (Câmara Municipal de Loures, s/d).

Um projeto emblemático: edificar uma nova capital atlântica europeia e moderna

Nascido da necessidade de encontrar um lugar para realizar a Expo'98, rapidamente o projeto de intervenção urbanística ganhou escala e ambição, incorporando o espírito empreendedor, visionário e promocional que caracterizava a candidatura de Lisboa à organização de uma Exposição Mundial. O projeto urbanístico foi com efeito concebido não apenas para regenerar a zona, mas também para servir de montra e de modelo do que deveria ser a Lisboa dinâmica, moderna, competitiva e internacionalizada do futuro. A proposta dos promotores da candidatura à Expo'98 foi por isso acolhida com entusiasmo pelo poder político e os responsáveis do Governo e das Câmaras Municipais, que assumiram o plano como um projeto público e de interesse nacional e local. A operação Expo'98/Parque das Nações assumiu assim os traços de um "projeto emblemático" (Carrière e Demazière, 2002): um grande projeto de intervenção vocacionado para criar cidade nova, servir de bandeira para uma transformação urbana de grande impacto e estimular dinâmicas de crescimento e desenvolvimento da economia local.

O plano de urbanização desenhado para a zona de intervenção (PUZI) preconizava um programa de reabilitação e reconversão urbanística organizado em torno das ideias de recuperação da frente ribeirinha para fruição dos cidadãos e de criação de um novo pólo centralizador de funções na Área Metropolitana de Lisboa, de elevada qualidade urbanística, tecnológica, estética e ambiental. Tratava-se de construir praticamente de raiz uma nova zona urbana, a partir da demolição da quase totalidade dos edifícios preexistentes e do desmantelamento das atividades sobreviventes. O plano definia as seguintes prioridades: (i) requalificação ambiental da zona, favorecendo o acesso e a fruição do rio por parte dos lisboetas; (ii) criação de uma nova centralidade multifuncional na Área Metropolitana de Lisboa; (iii) implantação de equipamentos âncora e melhoria das acessibilidades e transportes, de modo a assegurar a vitalidade futura da zona; (iv) articulação urbanística e socioeconómica da zona de intervenção com a área envolvente, de modo a não criar ruturas espaciais e funcionais; (v) valorização da qualidade estética e ambiental da zona.

Para esse efeito, foram planeadas uma série de obras estruturais, cuja execução se iniciou em 1993: recuperação ambiental dos terrenos e despoluição da bacia hidrográfica do rio Trancão; construção de infraestruturas de comunicações, saneamento e distribuição de energia e água tecnologicamente avançadas; edificação de equipamentos âncora com funcionalidade no pós-Expo'98; edificação de zonas residenciais e atração de investidores para implantação de sedes de grandes empresas, hospital, escolas, equipamentos lúdicos, hotéis e restaurantes; criação de zonas verdes e equipamentos de lazer e fruição da frente ribeirinha; construção e ampliação das redes de transportes terrestres, com destaque para uma Estação Intermodal, o alargamento da linha do Metropolitano de Lisboa, a Ponte Vasco da Gama, as novas rodovias (Parque Expo'98, 1999).

O plano estabeleceu duas metas temporais, associadas à articulação entre a realização da Expo'98 e a reurbanização mais ampla. Numa primeira fase, foi atribuída prioridade à edificação do recinto expositivo (70 dos 330 hectares) e das infraestruturas complementares, necessárias ao seu funcionamento. Numa segunda fase, após o fim da exposição, os trabalhos concentrar-se-iam na readaptação do recinto ao período pós-Expo (transformando-o no atual Parque das Nações) e no desenvolvimento da requalificação das zonas envolventes, tendo em vista a consolidação do projeto urbano no seu conjunto. A meta para esta consolidação foi fixada no ano 2010, apontando assim para um programa de reconversão urbana de longo prazo (Rosa, 1993 e 1998).

Para a concretização do projeto, foi criada uma sociedade anónima de capitais inteiramente públicos, a Parque Expo, cujos acionistas foram o Estado central (largamente maioritário) e as Câmaras Municipais de Lisboa e Loures. A Parque Expo tinha a dupla responsabilidade de organizar a exposição e pôr em prática o plano de intervenção urbanística. Do ponto de vista institucional e jurídico, o projeto foi portanto assumidamente um projeto público, tanto na sua dimensão formal, como nos objetivos e efeitos pretendidos. Tratava-se de planear e fazer acontecer uma parte nova de cidade, em benefício dos interesses públicos e com critérios de natureza igualmente pública, a partir de uma iniciativa conjunta do Estado central e do poder municipal.

Tendo esse programa em vista, foram atribuídos à Parque Expo poderes urbanísticos excecionais, que lhe permitiram atuar sobre o solo urbano praticamente sem limitações e com um raio de atuação (expropriação, regulação, construção) que ultrapassava inclusivamente os poderes das próprias entidades municipais (Ferreira, 2006; Garcia, 2010). Esse regime jurídico excecional acabou por atribuir uma autonomia de atuação urbanística muito forte à Parque Expo, que, apesar de ser uma entidade pública, passou a organizar-se e a atuar numa lógica de empresa privada. No final da Expo'98, em 1999, a Parque Expo era já um grupo de empresas associadas, que, para além das responsabilidades com a urbanização e a manutenção da nova área urbana, se dedicavam também a outras áreas de negócio, da consultoria urbanística à promoção imobiliária, estendendo a sua atividade a todo o país e ao estrangeiro.

A operação Expo'98 revelou-se assim um caso inovador de produção e regulação do solo urbano por uma entidade que, sendo financiada e tutelada pelo poder público, se organizava e atuava com larga margem de autonomia, funcionando com base em critérios característicos de uma sociedade privada. Era uma espécie de *Estado secundário* (Ferreira, 2006) que, sob o apoio e a proteção do Estado, foi desenvolvendo uma estratégia empresarial concorrencial com o setor privado.

À Parque Expo cabia não apenas levar a cabo as obras de reconstrução do espaço público e das infraestruturas urbanas previstas no PUZI, como também negociar com promotores privados a construção atribuída aos privados (residência, equipamentos, etc.) e a implantação local de atividade económica. Nesse processo, os poderes públicos abdicaram de capacidade de intervenção sobre a produção e regulação do espaço urbano, entregando--o, na fase fundamental de desenvolvimento do projeto, a uma entidade que funcionava com autonomia e que foi fazendo uma interpretação muito autocentrada da sua missão pública. Poucos anos após o encerramento da exposição, a Parque Expo declarava já como seu principal objetivo atingir metas empresariais e gerar lucro, secundarizando o seu papel público de regulador e administrador do novo espaço público da zona regenerada.

Tal como no caso das Operações Urbanas em São Paulo, e apesar da utilização de um procedimento muito distinto, o objetivo era promover a criação de uma nova parte de cidade através de uma iniciativa do Estado que fosse capaz de atrair investimentos e empreendimentos privados, gerando assim uma dinâmica tendente à consolidação de uma nova centralidade urbana, estruturada em torno de uma área de residência e serviços de padrão médio/alto e alinhada com um perfil de modernidade europeia. Embora o apelo à atração do capital internacional fosse parte constituinte da retórica que envolveu o projeto, ele teria uma expressão muito menor do que no caso de São Paulo, refletindo a diferença de perfil e de posicionamento estratégico das duas cidades na economia global.

Impactos locais: da regeneração da área industrial degradada aos contrastes e segmentações socioespaciais

Num momento em que se atingiu já a meta fixada como principal referência para a consolidação do projeto (o ano de 2010), os seus resultados são ambivalentes e suscitam apreciações diversas. A generalidade das obras infraestruturais previstas encontra-se já realizada e a transformação ocorrida é profunda e visível a olho nu (ver Figuras 3 e 4): num território antes essencialmente ocupado por instalações industriais em declínio ergue-se hoje um novo pedaço de cidade, que se foi densificando nos planos urbanístico, funcional e residencial e incorporando alguns dos traços preconizados pelo projeto original.

Embora alguns analistas apontem insucessos no objetivo mais amplo de criar uma nova centralidade integradora da Área Metropolitana (Ferreira e Indovina, 1999; Ferreira, Lucas e Gato, 1999), a nova zona urbana foi-se constituindo, a partir dos finais da década de 1990, como uma das principais áreas de expansão de Lisboa, proporcionando a emergência de uma nova centralidade urbana na malha morfológica e funcional da cidade. Esse facto é, como resulta da análise realizada por F. M. Serdoura, "demonstrado pela importância da sua estrutura urbana no centro funcional e na cidade e que fez desviar o crescimento do centro para a zona Oriental, em direção à periferia" (Serdoura, 2008: 194).

A nova área regenerada é polarizada pelo Parque das Nações, que ocupa o terreno que em 1998 albergou o recinto da Exposição Mundial. Com uma configuração e funcionalidade próximas de um parque temático, o Parque das Nações alberga um importante conjunto de infraestruturas de

Figuras 3 e 4. Imagens do Parque das Nações e da área urbana regenerada em seu torno

Fotografias dos autores, 2011.

caráter cultural e lúdico que, associado à amplitude, originalidade e qualidade estética, arquitetónica e ambiental da extensa frente de rio, tornou o lugar um dos principais pontos de atração turística da capital e do país. Em seu torno, e no perímetro da zona abrangida pelo processo de regeneração, distribuem-se áreas residenciais de perfil médio/alto, alguns equipamentos públicos, hotéis de gama alta, sedes e instalações de grandes empresas, algumas quais internacionais, e negócios comerciais, com destaque para o Centro Comercial Vasco da Gama, centro nevrálgico da atividade comercial local. A atratividade da zona no contexto de Lisboa é reforçada pela rede de infraestruturas viárias e ferroviárias que entretanto foram construídas[7] e vem-se refletindo na crescente fixação de escritórios e serviços, aspeto que a torna uma das zonas mais movimentadas do mercado imobiliário de Lisboa (ICEP, 2009).

A evolução e densificação da zona regenerada é visível também nos planos habitacional e demográfico. O forte crescimento da construção de habitação vem sendo acompanhado de uma assinalável dinâmica de fixação de novos residentes. Como se pode observar pelos Quadros 3 e 4, a população residente na *Zona do Parque das Nações*[8] cresceu de forma muito acentuada, sobretudo na década de 2001 a 2011.

Quadro 3. Evolução do número de residentes, edifícios e alojamentos na *Zona do Parque das Nações* (1991-2011)

	1991	**2001**	**2011***
Residentes	918	2939	13.685
Edifícios	194	191	527
Alojamentos	289	1.665	7.969

* Os valores de 2011 referem-se a dados preliminares.

Fonte: INE, *Censos de 1991, 2001 e 2011.*

[7] Entre essas infraestruturas, destacam-se, não apenas pela sua importância funcional, mas também pela sua saliência simbólica como marcos da paisagem urbana, a Gare do Oriente, da autoria do arquiteto Santiago Calatrava, e a Ponte Vasco da Gama.

[8] Utiliza-se aqui a delimitação cartográfica da *Zona do Parque das Nações* proposta pelo INE, que corresponde grosso modo à principal área abrangida pela operação de regeneração urbana nas freguesias de Santa Maria dos Olivais, Moscavide e Sacavém. Noutros contextos, e nomeadamente nos debates públicos sobre a possível constituição de uma nova *freguesia do Parque das Nações*, advoga-se para essa eventual freguesia uma área superior à que é considerada na delimitação aqui adotada.

QUADRO 4. Crescimento percentual da população residente na *Zona do Parque das Nações* e nas áreas remanescentes das freguesias de Santa Maria dos Olivais, Moscavide e Sacavém (2001-2011)

	Cres. pop. (%)
Zona do Parque das Nações	+366%
Olivais (s/ área ocupada pela Zona PN)**	-6%
Moscavide (s/ área ocupada pela Zona PN)**	-8%
Sacavém (s/ área ocupada pela Zona PN)**	+1%

* Os valores relativos a 2011 referem-se a dados provisórios dos Censos.

** Crescimento percentual da população residente nas 3 freguesias, excluindo as sub-secções estatísticas integradas na *Zona do Parque das Nações.*

Fonte: INE, *Censos de 1991, 2001 e 2011.*

Essa dinâmica demográfica contrasta com o que se observa quer nos municípios de Lisboa e Loures,[9] quer nas zonas do entorno mais próximo: enquanto a população residente na *Zona do Parque das Nações* cresceu aceleradamente (366%), na restante área das freguesias de Santa Maria dos Olivais e de Moscavide registou-se um decréscimo de respetivamente 6% e 8%. Apenas a área da freguesia de Sacavém não incluída na *Zona do Parque das Nações* registou crescimento populacional positivo, mas ainda assim muito ténue (1%).

O contraste entre a nova zona urbana e o tecido social envolvente prolonga-se no perfil diferenciado dos residentes, nomeadamente nos planos etário e da qualificação escolar. Como mostram os dados relativos a 2001,[10] a população residente na *Zona do Parque das Nações* é bem mais jovem e muito mais qualificada que os seus vizinhos de Santa Maria dos Olivais, Moscavide e Sacavém (Quadros 5 e 6). Os valores relativos à qualificação escolar são na verdade muito significativos quanto à tonalidade social da população residente na zona urbana regenerada: quase metade possui ensino superior, valor muito mais elevado do que o registado para o município de Lisboa (25%) e extremamente contrastante com os observados globalmente nas freguesias em que a zona se insere (onde o valor varia entre 13% e 18%).

[9] No conjunto do município de Lisboa observou-se entre 2001 e 2011 uma quebra populacional de 3% e no de Loures um crescimento de 3% (INE, *Censos* de 2001 e de 2011).

[10] Estes indicadores não estão ainda disponíveis para 2011, razão pela qual recorremos a dados dos *Censos de 2001.*

QUADRO 5. População residente em 2001 na *Zona dos Parque das Nações* e nas freguesias e municípios da sua inserção, segundo os grupos etários (%)

	0-24	25-64	65 e mais	Total
Zona do Parque das Nações	32	66	2	100
Freguesia dos Olivais	24	52	24	100
Freguesia de Moscavide	19	54	27	100
Freguesia de Sacavém	28	59	13	100
Município de Lisboa	24	52	24	100
Município de Loures	31	57	12	100

Fonte: INE, *Censos de 2001*.

QUADRO 6. Percentagem da população residente em 2001 na *Zona dos Parque das Nações* e nas freguesias e municípios da sua inserção que possui curso de ensino superior

	%
Zona do Parque das Nações	49
Freguesia dos Olivais	18
Freguesia de Moscavide	15
Freguesia de Sacavém	13
Município de Lisboa	25
Município de Loures	13

Fonte: INE, *Censos de 2001*.

Estes dados vão ao encontro de um dos aspetos que mais críticas tem suscitado entre alguns analistas: a fraca articulação social que o projeto de regeneração urbana promoveu entre a nova zona criada e o seu entorno, fomentando a constituição de um enclave de elevada qualidade urbanística, ambiental e estética dirigido privilegiadamente a residentes, consumidores e turistas de classe média/alta e tomando muito pouco em consideração o tecido social envolvente. Nas palavras de Duarte Cabral de Mello (2002: 63), "o resultado prático (...) foi a criação de uma insularidade urbana em lugar da continuidade anunciada".

Ao longo do desenvolvimento do processo, houve efetivamente muito pouca preocupação por parte dos responsáveis (a Parque Expo) de consultar ou atender às necessidades e interesses das populações vizinhas, tanto no que se refere à projeção da forma e das funcionalidades do novo espaço edificado, incluindo o planeamento de equipamentos coletivos ao serviço da comunidade, como no que se refere à criação de condições facilitadoras de acesso e usufruto da frente de rio (Ferreira, 2006; Garcia, 2010).

É certo que há autores que defendem existir uma boa integração morfológica da nova zona urbana na estrutura da cidade e que assinalam a boa qualidade do espaço público que foi criado, em particular no Parque das Nações (Serdoura, 2008; Serdoura e Silva, 2006). Essa qualidade, que Serdoura e Silva (2006) associam à permeabilidade do sistema espacial, ao desenho urbano, à qualidade ambiental e à diversidade de funções presentes, potencia, como procuram mostrar, a circulação e a permanência de pessoas no espaço público e uma relação positiva de agradabilidade e satisfação com ele. No entanto, tais aspetos não impedem que, ao mesmo tempo, se venha desenhando uma segmentação entre a zona do Parque das Nações e o seu entorno, tendente a suscitar processos de segregação socioespacial. Tais processos evidenciam-se quer no forte contraste sociodemográfico e socioeconómico entre as áreas de habitação, comércio e serviços regeneradas e as áreas próximas, quer na modelação urbanística e funcional da frente ribeirinha tendo em vista apelar a um perfil de utilizadores em que os residentes do entorno encaixam pouco. Evidencia-se ainda, como mostra Maria Assunção Gato (2010), no próprio sentido de identidade que a população que reside e faz os seus negócios na zona do Parque das Nações constrói acerca do lugar, atribuindo-lhe um caráter distintivo. Esse processo de segregação e descontinuidade socioespacial em relação às áreas do entorno parece prestes a dar o passo seguinte, o da sua formalização, através da criação de uma nova freguesia (a *freguesia do Parque das Nações*) que permitirá demarcar administrativamente a zona urbana regenerada dos territórios vizinhos.[11]

Dir-se-ia, assim, que o ideal de devolução do rio à cidade, para usufruto dos seus cidadãos, não foi planeado para apelar por igual a todos os cidadãos e que as populações mais próximas da área regenerada não fizeram parte do perfil eleito. Na verdade, este é um traço que dá expressão à própria ideologia que enformou o projeto de regeneração da zona oriental de Lisboa e que acima descrevemos. A nova zona urbana é uma zona que se distingue

[11] A criação de uma *freguesia do Parque das Nações* e a separação administrativa da zona regenerada em relação às freguesias pelas quais está ainda distribuída (Santa Maria dos Olivais, Moscavide e Sacavém) é uma reivindicação de longa data da Associação de Moradores e Comerciantes do Parque das Nações e está, desde meados de 2011, em discussão no quadro do processo de Reforma Administrativa de Lisboa.

socialmente das áreas envolventes, tanto pela qualidade urbanística e estética do Parque das Nações e o seu estatuto simbólico de montra da cidade moderna e europeia, quanto pela natureza dos empreendimentos económicos e comerciais e a tonalidade social dos bairros residenciais, projetados para atrair as classes médias e altas e os novos profissionais qualificados dos serviços. A mistura social ocorre sobretudo no Parque das Nações, onde se juntam turistas e os vários grupos sociais residentes em Lisboa, todos eles na condição de consumidores e passeantes em busca de diversão, e mesmo aí sob os constrangimentos impostos por um espaço público vocacionado para um certo perfil de uso e de utilizadores.[12] Mas o diálogo e a continuidade social e funcional entre a zona demarcada da intervenção urbana e as áreas envolventes, de cariz mais popular e integrando ilhas de forte precariedade, é deficiente e não foi nunca uma prioridade de planeadores e promotores.

Esta orientação veio a acentuar-se por efeito de dois fatores associados à forma como o processo de regeneração urbana foi concebido, implementado e gerido. Por um lado, a entrega de todo o processo a uma entidade autónoma (a Parque Expo), que, apesar de patrocinada e tutelada pelo poder público, se pode orientar por critérios de atuação alheios aos procedimentos políticos e da administração pública regulares, fez com que o projeto fosse desenvolvido de forma muito autocentrada e dirigista, com pouca preocupação relativamente às comunidades instaladas na região de entorno (Ferreira, 2006; Ferreira, Lucas e Gato, 1999; Garcia, 2010). Tratou-se por isso de um modelo de intervenção urbana que, embora beneficiando de uma eficácia organizacional e executiva que raramente a administração pública consegue assegurar, se pautou por critérios pouco consonantes com a governação democrática de uma cidade, com efeitos sobre a desvalorização de partes relevantes da comunidade urbana.

Por outro lado, o modelo de autofinanciamento do projeto e a lógica de gestão empresarial que se acentuou na Parque Expo na fase subsequente à Exposição Mundial, alimentaram uma estratégia mais orientada pela necessidade de atrair investidores e assegurar retorno económico do que por critérios de cidadania e equilíbrio social na gestão do espaço urbano.

Daí resultou, por exemplo, o privilégio atribuído a um modelo de urbanismo que favorece o grande investimento no centro comercial em

[12] Num interessante trabalho sobre o Parque das Nações, Vitor S. Pereira mostra como aí se promovem formas "suaves" de organização e regulação dos usos do espaço público que são geradoras de inclusões e exclusões (Pereira, s/d).

detrimento do pequeno comércio de proximidade, modelo que, em conjunto com os outros traços acima referidos, origina alguns desequilíbrios no desenvolvimento de uma vida urbana pública local intensa, diversificada e promotora do encontro social (Garcia, 2010). Como refere um dos nossos entrevistados:

> O que se previa é que as pessoas transitassem pelos quarteirões formados por estas plataformas, nas quais surgiriam os edifícios e uma zona pública, com jardins, com passeios e a passagem rodoviária por baixo. Os edifícios, ao invés de terem alturas isoladas que permitiriam de fora da área da Expo ver o rio, ver a paisagem, não foi isso que fizeram, na área central da Expo tem hoje uma parede. De fora da zona da Expo olhando para o rio tem uma grande barreira intransponível, que é exatamente o contrário de tudo aquilo que se queria, que era fazer uma ligação.
>
> Todas as redes de acesso que se construíram, o que nós pensávamos, o que propúnhamos, é que fossem avenidas, com algumas rotundas... Mas não conseguimos fazer isso, o que resultou das acessibilidades construídas, foi muito mais de caráter de autoestradas e não como nós pretendíamos.
>
> Acabou que um bocado da cidade não é o que é a Expo, que no centro comercial é muito animado, mas tudo em volta é quase deserto.
>
> (Excerto de entrevista a Anselmo Vaz, Câmara Municipal de Lisboa)

Um outro efeito decisivo sobre a configuração urbanística e social da área regenerada foi a forte densificação da construção, que ultrapassou em muito o que havia sido inicialmente projetado, introduzindo desequilíbrios no processo de urbanização. Uma das ideias fortes do PUZI era o equilíbrio entre diversas funções no que respeita ao uso do solo, combinando os usos destinados a habitação e atividade económica (com predominância da primeira) com uma ampla extensão de espaços verdes e de fruição lúdica, destacando-se neste domínio o Parque Verde do Tejo e do Trancão.

Como se pode verificar pelo gráfico, o desenvolvimento do projeto viria a alterar esse equilíbrio desde cedo, aumentando gradualmente as áreas de construção projetadas (de 1.858.000 m^2 em 1996 para 2.500.000 m^2, logo em 2004). Esta densificação construtiva resultou em grande medida do modelo de gestão do projeto, que fomentou uma estratégia de obtenção de receitas por via da exploração imobiliária, cedendo assim aos interesses do setor imobiliário.

FIGURA 5. Áreas de construção previstas para a ZI, em 1996 e 2004 (m^2)

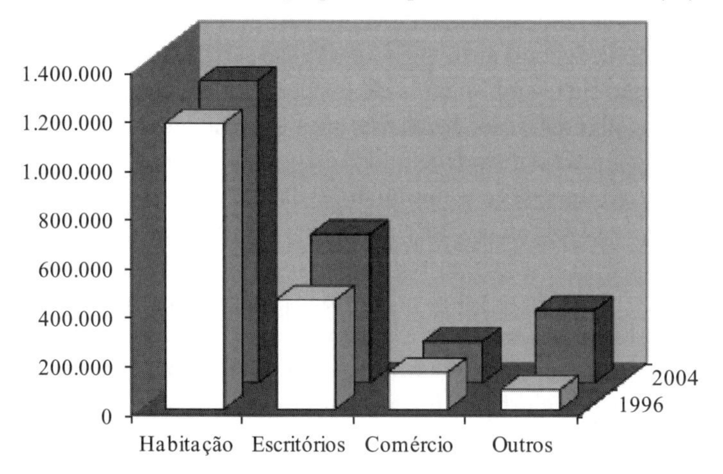

Fontes: Expo Urbe (1996: 18); página eletrónica do Parque das Nações (www.parqueexpo.pt/site/parexpo_ctexto_00.asp?ctextolocalid=16, consultado em fevereiro de 2004).

Balanço comparativo: Os grandes projetos urbanos e a produção da cidade fragmentada

No confronto entre os dois casos descritos, surpreendemos duas variantes de uma mesma filosofia de intervenção urbana, a que atrás nos referimos. Ambos os projetos alinham-se em boa medida a um modelo de planeamento e intervenção no espaço urbano vocacionado para promover a inserção da cidade nos circuitos do capital global e atrair investidores, empreendedores e profissionais capazes de gerar iniciativa económica de elevada rentabilidade, ao mesmo tempo que residentes e consumidores de elevado perfil económico, cultural e estatutário. No modo como tais objetivos são perseguidos através dos projetos de regeneração de partes significativas das cidades, a organização do território e o investimento público em infraestrutura, mais do que atender às necessidades de reprodução social e de regulação funcional e socioeconómica da cidade no seu todo, visam fazer do espaço urbano regenerado um recurso atrativo de investimento e consumo. Nesse sentido, funcionam como instrumentos de políticas públicas para a cidade que alinham preferencialmente com os interesses de certos grupos e setores sociais, em detrimento de outros. Além disso, operam também uma crescente fragmentação do espaço urbano, promovendo o desenvolvimento de determinadas zonas independentemente da sua articulação com outras.

Consideradas as similitudes e diferenças entre os modos como os dois projetos refletem as tendências apontadas, três aspetos essenciais merecem destaque: a) a convergência entre o poder público e o setor privado e os modos de articulação entre ambos; b) os efeitos de fragmentação, segmentação e segregação (ou integração, *a contrário*) socioespacial que cada projeto gera; c) o ideal/imaginário de cidade que cada projeto promove e o seu alinhamento com os interesses e as mundivisões das elites e do poder económico.

As Operações Urbanas, como formas de intervenção concentradas no espaço, para além de servirem aos interesses da acumulação de capital, por meio da geração de mais valias produzidas pelo Estado e apropriadas pela iniciativa privada, especialmente pelos setores imobiliário e financeiro, contribuem para a criação de novos espaços e reforçam a competitividade no interior do tecido urbano. Em São Paulo, o caráter financeiro da Operação Urbana foi, sem dúvida alguma, o motor das mudanças, tendo o poder público criado as condições necessárias para a acumulação e a circulação de capital, por meio de instrumentos regulatórios, como os Planos Diretores, as leis específicas e as formas de gestão de parcerias e contrapartidas.

Desta forma, o Estado utiliza-se das parcerias como duplo instrumento de legitimação, tanto junto aos setores capitalistas cujos benefícios foram nitidamente incorporados, quanto aos grupos de baixa renda, cujas expectativas criadas no nível do discurso não foram efetivamente contempladas. No caso da Operação Urbana Consorciada Faria Lima, em São Paulo, com o uso da parceria público-privada o Estado deveria obter recursos que seriam reaplicados em programas sociais e realocação da população removida, o que efetivamente não aconteceu, já que os recursos aplicados em investimentos favoreceram a concentração de capital na área. Do programa de investimentos previsto nessa operação urbana, para esse período, a ponte estaiada já está pronta e a construção das Habitações de Interesse Social ainda está em estudo. O prazo previsto para execução dessas obras foi ultrapassado e o custo total substancialmente maior que o estimado.

No caso da operação Expo'98/Parque das Nações, as diferenças processuais não impedem as similitudes de efeitos, salvaguardados os aspetos que distinguem as duas cidades. O processo de requalificação da zona oriental de Lisboa, tendo embora recorrido em muitos aspetos a parcerias e formas de cooperação entre o público e o privado, foi assumidamente uma operação pública, decidida, financiada, tutelada e legitimada pelo Estado. A sua conceção e execução foram também levadas a cabo por uma entidade criada e tutelada pelo Estado. Não obstante, essa entidade acabou atuando numa lógica privilegiadamente empresarial e autocentrada, secundarizando os vários tipos de interesses públicos em jogo (entendidos tanto no sentido dos interesses dos poderes públicos, quanto no de interesses da comunidade de cidadãos, diversa por definição). Nesse processo, desenvolveu-se, numa lógica centralista, um plano de requalificação que visou claramente alinhar a nova zona urbana com as lógicas do capitalismo global e da reconversão competitiva das cidades, sem ao mesmo tempo cuidar dos efeitos excludentes e de segmentação daí resultantes para as áreas envolventes e as respetivas populações.

Em ambos os casos cabe apontar o papel das referidas intervenções no âmbito do imaginário sobre a cidade e a possibilidade da sua inserção no cenário internacional como cidade global.

Ainda que existam controvérsias com relação à afirmação de que São Paulo é uma cidade global (Ferreira, 2003), a região junto às margens do Rio Pinheiros, foco da Operação Urbana Faria Lima, vem carregada de atributos do que, para alguns, seria uma "centralidade terciária", ou, em geral, um território da expansão do terciário avançado.

A divergência no reconhecimento de São Paulo como cidade global dá-se, sobretudo, no sentido de que para alguns a cidade abarca uma série de atributos que lhe conferem o estatuto de global, enquanto outros defendem que estes atributos estão concentrados em determinadas porções, dentre elas notadamente a área da Operação Urbana Faria Lima. A crítica desses autores é que o discurso de cidade global traz consigo a justificativa para a concentração de novos investimentos imobiliários, financeiros e públicos, que reforçam as desigualdades socioespaciais e os mecanismos de segregação.

No caso de Lisboa, dificilmente se poderá invocar o qualificativo de cidade global. No entanto, o imaginário que a operação urbana suscitou, e do qual se alimentou, foi precisamente o da aspiração a um posicionamento cimeiro no cenário internacional. A nova zona urbana do Parque das Nações não constitui assim apenas uma área urbana requalificada, com todas as virtudes e assimetrias que lhe podemos hoje reconhecer. Constitui também uma montra e um modelo de uma cidade que se quer ver, ainda que apenas imaginariamente, como global, e que coexiste, com tensões e contradições, com a outra Lisboa, a capital diversa, complexa e semiperiférica de Portugal.

Referências Bibliográficas

BIDERMAN, Ciro e SANDRONI, Paulo (2005), "Avaliação do impacto das grandes intervenções urbanas no preço dos imóveis do entorno: o caso da operação urbana consorciada Faria Lima". *Anais do XXIX EnANPAD*, Brasília, v. 1, 1-16.

BÓGUS, Lúcia M. M. e PESSOA, Laura C. R. (2008), "Operações urbanas - nova forma de incorporação imobiliária: O caso das operações urbanas consorciadas Faria Lima e Água Espraiada". *Cadernos Metrópole*, 20, 125-139.

BORJA, Jordi (2003), *La ciudad conquistada*. Madrid: Alianza Editorial.

CARRIÈRE, Jean-Paul; DEMAZIÈRE, Christophe (2002), "Urban planning and flagship development projects: Lessons from Expo'98, Lisbon". *Planning, Practice & Research*, 17 (1), 69-79.

CASTELLS, Manuel (1983), *A questão urbana*. Rio de Janeiro: Paz e Terra.

CASTRO, L. G. R. de. (2006), *Operações urbanas em São Paulo – interesse público ou construção especulativa do lugar*. Tese de doutorado. São Paulo: Faculdade de Arquitetura e Urbanismo da Universidade de São Paulo.

FERREIRA, Claudino (1998), "A Exposição Mundial de Lisboa de 1998. Contextos de produção de um mega-evento cultural". *Revista Crítica de Ciências Sociais*, 51, 43-67.

FERREIRA, Claudino (2002), "Processos culturais e políticos de formatação de um mega-evento: do movimento das Exposições Internacionais à Expo'98 de Lisboa", in FORTUNA, Carlos e SILVA, A. Santos (orgs.), *Projeto e circunstância. Culturas urbanas em Portugal*. Porto: Edições Afrontamento, 255-313.

FERREIRA, Claudino (2006), *A Expo'98 e os imaginários do Portugal contemporâneo. Cultura, celebração e políticas de representação*. Tese de Doutoramento. Coimbra: Faculdade de Economia da Universidade de Coimbra.

FERREIRA, João Sette Whitaker (2003), *São Paulo e o mito da cidade global*. Tese de Doutorado. São Paulo: Faculdade de Arquitetura e Urbanismo da Universidade de São Paulo.

FERREIRA, Vítor Matias (1997), "A Expo'98 e a metrópole de Lisboa". *Sociologia – Problemas e Práticas*, 24, 189-195.

FERREIRA, Vítor Matias e INDOVINA, Francesco (orgs.) (1999), *A cidade da Expo'98. Uma reconversão na frente ribeirinha de Lisboa?* Lisboa: Bizâncio.

FERREIRA, Vítor Matias; LUCAS, Joana; GATO, M. Assunção (1999), "Requalificação urbana ou reconversão urbanística?", in FERREIRA, Vítor Matias e INDOVINA, Francesco (orgs.), *A cidade da Expo'98. Uma reconversão na frente ribeirinha de Lisboa?* Lisboa: Bizâncio, 205-251.

FIX, Mariana (2001), *Parceiros da exclusão*. São Paulo: Boitempo.

FIX, Mariana (2006), *São Paulo cidade global: Fundamentos financeiros de uma miragem*. São Paulo: Boitempo.

FRIEDMANN, John (1986), "The world cities hipothesys". *Development and Change*, 17, 69-83.

GADELHA, Nair D'Aquino Fonseca (2004), *São Paulo, modernidade e centralidades espaciais: Intervenção pública, intervenção urbana e segregação sócio-espacial*. Dissertação de Mestrado. São Paulo: PUC-SP.

GARCIA, Pedro Ressano (2010), "Os espaços públicos na reconversão da Expo'98". *AE... Revista Lusófona de Arquitetura e Educação*, 4, 107-138.

GATO, Maria Assunção (2010), "Pode o espaço ser agente de poder e de identidade(s)?". *CIES e-working papers*, 96.

HARVEY, David (1989), *A condição pós-moderna*. São Paulo: Loyola.

KOLIOUMBA, Stamatia (2002), *São Paulo: Cidade mundial? Evidências e respostas de uma metrópole em transformação: redefinição e espacialização dos setores terciário e quaternário*. Tese de Doutorado. São Paulo: Faculdade de Arquitetura e Urbanismo da Universidade de São Paulo.

MAGELA COSTA, Geraldo e COTA, Daniela Abritta (2009), "Parceria público-privada como instrumento de planejamento no Brasil: operação urbana em São Paulo e Belo Horizonte". Trabalho apresentado no EGAL 2009 - 12 Encuentro de Geógrafos de América Latina, Montevideo, Uruguay, abril. Disponível em http://egal2009.easyplanners.info/area05/5002_Abritta_Cota_Daniela.pdf. (Consultado em novembro de 2011).

MELLO, Duarte Cabral de (2002), "Expo'98: Cidade ou ilha?". *Jornal dos Arquitetos*, 205, 62-63.

NOBRE, E. A. C. (2000), *Reestruturação econômica e território: A expansão recente do terciário na marginal do rio Pinheiros*. Tese de doutorado. São Paulo: Faculdade de Arquitetura e Urbanismo da Universidade de São Paulo.

NOBRE, E. A. C. (2006), "O ideário urbanístico e a legislação na cidade de São Paulo: do código de posturas ao Estatudo da Cidade", IX Seminário de História da Cidade e do Urbanismo, São Paulo. Disponível em: http://www.usp.br/fau/docentes/depprojeto/e_ nobre/legislacao_urbanistica.pdf. (Consultado em novembro de 2011).

PEREIRA, Vítor Sorano (s/d), "Inclusão e exclusão: a suave e fragmentária organização do espaço de uso público consumível". Disponível em http://conferencias.cies.iscte.pt/ index.php/icyurb/sicyurb/paper/view/288/99. (Consultado em janeiro de 2012).

SASSEN, Saskia (2001), *The global city*. Princeton: Princeton University Press.

SERDOURA, Francisco Manuel (2008), " A emergência de novas centralidades: o caso de Lisboa". *Minerva – Pesquisa e Tecnologia*, 5 (2), 187-196.

SERDOURA, Francisco Manuel e SILVA, Fernando Nunes da (2006), "Espaço público. Lugar de vida urbana". *Engenharia Civil*, 27, 5-16.

SMITH, Neil (2002). "New globalism, new urbanism: Gentrification as a global urban strategy". Disponível em http://nederland.indymedia.org/media/2007/09/47004.pdf. (Consultado em abril de 2011).

SOARES, L. J. Bruno (1998), "A Expo'98 e o retorno de Lisboa ao rio", in TRIGUEIROS, Luiz; SAT, Cláudio; OLIVEIRA, Cristina (orgs.), *Lisboa Expo 98. Arquitetura / Lisbon Expo 98. Architecture*. Lisboa: Blau, 21-24.

SOARES, L. J. Bruno (1999), "O planeamento urbano de Lisboa e a Expo'98", *in* FERREIRA, Vítor Matias; INDOVINA, Francesco (orgs.), *A cidade da Expo'98. Uma reconversão na frente ribeirinha de Lisboa?* Lisboa: Bizâncio, 159-162.

SPOLON, Ana Paula Garcia (2006), *Chão de estrelas: Hotelaria e produção imobiliária em São Paulo, 1995-2005*. Dissertação de Mestrado. São Paulo: Faculdade de Arquitetura e Urbanismo da Universidade de São Paulo.

SWYNGEDOUW, Erik; MOULAERT, Frank; RODRIGUEZ, Arantxa (2002), "Neoliberal urbanization in Europe: Large-scale urban development projects and the new urban policy". Disponível em http://www.scholars-on-bilbao.info/fichas/ antipodeARodriguez.pdf. (Consultado em abril de 2011).

THORNS, David C. (2002), *The transformation of cities. Urban theory and urban life*. Hounmills e Nova Iorque: Palgrave Macmillan.

VAZ, José Anselmo (1999), "O plano de urbanização da zona envolvente da Expo'98", in FERREIRA, Vítor Matias; INDOVINA, Francesco (org.), *A cidade da Expo'98. Uma reconversão na frente ribeirinha de Lisboa?* Lisboa: Bizâncio, 163-172.

VILLAÇA, Flávio (1998), *Espaço intraurbano no Brasil*. São Paulo: Studio Nobel, Fapesp, Lincoln Institute.

Outras Fontes e Documentos

"*REGIÃO DA RUA FUNCHAL TEM MAIS HELIPONTOS QUE PONTOS DE ÔNIBUS*", *Jornal Folha de São Paulo*, Caderno Cotidiano, 13 de setembro de 2009.

CÂMARA MUNICIPAL DE LISBOA (1992), *Plano estratégico de Lisboa*. Lisboa: Câmara Municipal de Lisboa.

CÂMARA MUNICIPAL DE LOURES (s/d), *Pareceres e propostas das Câmara Municipal de Loures sobre a Expo'98*. (Policopiado).

ESTATUTO DA CIDADE: Guia para implementação pelos municípios e cidadãos. Lei nº 10.257, de 10 de julho de 2001, que estabelece diretrizes gerais da política urbana. Brasília: Câmara dos Deputados, Coordenação de Publicações, 2002. 2ª ed.

EXPO URBE (1996), "A Lisboa do futuro". Separata Especial da revista *Imobiliária*, 60, junho.

ICEP (2009), "Parque das Nações, aponta para o futuro", *Portugal Global*, setembro, 6-11. Disponível em http://www.portugalglobal.pt/PT/ PortugalNews/Documents/ Revistas_PDFs/Portugalglobal_n16.pdf. (Consultado em janeiro de 2012).

INDICADORES E PESQUISAS DA CIDADE DE SÃO PAULO DE 2008. Disponível em http://www.

cidadedesaopaulo.com/sp/images/stories/observatorio/1_indicadores_pesquisas_do_turismo_2008.pdf. (Consultado em abril de 2011).

INE (Instituto Nacional de Estatística), *Censos de 1991, 2001 e 2011*. Lisboa: Instituto Nacional de Estatística (dados disponíveis em www.ine.pt, acedidos em janeiro e fevereiro de 2012.

Parque Expo'98 (1999), *Exposição Mundial de Lisboa de 1998. Relatório*. Lisboa: Parque Expo'98, SA.

Plano Diretor Estratégico da Cidade de São Paulo. Lei nº 13.430, de 13 de setembro de 2002.

Rosa, Luís Vassalo (1993), *O projeto urbano da Expo'98*. (Documento fotocopiado).

Rosa, Luís Vassalo (1998), "A urbanização da zona de intervenção. Planos e projetos do espaço público", in Trigueiros, Luiz; Sat, Cláudio e Oliveira, Cristina (orgs.), *Lisboa Expo 98. Arquitetura / Lisbon Expo 98. Architecture*. Lisboa: Blau, 27-52.

ESPAÇOS PÚBLICOS CENTRAIS EM SÃO PAULO E NO PORTO

João Teixeira Lopes

Partindo da cidade: as opções do sociólogo enquanto etnógrafo

O que faz um estrangeiro ao chegar a uma nova cidade, pressionado pela ansiedade de construir, organizar e controlar mentalmente um novo território? Compra um guia turístico e procura orientar-se. Assim fiz quando cheguei à megalópole: São Paulo, a cidade em transe, mais rápida do que a sua própria sombra, abrir-se-ia, enfim, ao meu conhecimento. Mas eis que o texto me devolve ao arquétipo e ao estereótipo: "São Paulo é a única cidade que tem feijoada Kosher, preparada com supervisão de um rabino (...) anticucho, coração de boi picado com molho de amendoim (...) bar com correio elegante entregue por anões".

Mas eu era mais e menos do que um estrangeiro: sociólogo-etnógrafo urbano, supostamente armadilhado dos recursos substantivos e adjetivos capazes de me habilitarem ao mergulho no terreno. Na verdade, de uma imersão se tratava. Preparada embora com delicadeza (ampla revisão do estado da arte e da bibliografia brasileira e internacional; consulta de fontes secundárias, nomeadamente documentos e históricos e várias conversas trocadas por mail com colegas brasileiros da Universidade de São Paulo), nada me garantia que, no final, viesse à tona.

Tudo me distanciava, com sinceridade, do que Teresa Caldeira apelida de estilo "euro-americano" (Caldeira, 2003: 19), enquanto busca homérica do exótico e da "alteridade distante". Pelo contrário, em tudo me interessava o estabelecimento de uma tensão entre "alteridade distante" e "alteridade próxima" (a par de uma outra: situação/contexto; e de outra, parcialmente sobreposta: micro/macro) aplicável a ambos os casos em estudo (espaços públicos centrais das cidades de São Paulo e do Porto). Do mesmo modo, encontrava-me firmemente convicto de em nada abdicar da minha socialização anterior no campo científico, nomeadamente na tríade das dimensões epistemológica, teórica e metodológica. Adepto que sou do método abdutivo (Pinto, 1994) sabia que o conjunto do que aprendi me seria útil e que, particularmente enquanto sociólogo-etnógrafo, não me podia dar ao luxo do desperdício. Mas estava consciente, de igual modo, de que esse conhecimento anterior iria ser desestabilizado e reconstruído.

Nesta outra tensão, entre dedução e indução, torna-se fundamental jamais blindarmos o *background* incorporado à novidade, ao insólito, ao desafio, à surpresa, ao choque – categorias, enfim, que cabem no conceito de serendipidade proposto por Merton e que nos levam a encontrar, embora não tão frequentemente quanto desejaríamos, aquilo que não esperávamos. É ofício do sociólogo-etnográfo, por conseguinte, transformar a novidade, o insólito, o desafio, a surpresa e o choque em novos problemas que a pesquisa tentará aclarar.

Nesta apresentação do estado de partida, cabe-me ainda referir que, sem renegar a possibilidade de efetivas comparações e de generalizações a partir da extensão dos casos (o programa de investigação abarca dois anos) e da sua densidade (*from within*), interpelava-me a consciência de que todas as transferências entre contextos diversos e do seu estudo para o *corpus* da teoria social implicam o acionar de *teorias da tradução* (Santos, 2003). Ora, nesse mister, não raras vezes o tradutor entra em simbiose com o traidor. Defenderei, assim, como procurarei demonstrar, uma possibilidade de *transferência reflexivamente monitorizada.*

Gostaria ainda de voltar, a partir de Teresa Caldeira, a uma sociologia--etnografia de *deslocações*, em que os movimentos, as partidas e os retornos reconstroem os objetos, os processos de pesquisa e os próprios habitus dos investigadores. Na verdade, não poderemos, como Marco Pólo perante o imperador em as *Cidades Invisíveis* de Calvino, "transformar em método o silêncio" (Caldeira, 2003) sobre as nossas próprias pertenças sociais (de classe, de género, de etnia...) mas também sobre as cidades e as sociedades que habitamos. Se Marco Pólo, nos seus longos relatos sobre as mais variadas urbes, acalentava no não-dito a imagem de Veneza, a Sereníssima, falarei do Porto ao analisar São Paulo e de São Paulo ao estudar o Porto.

Uma última palavra: a imersão de que há pouco falei levou-me a exercitar o método do andante (Lopes, 2008; De Certeau, 1990; Solnit, 2000), muito próximo do que Mónica de Carvalho apelida de "narrativa itinerante" (Carvalho, 2004), fortemente alicerçado na observação direta metódica e sistemática, na ativação teoricamente orientada e vigiada dos sentidos, nas conversas informais, em algumas entrevistas a informantes privilegiados, na fotografia social, para além do trabalho prévio, já mencionado, de consulta de fontes secundárias tanto qualitativas como quantitativas. A um outro nível, as narrativas itinerantes abordarão os terrenos empíricos como configurações (no sentido que Elias lhes confere: redes de interação e interdependência, das mais simples – encontros, conversas – às mais complexas sociedades urbanas) e terão omnipresente a preocupação de compreender trajetórias de sujeitos no diapasão dos espaços-tempos e cenários de interação, isto é, as singularidades que os contextos estimulam, ao acionarem certas disposições em detrimento de outras (Lahire, 2001; Velho, 2008).

Espaços públicos urbanos centrais: do que falamos?

Não por acaso as cidades escolhidas, ao invés das *outer* ou *edge cities* (as exópoles de que Soja fala...), incluem-se na configuração das *cidades com centro*, independentemente do seu estado urbanístico e das conexões económicas, sociais e culturais dos mais amplos processos de urbanização e da sua ligação aos Estados-nação e à economia-mundo, bem como a uma particular conceção do papel do Estado na produção do espaço em contexto de capitalismo tardio e pós-fordista.

De certo modo, ambos os centros emergem e modificam-se dentro dos parâmetros de um modelo historicamente consignado como "europeu", apesar das intensas diferenças que adiante realçarei. O centro das cidades condensa uma constelação de significados fortes (Frúgoli, 2006: 20), em função dos quais o poder se impõe, os espaços se produzem e apropriam, as economias funcionam, as culturas circulam. Esta simbiose material-simbólica influenciará, decisivamente, a vida das cidades. Depois do centro, tudo a ele se refere. Desde logo, a periferia. Existirá, pois, como hipótese, uma singularidade nos espaços públicos centrais. Na perspetiva aqui adotada, afastamo-nos parcialmente da conceção habermasiana de espaço público, uma vez que o autor alemão (Habermas, 1980) define, antes de mais, a emergência de uma esfera pública burguesa e de uma "sociedade civil" abstrata e formal constituída primordialmente *no* e *pelo* discurso. Aproximamo-nos, assim, das críticas feministas quando referem que a racionalidade universal abstrata veiculada por Habermas carece de uma *política da diferença*, assente na extensão dos direitos liberais da modernidade a uma miríade de grupos sociais excluídos, *maxime*, invisíveis e inexistentes pela classificação e perceção hegemónicas. Simultaneamente, não existe um discurso ou um *agir comunicacional* sem um corpo socializado e respetiva *performance* espácio-temporal. Falta, na proposta de Habermas, sensibilidade para pensar a espacialização das práticas sociais quotidianas em cenários de interação concretos e vividos (Lopes, 2008): uma teoria do corpo no espaço-tempo. É como se retomássemos a célebre frase de Foucault: o espaço é tido como o morto, o fixo, o não dialético, o imóvel... Ou Lefebvre, que critica asperamente as representações que o enunciam como "um meio vazio", "um contentor sem conteúdo" (Lefebvre, 2000: XVII). Ou ainda, da banda da geografia, o reparo de Edward Soja à "silenciada espacialidade do historicismo" (Soja, 1999: 13).

Entendamo-nos, pois: o que pretendo, ao estudar espaços públicos urbanos centrais em São Paulo e no Porto, é compreender, primeiramente, as consequências nos encontros quotidianos, nos seus códigos, expressões e rituais, das modernas e recentes configurações do capitalismo de acumulação flexível. Estudar o centro de cidades expostas à desindustrialização, terciarização e revitalização urbana através das interações situadas é como colocarmo-nos no *centro do furacão*, ou seja, no âmago dos processos de acumulação flexível do capitalismo tardio. Distancio-me, através desta opção, de autores como Sophie Watson que buscam o reencantamento emancipatório ou simplesmente cívico da modernidade tardia nos espaços públicos periféricos, descentrados, por vezes mesmo "invisíveis" nos recônditos meandros da cidade (Watson, 2006). De certa maneira, pretendo ir de encontro à forma como o poder se exerce *na* e *pela* centralização da produção do espaço. Para tal, a concreta materialidade do espaço será abordada como mediação da ação humana e sem qualquer deriva mecanicista ou fetichização. José Guilherme Magnani afirmava precisamente tal orientação ao estudar as práticas de lazer nos "pedaços" das periferias paulistas, em obra já clássica:

> existe, portanto, entre as instituições e valores sociais dominantes e o plano do concreto vivido, um complexo sistema de mediação que processa, em ambos os sentidos, as múltiplas formas de interação entre o "nós" do pedaço e o "eles" dos centros de poder da sociedade abrangente.
>
> (Magnani, 1998: 138)

No entanto, não renunciarei, pela sua persistente pertinência, às velhas questões, sempre atuais, da potencialidade dos espaços públicos na formação de efémeras comunidades de estranhos, no limbo da proximidade e da distância, relembrando Simmel; na passagem do citadino ao cidadão, na multiplicação de possibilidades de conhecimento e confronto da diversidade (de classe, de género, de etnia, de estilos e modos de vida...), no jogo da indeterminação, da aleatoriedade e da surpresa.

Por fim, uma derradeira explicitação: proponho-me fazer mais uma etnografia *de* cidades do que *nas* cidades, retomando a sugestão de Ulf Hannerz

(1980). Os detalhes etnográficos e a sua multiplicação descritiva sob a observação atenta do investigador obrigam a uma interpretação holística, na procura dos contextos que lhes conferem cabal sentido.

As praças e os discursos dos arquitetos enquanto "autores": da Praça do Patriarca e do "arquiteto contrariado"...

Delimitando ainda mais, o estudo cingir-se-á, em São Paulo, à Praça Patriarca e às conexões que esta estabelece com um conjunto de ruas e praças adjacentes do "triângulo histórico", em particular a Praça da Sé e a contígua Praça Clóvis. No Porto, onde o estudo se encontra em fase exploratória, enfoque dirigir-se-á à Avenida dos Aliados e ao conjunto que esta forma com a Praça da Liberdade e a Praça General Humberto Delgado.

Em ambos os casos, verificaram-se significativas transformações urbanísticas, partindo da constatação generalizada da crise do centro histórico. A mais antiga (1970-78) ocorreu na Praça da Sé e Praça Clóvis, a partir de um conjunto de intensas obras levadas a cabo ainda pelo poder da ditadura militar. Por um lado, pretendia abrir-se uma estação intermodal, ligando o metropolitano ao autocarro, em boa medida para potenciar as rodovias que nesse período foram construídas, nomeadamente os gigantescos viadutos que esquartejaram a cidade, dando primazia ao transporte privado. Por outro lado, colocar impedimentos físicos quer à tradicional concentração de população de rua, quer às manifestações políticas que aí se vinham realizando, bebendo da carga simbólica do lugar. Na gigantesca empreitada foram mesmo destruídos prédios de 28 andares, como o Mendes Caldeira e edifícios com valor histórico, no caso o Palacete Santa Helena. Inicialmente transformada em espaço vazio, a Praça Clóvis é investida, de acordo com os princípios modernistas, de elementos "relevantes", nomeadamente um grande espelho de água e um conjunto de catorze esculturas de reputados artistas brasileiros. No entanto, tal aconteceu "em detrimento de uma visão mais estrutural e orgânica" da praça, perdendo-se, igualmente, a oportunidade de "ter o uso relacionado aos edifícios refletido no uso da Praça" (Bruna e Righi, 2006: 220). Desta forma, a "escala inadequada, dificuldade de manutenção, frieza e aridez" (*idem*: 223), juntamente com a fragmentação (desníveis, canteiros, esculturas, fontes, aberturas para a ventilação da estação do metropolitano) prejudicam a "apreensão do espaço como um todo" (*idem*: 226), votando-o, potencialmente, à mera circulação viária, uma vez que a própria Praça da Sé ficou cingida ao adro da Igreja.

No entanto, como adiante veremos, não se cumprirá propriamente o desiderato inicial, o que só acentua o papel das mediações societais e culturais entre a materialidade do espaço físico e o acionar das práticas sociais. Como refere Teresa Caldeira, a Praça da Sé "simboliza tanto a força como a deterioração do espaço público e é, consequentemente, um símbolo do caráter disjuntivo da democracia brasileira" (Caldeira, 2003: 327).

Entretanto, mais recentemente, perante a continuidade da disjunção entre o discurso público (apologia da reabilitação e do "regresso ao centro", unindo, ainda que com intensa conflitualidade, governo local, média e alta burguesia comercial e financeira, reunida na Associação "Viva o Centro" e movimentos sociais de base popular congregados na Associação "Centro Vivo") e a realidade (persistência da degradação e da perda de qualidade urbanística) encomendou-se ao arquiteto Paulo Mendes da Rocha, Prémio Pritzker de 2006, a requalificação da Praça do Patriarca,[1] local que já se pode considerar na charneira entre a parte "velha" e a parte "nova" do "centro tradicional". Na verdade, a encomenda partiu da "Associação Viva o Centro", com o apoio de diversas prefeituras, uma vez que a obra demorou dez anos – 1992/2002 – desde a conceção até à sua concretização parcial (o plano original era mais vasto). Tal intervenção permitiu, segundo alguns informantes que contactei na área da arquitetura e urbanismo, aumentar a legibilidade da praça e de alguns dos seus elementos constituintes, limpando-a de ruído, uma vez que é despojada, com exceção de um elemento quase escultórico, uma espécie de cobertura extremamente leve e elegante, curvando-se de tal forma que fornece a sensação de tocar no pavimento. Tal cobertura, qual pórtico de passagem, ergue-se sobre a entrada/saída das escadarias Prestes Maia[2] que fazem a ligação entre a Praça e o vale do Anhangabaú[3] e que, no seu interior, abrigam uma das secções do Museu de Arte de São Paulo. Simétricas à cobertura, duas árvores acentuam a sobriedade do conjunto. Outros informantes, ligados à preservação da memória da cidade, criticam, no entanto, a perda de vista para o imenso corredor que une o "velho" e o

[1] A Praça homenageia um dos patriarcas da independência brasileira, José Bonifácio de Andrada e Silva. A sua estátua, aliás, figura na extremidade alta da Praça, do lado oposto à cobertura de Paulo Mendes da Rocha, tendo sido erigida graças aos esforços da comunidade libanesa de São Paulo.

[2] Um dos grandes propulsores do alargamento da cidade para fora dos limites do centro, tido por alguns como o "Haussman paulistano" (http://www.arcoweb.com.br/arquitetura/arquitetura317.asp).

[3] Nome tupi que significa "rio do Diabo".

"novo" centros tradicionais, em particular quando se "desce" a Praça, que tem uma ligeira inclinação.

Figura 1. A (re)invenção da Praça do Patriarca

Fotografia de Nelson Kon. (Cortesia da Associação Viva o Centro).

A ligação do arquiteto ao centro da cidade ganha, pelas suas próprias palavras, um cunho acentuadamente político:

> Essa sociedadc amarga abandonou o centro da cidade e se enfiou no mato [referência implícita aos novos bairros e condomínios fechados que alastram fora da cidade de São Paulo]. As empresas se mudaram lá para baixo [em direção à zona Sul], mesmo as avenidas novas são extremamente caipiras, elas têm um ar de subúrbio rico e abandonaram o centro da cidade. Se você deixar degenerar, você reduz o valor imobiliário, compra tudo de novo, reconstrói a cidade... Há quem viva só disso.
>
> (http://www1.folha.uol.com.br/fsp/ilustrad/fq1308200721.htm)

Simultaneamente, a projeção do despojamento e da sobriedade assume também, ainda no discurso do arquiteto, uma dimensão ética e interventiva:

> A arquitetura não é feita para ser histriônica. Não interessa a uma cidade que requer tantos artefatos urgentes (casa para todos, escolas etc.) que se coloquem cerejas sobre seus desastres. É uma virtude mostrar a simplicidade.
>
> (http://www.revistapesquisa.fapesp.br/?art=3324&bd=1&pg=1&lg)

É em função desse compromisso que o arquiteto-autor se move num campo limite de possíveis, em particular por referência a um patamar utópico, sendo que, a consciência de tais constrangimentos, aumenta, porventura, as suas margens de liberdade:

> Você pode perceber como sofre um arquiteto, quão longe dos nossos horizontes está a cidade atual. Isso amargura a nossa existência e faz ver que o fator essencial e objetivo da arquitetura e do urbanismo é político (...) o arquiteto, em essência, é um contrariado.
>
> (http://www1.folha.uol.com.br/fsp/ilustrad/fq1308200721.htm)

...à Avenida dos Aliados e ao arquiteto enquanto artista

A Avenida dos Aliados forma, juntamente com a Praça da Liberdade e a Praça do General Humberto Delgado, um tecido urbano contínuo que se constituiu numa das fases de maior reestruturação da cidade (o projeto foi lançado em 1914 e a Avenida aberta em 1916) e de criação de um "novo centro", numa zona relativamente alta da cidade (classificada, ainda assim, como "baixa", pelos portuenses), por oposição ao "velho centro", na Praça da Ribeira. A placa central era ajardinada, com uma série de canteiros, exis-

FIGURA 2. A anterior configuração da Praça da Avenida dos Aliados

Fotografia de Fernando Cruz

tindo, no topo Sul, uma estátua (*Juventude*) que os portuenses apropriaram como "a menina dos Aliados".

Circundando a Praça, encontram-se edifícios (quase todos construídos em granito) com valor arquitetónico individualizado,[4] servindo de sede a instituições bancárias e culturais, bem como a cafés e residenciais.

O projeto de Álvaro Siza Vieira (igualmente prémio Pritzker, em 1992) e Souto Moura, partiu do pressuposto da inviabilidade de reconstrução da Praça tal como existia. Tal deve-se, em parte, às duas bocas da estação do metropolitano (motivo que esteve diretamente na origem da necessidade de requalificação da Praça), o que implica uma diminuição da Placa Central, incompatível, aliás, com a espessura dos anteriores canteiros e com a escala do antigo jardim.

Assim, desenhou-se uma placa contínua de paralelos ou cubos de granito em forma de cauda de pavão, substituindo a anterior calçada à portuguesa. Como remate da Praça, Siza Vieira desenhou uma fonte rodeada de bancos (abstração de uma célebre fonte parisiense), cadeiras (igualmente assumindo o mobiliário dos jardins urbanos parisienses, numa atitude que um informante classificou de mais retrô do que o próprio retrô) e seis alinhamentos de árvores.

FIGURA 3. A "nova" Avenida

Fotografia de Fernando Cruz

[4] Ostentando peças escultóricas, cúpulas, lanternins, coruchéus.

De igual modo, verificou-se um intenso trabalho de redesenho de mobiliário urbano adjacente: cobertas de paragens de autocarros; bancos; recipientes de lixo; cadeiras e até mesmo a reutilização dos antigos candeeiros, desta feita otimizados no que à qualidade e intensidade da luz se refere.

Importa, agora, conhecer as representações do próprio Siza Vieira sobre esta obra, em particular, mas também sobre a cidade, o urbanismo e o papel que o arquiteto e a arquitetura desempenham na contemporaneidade. Para o efeito, utilizaremos, uma vez mais, fontes secundárias, nomeadamente entrevistas em órgãos de comunicação social.

Desde logo, em entrevista a propósito das obras de recuperação do Chiado, em Lisboa, Siza destaca uma dimensão que colide, precisamente, com o cerne das críticas que lhe são feitas no que respeita a um pretenso autismo de "autor":

> Há o conhecimento da atmosfera de uma cidade, problemas específicos, aspetos humanos, contatos pessoais. Acho que a atenção e capacidade de perceção e compreensão se agudizam, porque o estímulo é muito forte. Há a curiosidade natural de ver um meio novo, um certo encantamento. Todas as cidades são bonitas, até as feias. (...) O Porto é a cidade mais incómoda que eu conheço, mas eu gosto muitíssimo da cidade do Porto. Não há cidades feias, há cidades difíceis. (...) De maneira que isso constitui estímulo muito forte, agudiza a capacidade de perceção, desencadeia as ideias, no fundo. E a ideia é o importante na arquitetura. Depois, é importante transformar as ideias em coisas que venham a ser parte de um corpo vivo que é uma cidade.
>
> (www.si.ips.pt/ese)

Como Baudelaire ou Walter Benjamin, Siza Vieira afirma praticar a deambulação como forma de conhecer a cidade:

> Tenho muito pouco tempo para passear, neste trabalho há muito de reuniões que coordenam uma série de donos de obra e projetistas. Não tem dado para passear como eu gosto, sem programa, que é uma das formas de a gente se aperceber da cidade, vaguear, perder-se.
>
> (*idem*)

Por outro lado, ao invés dessa liberdade de "vaguear pela cidade", o arquiteto reconhece na obra um produto contraditório, tenso e resultado de vários conflitos que vão desde funções que urge conciliar, até à pressão dos empreiteiros e, principalmente, dos donos da obra que pugnam por uma rapidez que contraria a qualidade. Mas não deixa de reivindicar a liberdade de contrariar o gosto dominante ou de desagradar multidões, o que o aproxima de um certo discurso que encontramos em certos segmentos do campo artístico, nomeadamente nos que valorizam um determinado capital de autonomia e de culto da "arte pela arte":

> Alguma coisa nós precisamos, mas também não precisamos de uma multidão. Às vezes basta que gostem duas ou três pessoas, no limite bastará uma. Na verdade, o que se passa é mais complicado: uns gostam, outros não gostam mesmo. Também se não fosse assim, isso significaria uma certa morte prematura, no meu caso tenho 58 anos. Porque as pessoas, por vezes, contam que A ou B faça uma coisa tranquilizante, que já viram, que gostaram. E se não é assim, ficam em pânico.
>
> (*idem*)

De igual modo, perpassa, ainda, uma certa ideologia de valorização do saber pericial e abstrato do arquiteto, face à subjetiva instabilidade dos "leigos":

> Um edifício é uma coisa onde se vive, é uma coisa de dia e outra de noite. A impressão da imagem é uma coisa muito frágil, muito mais frágil em quem não tenha uma preparação especializada. É uma reação afetiva, subjetiva, e um edifício ultrapassa a afetividade e a subjetividade.
>
> (*idem*)

Quanto ao estado atual do centro histórico do Porto, a posição de Álvaro Siza Vieira, expressa noutra entrevista, não difere substancialmente da opinião emitida por Paulo Mendes da Rocha a respeito de São Paulo:

> O centro da cidade está em ruínas, as casas estão destelhadas. Fala-se muito na recuperação do centro histórico, mas não vejo forma, porque os conceitos adotados não são os mais adequados. Acho que a recuperação não está na direção certa. Estão a descaracterizar a cidade em vez de a recuperar, utiliza-se mesmo, em alguns casos, caixilhos de plástico em vez de madeira, veja lá!... Creio que o Porto de hoje está muito distante do Porto da altura em que foi classificado de Património Mundial da Humanidade.
>
> (www.arkitectos.blogspot.com/2008/06)

Em suma, num e noutro caso, as *representações do espaço*, conceito proposto por Lefebvre para nomear as práticas periciais da sua produção (por arquitetos, engenheiros, tecnólogos...), coincidem numa certa desilusão dos arquitetos em análise face aos processos mais amplos de requalificação dos centros históricos. Um critica a "sociedade caipira", outro interpela empreiteiros, donos da obra e o gosto dominante. Em ambas as situações, no entanto, os arquitetos envolvem-se ativamente em projetos emblemáticos o que, sem dúvida, adensa ainda mais a ambiguidade em torno dos espaços centrais destas cidades.

Usos, apropriações, produção secundária do espaço: O caleidoscópio do centro de São Paulo

O centro de São Paulo, em particular no diálogo que se estabelece entre a Praça do Patriarca, o Páteo do Colégio e a Praça Clóvis e a Praça da Sé, afigura-se de uma polifonia desconcertante. Desde logo, pela multiplicidade e mistura de funções: residências, das mais formais aos cortiços, instituições bancárias, comércio de rés do chão, comércio de *shopping center*, comércio de rua, mendicidade, policiamento... Mas também pela pluralidade de usos. Existem homens e mulheres que fazem do seu corpo um anúncio publicitário ("homens-placa" que, conforme indicação de um informante, fazem parte da paisagem urbana desde há décadas);[5] movimentos sociais que colocam as suas faixas no espaço público,[6] assim como grupos religiosos;[7] policiamento ostensivo e intenso, meninos-prodígio;[8] pregadores;[9] catadores de lixo e de material reciclável muitas vezes puxando

[5] Os anúncios fazem referência à compra de ouro, à compra e venda de telemóveis, à disponibilização de internet, à venda de atestados médicos "para admissão e desadmissão".

[6] Numa delas, da autoria do MNN (Movimento da Negação da Negação) pode ler-se: "Ocupa a escola falida, a universidade falida, a fábrica falida".

[7] Em algumas dessas faixas pode ler-se: "Não sou dono do mundo, mas sou filho do dono". Na Praça da Sé, várias faixas verticais exibem os Dez Mandamentos. No Convento do Carmo, onde um homem fala com Deus usando uma intensa expressividade corporal (gestos largos e abertos em prece, mãos erguidas), figura um cartaz com a inscrição: "Liga-te a Ele. Pode desligar o celular. Ele atende sempre". É possível encontrar, ainda, espalhados pelas praças, dísticos que anunciam cerimónias religiosas em ginásios: "Dia da cura e libertação. Preço da entrada: 1kg de alimento não perecível".

[8] Na Avenida Barão de Ipateninga, um menino de rua, microfone em punho, por detrás de uma tela de papel de cenário onde está pendurada uma grande máquina calculadora, escreve o resultado de divisões complicadas, com várias casas decimais, explicando, ao mesmo tempo, como alcança os resultados: "25 a dividir por cinco. Qual é o dobro de 25? 50! Corta-se o zero, fica 5!)".

[9] Na Praça do Patriarca um homem de fato e gravata grita a Bíblia. Aparentemente alheio a tudo e a todos, caminha de um lado para o outro seguindo os transeuntes e clamando: "Só Deus é a verdade/ Só chegarás a Deus pela verdade/ A verdade é a palavra". Na Praça da Sé outro pregador junta algumas dezenas de pessoas.

carroças carregadas de entulho já acomodado em sacos; magotes de homens esperando pelos recrutadores de mão de obra paga ao dia;[10] teatro de rua promovido pela prefeitura,[11] *clowns* de rua por conta própria, enfim, uma plêiade de tipos sociais, linguagens, interações e contextos.

Em várias ocasiões emergem situações de cooperação. É o caso dos camelôs, autênticos nómadas da cidade, que vendem um pouco de tudo, notando-se, no entanto, uma predominância de CDs e DVDs pirata. Perante a perceção de que se aproxima uma rusga policial, acionam-se os códigos de rua[12] e as mantas ou tendas são desmontadas num ápice, para regressarem pouco tempo depois, como o refluxo da maré... Foi-me possível observar, ainda, em certas circunstâncias, uma tática de aproximação entre camelôs e comerciantes tradicionais de rés do chão, uma vez que, em complementaridade, atraem mutuamente clientes.

Deparei-me, igualmente, com situações agonísticas. Nem sempre os comerciantes se entendem. Os clientes são, por definição, escassos e altamente disputados. O conflito é igualmente percetível entre a população de rua e a polícia:

> Junto à Prefeitura, mesmo no encontro entre o Viaduto do Chá e a Praça do Patriarca, um piquete de camelôs montou uma tenda de protesto abrigando ativistas em greve de fome contra as investidas ditas "repressivas" da polícia municipal a mando da Prefeitura, com o objetivo de expulsá-los dos espaços públicos. Um dos ativistas, possivelmente há vários dias em greve de fome, apresenta um aspeto claramente combalido. Entretanto, um grupo de camelôs toca bombo, procurando chamar, sem sucesso aparente, a atenção dos passantes. Mesmo ao lado, uma delegação do Movimento dos sem Teto segura uma faixa com palavras de solidariedade.
>
> (Nota de diário de campo, julho de 2008)

Uma outra situação colocou frente a frente um sem-abrigo alcoolizado e um grupo de polícias fortemente armado com metralhadoras. Apesar dos sorrisos iniciais, a situação quase atingiu um clímax de tensão:

[10] Os recrutadores são apelidados de "gatos".

[11] Na altura, julho de 2008, desenrolava-se o IV festival "Overdose Teatral", mobilizando grupos de teatro da cidade, como os sátiros e os parlapatões.

[12] "Rapa" e "Gelo" figuram entre essas expressões codificadas que avisam da proximidade da polícia.

> Um mendigo velho e pobre, fortemente embriagado desafia um grupo de polícias armados de uma esquadra móvel da Praça da Sé. Usa palavras para mim ininteligíveis, mas que constituem simultaneamente insulto e desafio. Os gestos vão crescendo, o corpo bamboleando aproxima-se a menos de um metro dos polícias. A certa altura o ancião simula uma rajada de metralhadora. Pensamento mágico? Inversão simbólica da ordem instituída? (*idem*).

Teresa Caldeira concede que "as ruas de São Paulo podem ainda estar cheias de gente, especialmente nos bairros centrais de comércio e serviços" (Caldeira, 2003: 323), mas, ao mesmo tempo, considera que as apropriações observadas "não são exemplo de usos heterogéneos mas da segregação e exclusão" (*idem*: 334), uma vez que "no centro de hoje a população "chique" foi substituída pelos "marginais", nada garante distinção e o sentimento que resta é o de mal-estar com a proximidade" (*idem*: 324). Desta forma, configura-se um espaço público não-moderno, uma espécie de somatório de "espaços restantes, os únicos que os grupos sociais mais marginalizados – aqueles excluídos das áreas protegidas e muradas – ainda podem apropriar" (*idem*: 334). A própria "Associação Viva o Centro", constituída por elementos de uma fração da média e alta burguesia comercial e financeira, inverte o uso político da apologia da diversidade: se existe uma tão grande massa popular, a heterogeneidade só poderá ser restituída através de processos controlados de gentrificação que permitam o regresso ao centro de classes sociais mais capitalizadas... Como observou Victor Eskinazi, técnico da Associação, em entrevista informal:

> No Brasil vive-se um dilema que é um impasse. Toda a gente rejeita a gentrificação, mas sem um pouco de gentrificação não se consegue recuperar o centro. Os Movimentos Sociais clamam por nenhuma gentrificação. As imobiliárias querem todo o lucro possível. Temos de apostar nas parcerias público-privadas em que o Estado dita as regras e o privado entra com o dinheiro.[13]

As observações etnográficas que levei a cabo não coincidem com este conceito de *espaços restantes*. Na verdade, apesar da clara predominância dos

[13] Numa observação que denota o seu posicionamento pessoal, o entrevistado acaba por confessar que no Brasil é o setor privado quem dita as regras, aconselhando-me a ler o livro de Otília Arantes sobre "a cidade do pensamento único".

pobres e da população da rua, a acentuada diversidade da ocupação funcional do espaço potenciava usos plurais e contraditórios. Constatei inúmeras interações, muitas delas a pretexto da compra e venda, envolvendo sujeitos de pertenças sociais distintas. Por outro lado, a organização da população de rua em movimentos sociais fortemente implantados no terreno, a presença de organizações não governamentais e de grupos de voluntários religiosos, a par de eventos organizados quer por empresas (*playgrounds* amovíveis, por exemplo), quer pelo Estado (animação cultural de rua), contribuem, igualmente, para a perceção de heterogeneidade, embates agonísticos e/ou cooperantes, pluralidade de usos e apropriações próprios de um refazer constante do espaço público. Presentes, de igual modo, as redes, os trânsitos e as passagens entre "fachadas" e "bastidores" (caso dos camelôs que surgem do nada e para o nada desaparecem), dando conta, por isso, de um "complexo sistema de mediações" (Magnani, 1998: 138) entre instituições e população; entre legalidade, informalidade, clandestinidade e ilegalidade; entre, finalmente, "nós" e "eles", âncoras de (des)estabilização de identidades espacialmente traduzidas. Importa, aliás, vencer uma persistente ilusão da homogeneidade presente em categorias como "pobres", "classes populares" ou "população de rua", na verdade em que obliteram a coexistência de origens, percursos, projetos e vivências consideravelmente distintos.

Na verdade, encontramos nestes lugares alguns traços marcantes da proposta de compreensão da sociedade brasileira que Roberto DaMatta apresenta (1997), embora com as necessárias atualizações que o tempo e o contexto empírico (São Paulo no ínicio do século XXI) exigem.

Desde logo, a existência de "províncias éticas", "esferas de ação social" ou "entidades morais" múltiplas, diferenciadas mas complementares, articuladas e relacionais. A "casa", a "rua" e o "outro mundo" só se entendem no enredo tenso e quase paradoxal que permanentemente tecem e que obrigam a uma gramática da complexidade e da mediação para entender a realidade brasileira (e ibérica...). A rua acentua o discurso da "selva" e do conflito, do subcidadão desprovido de capital social (ou seja, da sua pessoa enquanto entidade com nome, família e amigos):

> leituras pelo lado da rua são discursos muito mais rígidos e instauradores de novos processos sociais. É o idioma do decreto, da letra dura da lei, da emoção disciplinada que, por isso mesmo, permite a exclusão.
>
> (DaMatta, 1997: 19)

Mas encontramos, de igual modo, relações fortemente pessoalizadas. A rua, enquanto pretexto e contexto de observação etnográfica permite--nos perceber como a lógica da "casa" a penetra: muitos dos habitantes são conhecidos e chamados pelo nome próprio ou alcunha; as relações de proximidade e distância são visíveis e recorrentes, bem como as redes de aliança, conflito, colaboração e coordenação. E aí, por vezes, em situações estritamente delimitadas, é certo, mas efetivas e consequentes, o *subcidadão* (produto de uma igualização *para baixo*) transmuta-se em *supercidadão*, pessoa dotada de "amigos" e "inimigos", situada numa hierarquia de teias, relações, lealdades e conhecimentos. Ou seja, "a gente comum", o "zé-povinho sem eira nem beira" pode encontrar na rua e na praça uma identidade positiva que identifica, agrega e afasta. Uma lógica de nomeação, reconhecimento e classificação. Existe, pois, toda uma infrapolítica da rua, permeável ao cruzamento de lógicas de ação plurais (Lahire, 2001). DaMatta, aliás, admite que a rua possa conter o domínio da razão universal-liberal "quando recriamos no espaço público o mesmo ambiente caseiro e familiar" (DaMatta, 1997: 20). Desde logo, porque muitos fazem da rua literalmente a sua casa. Mas também porque a impessoalidade das leis e decretos de nada serve a quem por eles é esmagado.

De certa maneira, somos obrigados a transportar para dentro da esfera da rua a mesma atitude analítica que Roberto DaMatta aciona para perceber as sociedades relacionais: privilegiar, até ao limite, o estudo das relações, das conexões, das conjunções/disjunções, a um mesmo tempo, sem a separação que a dialética impõe; tese, antítese e síntese comprimidas num só momento, superando qualquer isolamento, ainda que abstrato e momentâneo. Não a tríade, enfim, antes a unidade/totalidade tensa e em movimento permanente. Os espaços-tempo de fronteira, liminares, lugares "entre", gradativos, são a regra, não a exceção, ao contrário do que Roger Bastide (1954) defendeu, ao estudar na Bahia o universo religioso afro-brasileiro, advogando um *princípio de corte* e de *compartimentos estanques* entre a vida religiosa e a vida económica.

Daí a ajustada perceção do autor brasileiro quando refere a convivência simultânea de "muitos espaços e muitas temporalidades" (*idem*: 32). Nada existe, então, de linear e impessoal no espaço-tempo da rua concreta. Aqui afastamo-nos aparentemente de DaMatta, pela simples razão de que a "rua", tal como a "casa" são por ele entendidas simultaneamente como configurações e metáforas, uma espécie de *forma* simelliana, em todo o caso categorias sociológicas,[14] modos de "ler a sociedade" onde podem caber vários conteúdos. O conteúdo com que a análise do polimórfico centro de São Paulo contribui para preencher a forma "rua" remete para as redes, os reconhecimentos e as mediações, embora sejam visíveis situações de força policial e de dominação sobre os mais fracos. O movimento frenético destes espaços públicos, ao traduzir processos de exclusão social, revela, ao mesmo tempo, a luta quotidiana para a vencer.

Eis, pois, traços de um centro de cidade onde a produção secundária do espaço (conceito proposto por Michel de Certeau) desafia, através das "táticas do fraco" as "estratégias do forte", criando, dentro da intensa dominação, margens não negligenciáveis de negociação, jogo e autonomia. Traços, também, de uma urbe táctil e sensível, de odores contrastantes e difíceis de identificar, um

> fantástico caleidoscópio constituído por fragmentos de tempos diversos, territórios e realidades distintas (...) identidade na diversidade, onde o todo não é apenas a mera soma das partes mas é, ao mesmo tempo, mais e menos do que a soma das partes.
>
> (Braz, 2004: 133)

Aliás, desmentindo uma certa ilusão do fetichismo do espaço, nada como lembrar as atuais apropriações da Praça Clóvis. Apesar da fragmentação do espaço imposta por um desenho urbanístico a que não foram alheias as intenções do antigo regime militar de expulsar a população de rua e de impedir as grandes concentrações cívicas, os habitantes de hoje respondem quotidianamente através de contrausos (Leite, 2004) ocupando as fontes, dormindo no desconfortável mobiliário urbano, contornando, assim, os inúmeros obstáculos a uma circulação livre.

As ruas e as praças permitem, então, passagens contínuas entre territórios e condições díspares: da rua-impessoal à rua-casa; do *subcidadão* esmagado pela polícia e pela seletividade da aplicação da ordem ao *supercidadão* dos conhecimentos pessoais e das alianças; do contacto interclassista ao convívio entre iguais; do conflito à cooperação. Essas passagens são, precisamente, os usos, as apropriações e os modos de relação com o espaço e da sua invenção.

[14] DaMatta refere que "um número finito de categorias permite uma série de variações, combinações e segmentações, todas contendo ainda graus variáveis de intensidade e exigindo lealdade de ordens diversas. As sociedades são coisas vivas..." (DaMatta, 1997: 17).

Avenida dos Aliados e a narrativa de perda

Nas várias conversas informais inicialmente tidas com comerciantes dos cafés e pensões circundantes à Avenida dos Aliados sobressaía, sistematicamente, uma fala de intensa perda, uma espécie de luto pelo desaparecimento da anterior Praça. A sobriedade atual do espaço parece contrastar com os canteiros ajardinados de outrora. A calçada portuguesa desapareceu e deu lugar aos cubos de granito, já classificados como "triste miséria de calhaus" num blogue sobre a cidade...

Na verdade, a observação permite-nos constatar que as aglomerações de pessoas são escassas e os usos pouco plurais. Predomina, de facto, o atravessamento e a passagem, o que confere, como um urbanista nos confidenciou, uma especial responsabilidade aos programadores e gestores do espaço (a autarquia). Perante o despojamento e a "libertação" do espaço, criar-se-iam condições para múltiplas intervenções públicas. De certa forma, o arquiteto oferece a beleza do desenho, "liberta" a praça de "ruídos" e delega no campo político a produção de eventos e de formas organizadas de ocupação do espaço.

Vários são os fatores que poderão contribuir para este *uso fraco*. Por um lado, o cariz recente da intervenção e a dificuldade acrescida de incorporação de disposições afetivas e interacionais mobilizadas pelo novo espaço. Por outro lado, o próprio *rumor civil*, altamente propagado (no discurso comum e nos media) sobre a destruição da memória e do passado.[15] Finalmente, a potenciação de usos plurais e heterogéneos requer uma maturação do próprio projeto: as árvores cresceram pouco, o mobiliário urbano não está totalmente disponível (as cadeiras, autêntica *citação* dos velhos jardins parisienses, encontram-se presas ao chão por correntes, dificultando a sua livre instalação[16]), não se instalaram, ainda, cafés e esplanadas na Praça. Predomina, pois, a perceção de uma *tabula rasa*. O que, convenhamos, não tem inibido a discussão. Os arquitetos e outros especialistas são praticamente unânimes quanto ao elogio do desenho. A blogosfera e os media, no entanto, veiculam opiniões depreciativas. O próprio Álvaro Siza Vieira

[15] Como escreveu Hobsbawm a propósito do século XX (enunciado aplicável com inteira justiça aos primeiros anos deste novo século): "a destruição do passado – ou melhor, dos mecanismos sociais que vinculam a nossa experiência pessoal à de gerações passadas – é um dos fenómenos mais característicos e lúgubres do final do século XX" (Hobsbawm, 2002: 13).

[16] Como nos diz um arquiteto: "as cadeiras são mais retro do que o retro, pois já nem em Paris existem".

participa na polémica, em particular depois de uma manifestação no local e de um abaixo-assinado que circulou pela net:

> O projeto da Avenida que fiz, em conjunto com Souto Moura, causou polémica porque coincidiu com as eleições, o combate político. O projeto foi apresentado e amplamente discutido na Câmara e não levantou contestação, só houve quando ficou concluído. Foi apanhado, como já disse, bem no meio das lutas políticas (...) a manifestação tinha 29 pessoas, segundo noticiaram os jornais. Depois, a contestação surgiu pelo desaparecimento dos canteiros. Ora, em devido tempo, apresentamos o projeto publicamente e explicamos a quem quis ouvir que não se justificava ter uns canteirinhos na principal "sala de visitas" da cidade. Quando surgia uma manifestação ou ajuntamento, como, por exemplo, quando o FCPorto ganha e agora já tem acontecido muitas vezes, os canteiros, as flores ficavam imediatamente destruídos. Apresentamos, como exemplo, o que acontece nas maiores praças europeias onde os canteiros foram banidos. Não podemos esquecer que as plantas vieram para a Avenida dos Aliados, nos anos 40, num tempo totalmente diferente do de hoje.
>
> (www.arkitectos.blogsopt.com/2008/06)

Digressões mais recentes levam-me a falar de um esbatimento do sentimento de perda por parte de um grupo mediador particular: a restauração e hotelaria. Vários são os empregados, gerentes e proprietários de cafés, pastelarias e residenciais que nos revelam um crescente agrado pela nova fisionomia da praça. Salientam, por um lado, o que parece tornar-se um lugar comum ("agora já temos uma sala de visitas para a cidade"), indiciando uma incorporação, ainda que débil, de um discurso pericial (o dos arquitetos). Realçam, de igual modo, a perceção de abertura e legibilidade, tão apreciada pelos turistas que, como pudemos verificar, são, por vezes, os mais numerosos praticantes daquele espaço nobilitado pelo "milagre da assinatura" de Siza Vieira, abrindo os seus mapas e objetivas. Menorizam, em simultâneo, a memória dos jardins ("eram bonitos, mas as pessoas estavam sempre a estragar tudo e os jardineiros tinham de pôr cercas à volta das flores"). Enfatizam, ainda, a capacidade de albergar grandes eventos ("na Queima das Fitas estiveram aqui 30 mil pessoas!"). Outros, finalmente, ligam os usos da praça à emergente dinâmica cultural das ruas perpendiculares à Torre dos Clérigos, que atraem milhares de novos clientes, nomeadamente jovens adultos. Em suma, abrem-se perspetivas de negócio.

Na verdade, as esplanadas e cafés lucram visivelmente com a política de eventos e a animação cultural das ruas contíguas, formando como que uma espécie de orla habitada da praça. Quão mais despojada esta se torna, mais intensamente se utilizam os cafés e pastelarias. Os turistas continuam a ser os clientes mais numerosos, em particular nos locais mais caros ("se não fossem os turistas, o Guarany não sobreviveria"), deixando um traço de analogia com a cidade global. A praça, por sua vez, permanece lugar de atravessamento, uma espécie de ilha limpa de granito polido no meio do tráfego automóvel.

Durante a Feira do Livro, recolocada na Avenida dos Aliados, os lugares de repouso e convívio, por serem escassos, eram intensamente disputados. Os mais velhos em bancos de jardim amovíveis, ali especialmente colocados, os mais jovens nos cubos de granito ou preferencialmente no chão. Os adolescentes, aliás, mesmo fora do tempo das "ocasiões" e dos "eventos" são os únicos que, em tardes de Sol ou à noite, vindos dos bares, aceitam o convite do chão de granito para, em períodos não superiores a meia hora, se fecharem em pequenos círculos conviviais, no meio da praça. De certa forma, as dicotomias que um empregado de mesa do prestigiado café restaurado *Guarany* assinalou parecem válidas: "A praça é para os negócios, não é para a natureza. E este trânsito todo à volta dificulta a vida a quem quer usufruir da praça".

Enquanto durou a Feira do Livro foram ainda reforçados os assentos: cadeiras de plástico ou de metal, próprias de uma vulgar esplanada de bairro ou de praia, contraste que, como realça um coletivo de jovens estudantes, coordenados pelo arquiteto Pedro Bismarck, não joga bem com os pormenores requintados de Siza Vieira (as cadeiras parisienses, as alas de árvores, os "velhos" candeeiros de ferro):

> Ao mesmo tempo, a cidade constrói-se, cada vez mais, das inúmeras ocupações efémeras e temporárias disseminadas pelo espaço urbano. Mas estas, em vez de realçarem e reforçarem a unidade e a imagem urbana da cidade, formulam-se como elementos perturbadores dessa leitura, como no caso da Avenida dos Aliados.[17]

[17] Workshop *Lugares Efémeros* (http://in-ner-city.blogsopt.com).

Em todo caso, o que, uma vez mais, se apresentava como objeto autónomo e recortado (a "praça"), obriga a uma análise de articulações várias (de discursos, representações, interesses), bem como a uma visão espacial consideravelmente mais vasta.

Notas finais

Em ambos os estudos de caso encontramos certas dimensões dos modernos processos urbanos: desindustrialização e terciarização; acréscimo dos fenómenos de conurbação e suburbanização no seio de áreas metropolitanas (que transformam São Paulo numa "cidade global" ou megalópole e o Porto numa "cidade-região", respeitando a diferença de escalas); perda populacional no centro histórico, em particular no que se refere a certos lugares de classe; narrativas de abandono e luto em simultâneo com grandes investimentos públicos e público-privados na chamada "revitalização" ou "regeneração" urbana; aumento das desigualdades sociais e espaciais (vetor sudoeste em São Paulo e dicotomia centro vs. periferia; oposição zona Oeste/zona Leste no Porto), com uma vasta disseminação de estigmas associados aos espaços públicos centrais (popular e perigoso, em São Paulo; envelhecido e despovoado, no Porto). Nas duas cidades veicula-se, igualmente, uma carregada fala sobre a decadência e a necessidade de revitalização dos centros, num processo ambíguo e disjuntivo que faz sobressair a própria intervenção intermitente, mitigada e deficitária do Estado, com tradução no refluxo da "cidade-providência" (Domingues, 2003).

Em São Paulo os espaços públicos centrais são superpovoados durante o dia, mantendo-se, apesar da segregação e do medo da proximidade face ao diferente, uma gama heterogénea, plural e conflitual de contactos, interações, redes e apropriações. Nesse sentido, pode afirmar-se que está presente uma das qualidades do espaço público concreto e vivido (distante, por isso, das conceções abstrato-formais do poder e da esfera pública): a potenciação de usos múltiplos, subversivos e inusitados.

No Porto, o tempo é ainda de espera, embora, face a uma atitude inicial quase generalizada de não-apropriação ou de luto mais ou menos difuso, se verifiquem já novas leituras, provenientes quer de atores disponíveis a aceitar as vantagens económicas da transformação, quer do campo político local, gestor e programador privilegiado do espaço.

Em ambos os casos, todavia, existe uma oportunidade que importa concretizar: pela intermitência e contradição do papel do Estado na definição de políticas públicas e por um relativo desinteresse do setor privado, a gentrificação não tem vingado com o mesmo furor e grau de conquista e de expulsão das classes populares que se verificou noutros contextos. Nesse sentido, o cariz ambíguo dos espaços centrais estudados pode significar não o fim do espaço público, como proclamam as teses catastrofistas de Mike Davis, nem o fim do espaço público moderno, como defende Teresa Caldeira, mas sim o de um espaço público em devir.

Referências bibliográficas

BASTIDE, Roger (1955), "Le príncipe de coupure et le comportement afro-brésilien". *Anais do XXXL Congresso Internacional de Americanistas*. São Paulo: Editora Anhembi, I, 493-603.

BRAZ, Elisabeth (2004), "Notas sobre uma viagem por São Paulo", in AAVV, *Expedição São Paulo, 450 Anos. Uma viagem por dentro da metrópole* (2004). São Paulo: Museu da Cidade, 203-207.

BRUNA, Gilda Collet e RIGHI, Roberto (2006), "A crise do centro histórico e a demolição do Santa Helena" in CAMPOS, Cândido Malta e JÚNIOR José Geraldo Simões (orgs), *Palacete Santa Helena: Um pioneiro da modernidade em São Paulo*. São Paulo: Editora Senac, 256-270.

CALDEIRA, Teresa Pires do Rio (2003), *Cidade de muros. Crime, segregação e cidadania em São Paulo*. São Paulo: Edusp.

CAPELO, Augusto (2004), "Arquétipos não tão desvairados da Pauliceia", in AAVV, *Expedição São Paulo, 450 Anos. Uma viagem por dentro da metrópole*. São Paulo: Museu da Cidade, 185-190.

CARVALHO, Mónica (2004), "Narrativa itinerante", in AAVV, *Expedição São Paulo, 450 Anos. Uma viagem por dentro da metrópole*. São Paulo: Museu da Cidade, 169-174.

DA MATTA, Roberto (1997), *A casa & a rua. Espaço, cidadania, mulher e morte no Brasil*. Rio de Janeiro: Rocco.

DE CERTEAU, Michel (1990), *L'invention du quotidien I: Arts de faire*. Paris: Gallimard.

DOMINGUES, Álvaro (2003), "A cidade-providência". *Sociologia*, 13, 171-183.

FREHSE, Fraya (2005), *O Tempo das ruas na São Paulo de fins do Império*. São Paulo: Edusp.

FRÚGOLI, Heitor (2006), *Centralidade em São Paulo. Trajetórias, tensões e conflitos na Metrópole*. São Paulo: Edusp.

HABERMAS, Jürgen (1984), *Mudança estrutural da esfera pública*. Rio de Janeiro: Edições Tempo Brasileiro.

HANNERZ, Ulf (1980), *Exploring the city: Inquiries toward an urban anthropology*. Nova Iorque: Columbia University Press.

HOBSBAWM, Eric (2002), *A era dos extremos*. Lisboa: Presença.

JOSEPH, Isaac (1991), "Voir, exposer, observer", in AAVV, *L'Espace du Public – les compétences du citadin*. Paris: Plan Urbain, 23-31.

LAHIRE, Bernard (2001), *L'homme pluriel. Les ressorts de l'action*. Paris: Nathan.

LEFEBVRE, Henri (2000), *La production de l'espace*. Paris: Anthropos.

LEITE, Rogério Proença (2004), *Contra-usos da cidade: Lugares e espaço público na experiência urbana contemporânea*. Campinas: Editora Unicamp.

LOPES, João Teixeira (2002), *Novas questões de sociologia urbana*. Porto: Afrontamento.

LOPES, João Teixeira (2008), "Andante, andante: tempo para andar e descobrir o espaço público", in LEITE, Rogério Proença, *Cultura e vida urbana. Ensaios sobre a cidade*. São Cristóvão: Editora da Universidade Federal de Sergipe.

LOPES, João Teixeira (2007), *Da democratização à democracia cultural – uma reflexão sobre políticas culturais e espaço público*. Porto: Profedições.

MAGNANI, José Guilherme Cantor (1998), *Festa no pedaço. Cultura popular e lazer na cidade*. São Paulo: Editora Hucitec/Editora Unesp.

MAGNANI, José Guilherme Cantor (2004), "Expedição São Paulo 450 anos: uma viagem por dentro da cidade", in AA.VV, *Expedição São Paulo, 450 Anos. Uma viagem por dentro da metrópole*. São Paulo: Museu da Cidade, 165-168.

PINTO, José Madureira (1994), *Propostas para o ensino das ciências sociais*. Porto: Afrontamento.

SANTOS, Boaventura de Sousa (2003), "Para uma sociologia das ausências e uma sociologia das emergências", in SANTOS, Boaventura de Sousa (org.), *Conhecimento prudente para uma vida decente. Um "Discurso sobre as ciências" revisitado*. Porto: Afrontamento, 735-775.

SCARLATO, Francisco Capuano (2004), "Um olhar sobre São Paulo", in AAVV, *Expedição São Paulo, 450 Anos. Uma viagem por dentro da metrópole*. São Paulo: Museu da Cidade, 175-179.

SENNETT, Richard (1991), "La conscience de l'oeil", in AAVV, *L'espace du public : Les compétences du citadin*. Paris: Plan Urbain.

SIMMEL, Georg (2006), *Questões fundamentais da sociologia*. Rio de Janeiro: Zahar.

SOJA, Edward W. (1999), *Postmodern geographies. The reassertion of space in critical social theory*. Londres: Verso.

SOLNIT, Rebecca (2000), *Wanderlust. A history of walking*. Londres: Penguin,

VARGAS, Heliana Comin e CASTILHO, Ana Luísa Howard de (orgs) (2006), *Intervenções em centros urbanos. Objectivos, estratégias e resultados*. São Paulo: Editora Manole.

VELHO, Gilberto (2008), *Individualismo e cultura. Notas para uma antropologia da sociedade contemporânea*. Rio de Janeiro: Zahar.

WACQUANT, Loïc (1999), *Les prisons de la misère*. Paris: Raisons d'Agir.

WATSON, Sophie (2006), *City publics. The (dis)enchantments of urban encounters*. Londres: Routledge.

Web Sites

.www/pt.saint-gobain-glass.com/newsletter/abr2008_02_home.html

.www.dn.sapo.pt/2005704/08/artes

. www.arkitectos.blogspot.com/2008/06

.www.si.ips.pt/ese

.joaomaduro.blogspot.com/2008/08

.www.vivaocentro.org.br/noticias/arquivo

.www.sampa.art.br

.www.arcoweb.com.br/arquitectura

O BAIRRO DA LUZ (SÃO PAULO) E O BAIRRO ALTO (LISBOA) NOS ENTREMEIOS DE MUDANÇAS E PERMANÊNCIAS

Heitor Frúgoli Jr.* e *Jessica Sklair

Introdução[1]

Apresentaremos, de forma sintética, os principais resultados de nossas pesquisas em andamento sobre o bairro (e região) da Luz (São Paulo)[2] e o Bairro Alto (Lisboa),[3] tendo em vista reflexões decorrentes de aproximações e contrapontos entre ambas as experiências etnográficas – assinaladas por contextos, densidades, escalas e formas de aproximação bastante distintas.

Se um dos pontos de partida dessas investigações fora a possibilidade de pensar determinados processos socioculturais em ambos os bairros sob a perspetiva do conceito de gentrification,[4] as etnografias têm-nos levado a

[1] O presente capítulo dialoga com aspectos abordados no *paper* "Entre cá e lá: olhares através do trabalho de campo em contextos urbanos" (Frúgoli Jr.; Lopes; Sklair, 2009). Nossos agradecimentos à excelente interlocução com João Teixeira Lopes, bem como ao retorno dos colegas quando da apresentação do texto no V Seminário Internacional da Rede Brasil-Portugal de Estudos Urbanos (Coimbra, maio/2011).

[2] Pesquisa desenvolvida desde 2007, posteriormente com apoio do CNPq (Frúgoli Jr., 2008), da qual atualmente participam os pós-graduandos Enrico Spaggiari, Guilhermo A. Aderaldo, Natália H. Fazzioni, Giancarlo M. C. Machado e Juliana B. Cunha, os graduados Bruno Puccinelli, Bianca B. Chizzolini, Weslei E. Rodrigues, Karina Fasson, Júlio C. Talhari e Isadora Z. da Fonseca; já colaboraram Jessica Sklair, Carlos F. de Aquino, Daniel De Lucca R. Costa, Inácio C. D. de Andrade, Fábio C. Julião, Marina A. Capusso, Paula S. D. Faria e Laís Silveira (todos integram ou já integraram o Grupo de Estudos de Antropologia da Cidade – GEAC). Para um quadro de etapas dessa investigação, ver Frúgoli Jr. e Sklair (2009), Frúgoli Jr. e Spaggiari (2010) e Frúgoli Jr. e Aderaldo (2010).

[3] O texto aborda, com relação ao Bairro Alto, a pesquisa de campo realizada em set.-out./2007, jun./2008 e ago.-set./2009. A mesma tem sido desenvolvida por Heitor Frúgoli Jr. (cujas idas a Portugal (entre 2007 e 2009) foram amparadas pelo CNPq (no âmbito do Projeto da Rede Brasil-Portugal de Estudos Urbanos e de Fluxo Contínuo) e também por recursos da CCInt/USP), com a participação de Jessica Sklair (2007 e 2008) e Marina A. Capusso (2007, com recursos da ProInt/USP), ambas ex-participantes do já mencionado GEAC. Para ler sobre o trabalho de campo realizado no primeiro semestre de 2011, sob os auspícios da FAPESP, ver Frúgoli Jr. (2011).

[4] Tal conceito se refere sinteticamente à "criação de áreas residenciais para classes médias e altas em bairros de áreas urbanas centrais, articulados a processos de controle ou expulsão de setores das classes populares [...] também assinalado pelo desempenho de determinados estilos de vida e de consumo, produzindo mudanças da composição social de um determinado

relativizar o alcance do mesmo, bem como vislumbrar outras possibilidades analíticas do ponto de vista antropológico, com base nos agentes, redes de relações e representações efetivamente reconstituídas nas territorialidades resultantes de tais investigações.

Abordagens amparadas por esse conceito certamente permitem situar *a priori* contextos marcados por certas intervenções urbanas que podem acarretar mudanças socioculturais locais, bem como delimitar um conjunto de agentes e conflitos decorrentes de divergências de interesses com relação a tais espaços. Um problema, porém, é que tais recortes tendem a demarcar separações rígidas entre mundos sociais, com delimitações por vezes categóricas sobre inserções em classes sociais diferenciadas (ainda que amparadas por classificações sobre estilos, gostos, trajetórias educacionais etc.), além da configuração, para os termos de análise, de um "antes" e um "depois" (reformulado em termos de composição social e de determinados usos do espaço) também questionável, se levarmos em conta dinâmicas complexas que permeiam as relações entre continuidade e mudança.[5]

Tópicos da etnografia do bairro e região da Luz (2007-2010)

Nossa pesquisa sobre a Luz – feita em frentes articuladas de prática etnográfica, regularmente partilhadas, relativamente simultâneas e desenvolvidas em longo prazo – têm basicamente buscado reconstituir diversas *redes de relação e conexão* situadas no *entremeio* de duas representações relativamente recorrentes naquele contexto: a de *bairro cultural* – tornada possível pela criação e fortalecimento de diversas instituições culturais pelo Estado desde meados da década de 1980 (Frúgoli Jr., 2000: 72-3 e 103-109; Kara-José, 2007) – e a de *cracolândia* – estigma de degradação e criminalidade decorrente da presença, em ruas do bairro e região, de diversos usuários de crack, dentre eles homens, mulheres e meninos em situação de rua, profissionais do sexo etc. (Frúgoli Jr. e Spaggiari, 2010). Pode-se também dizer

lugar, bem como tipos peculiares de segregação socioespacial e de controle da diversidade" (Frúgoli Jr., 2006: 133-134; tradução para o português de trechos em francês). Ver, a respeito, Zukin (1989), Smith (1996) e Rubino (2003). A hipótese de *gentrification*, na presente pesquisa, voltar-se-ia inicialmente à análise de fenômenos mais ligados à frequência de locais e certos usos do espaço do que a mudanças articuladas a novas formas de moradia.

[5] Com base em considerações já expostas em Frúgoli Jr. e Sklair (2009); um autor referencial nesse caso é Sahlins (1990), mesmo reconhecendo as lacunas do mesmo quanto a especificidades do contexto urbano.

que a polaridade *bairro cultural – cracolândia* dialoga com oposições entre *requalificação* e *deterioração* que perduram, com relação à área central de São Paulo, desde o início dos 1990, embora possam ser pensadas como desdobramentos de outras oposições anteriores.[6]

A região central de São Paulo é marcada pela aglutinação de vários bairros, e justamente a Luz[7] vem obtendo crescente visibilidade, dada sua forte densidade urbanística e social, assinalada pela presença de vários prédios e instituições culturais tombadas pelo patrimônio estadual,[8] como a Estação da Luz, inaugurada em 1901, que passou por reforma recente, com a

FIGURA 1. São Paulo, Estação da Luz

Fotografia de Heitor Frúgoli Jr., 2007

[6] Para uma análise sistemática sobre requalificação e o léxico correlato, ver Frúgoli Jr. (2000) e Peixoto (2009).

[7] A Luz tem fronteiras fluidas com os bairros do Bom Retiro, Santa Ifigênia e Campos Elísios.

[8] Sobre as especificidades dos processos de preservação no estado de São Paulo, ver Marins (2008).

implantação em suas dependências do Museu da Língua Portuguesa. Em torno da mesma, um conjunto significativo de instituições culturais vem sendo reabilitado, como a Pinacoteca do Estado, ou parcialmente reutilizado, como a Sala São Paulo, hoje sede da Orquestra Sinfônica do Estado, na estação ferroviária Júlio Prestes.

Tais instituições têm sido responsáveis por um novo afluxo de pessoas ligadas sobretudo às classes médias e altas à região central. As casas, ruas e praças de tal área, entretanto, têm sido há muito definidas por forte ocupação popular, com uma quantidade significativa de cortiços, bem como práticas recorrentes de comércio informal, prostituição e tráfico e consumo de crack em vários espaços públicos. A gestão local anterior e a atual de São Paulo[9] tomaram tal área como prioritária para uma política mais ampla de requalificação urbana, dando continuidade a uma política iniciada pelo governo do Estado há duas décadas, de transformar a Luz num "bairro cultural". No início de 2005, ocorreu uma série de ações de repressão, fiscalização e controle no bairro – intituladas "Operação Limpa" – e, ao final daquele ano, a Prefeitura anunciou, para a região, um programa de incentivos fiscais, intitulado Nova Luz, com o intuito de atrair novos negócios, serviços e comércios. Em 2007, tiveram início as primeiras demolições no perímetro da assim chamada Nova Luz (Frúgoli Jr., 2000; Folha de São Paulo, 9/3/2005; Prefeitura do Município de São Paulo, dez./2005; Kara-José, 2007). Em março de 2010, ocorreu a demolição de um *shopping* de confeções na região de Campos Elísios (onde antes funcionava a antiga rodoviária de São Paulo), para a futura construção de um complexo cultural (O Estado de São Paulo, 13/4/2010).[10]

Optamos inicialmente por observar e coletar falas e representações da população local, ou seja, moradores, comerciantes e frequentadores que efetivamente constituem a *vida pública do bairro*, buscando reconstituir a existência de pessoas e grupos praticamente invisíveis e silenciados num plano discursivo mais abrangente, que engloba tanto os meios de comunicação de massa quanto os espaços de interlocução política com o poder público. Tal escolha etnográfica teve, portanto, a intenção de buscar entender o bairro e tais grupos *para além da polaridade*, ali frisada, *entre bairro cultural* e *cracolândia*. Aos poucos, a etnografia levou-nos a combinar duas abordagens – com seg-

[9] J. Serra [2005-2006] e G. Kassab [2006 em diante], PSDB-PFL [DEM, a partir de mar./2007]; Kassab reelegeu-se, para o período 2009-2012.

[10] Não há como detalhar aqui as diversas etapas desse projeto. Para uma visão da própria prefeitura, ver http://www.novaluzsp.com.br/projeto.asp. [Consultado em 19/11/2011].

mentos da população local do bairro e com atores sociais relacionados mais diretamente à chamada cracolândia, à busca de conexões entre essas dimensões, separadas inicialmente apenas como ponto de partida da investigação.[11]

Assim, foi preciso dar início a uma observação mais sistemática do que se convencionou chamar de cracolândia, para além de uma série de representações estigmatizantes veiculadas pela mídia, que de certa forma atualizam a criminalização da pobreza, à medida que se estendem para o bairro como um todo, e não para uma parte do mesmo. Nossa hipótese inicial – corroborada significativamente pela pesquisa – é de que a cracolândia constituiria uma espécie de "territorialidade itinerante" (Perlongher, 1987), o que significa situá-la numa certa área com alguma fixidez, mas sujeita a deslocamentos mais próximos ou mais distantes, a depender do tipo de repressão ou intervenções exercidas, além das dinâmicas de suas próprias relações internas.

É nesse sentido que parte desse estudo dialoga, mas também se diferencia daquele realizado por Bourgois (2003) sobre agentes ligados principalmente à venda de crack (*crack dealers*) em certos pontos de El Barrio (Harlem Hispânico, Nova York). Embora nosso trabalho também lide com pessoas muitas vezes identificadas como população de rua, nosso foco se volta basicamente aos consumidores da substância, dada inclusive a amplitude do uso que esses fazem das ruas e de outros equipamentos do espaço público, além de suas relações mais visíveis, nas próprias ruas, com outros atores sociais.[12]

Essa visão um pouco mais abrangente de tal territorialidade precisava ser contraposta por algum plano de observação etnográfica mais próxima, para uma compreensão da mesma como uma rede de relações, mediações e sociabilidades. Nossa entrada em campo se deu através de um contato mais prolongado com uma Organização Não Governamental (ONG) com atuação específica na redução de danos junto aos usuários de crack – a "É de Lei" –, que estabelece contatos regulares com tal população nas ruas do bairro e região da Luz, e que também dispõe de um centro de convivência.

[11] O poder público não tem sido alvo de etnografias específicas, mas constitui um pólo presente de *modo transversal* nas observações.

[12] Pode-se falar de uma certa aproximação ao conceito de *territórios psicotrópicos* (Fernandes, 1995), no qual o autor (com base em análises assentadas em Lisboa e no Porto) afirma que quando se intensifica a repressão ao tráfico num dado território, ocorre em geral uma mudança para as imediações ou bairros vizinhos, num efeito de *disseminação ínfima*, em que os atores das drogas se diluem por zonas contíguas e alteram suas estratégias interativas, com a exploração de outros interstícios urbanos (*idem*, 27-28).

Não é possível reconstituir aqui aspectos substanciais dessa pesquisa, cabendo frisar, em síntese, que

> ... uma das formas de aproximação etnográfica passou [...] pela problematização do caráter supostamente fixo dessa territorialidade, quando observamos os usuários de crack lidarem com as abordagens policiais no seu cotidiano, ou ao percebermos como os mesmos criam aos poucos (bem como dissolvem) novas concentrações em outros espaços da cidade.
>
> (Frúgoli Jr. e Spaggiari, 2010)

Tal territorialidade é formada por *múltiplos atores* e *mediadores*, mas

> ... se corporifica nos *usuários* ou *consumidores de crack*, que se não são os únicos atores desse espaço, sem dúvida constituem os principais alvos de uma série de práticas de intervenção, mediação ou controle.
>
> (*idem*)

É interessante frisar que muitos entrevistados referem-se aos usuários de crack, os chamados nóias – uma referência à paranóia que acompanha o estado de euforia gerado pela droga (Monteiro, 3/9/2000)[13] – e não necessariamente ao espaço da cracolândia. Nóia constitui também uma espécie categoria relacional usada pelos não usuários de crack para com os usuários, mas que pode ser acionada de várias formas, entre os próprios usuários (Silva, 2000) ou mesmo entre não usuários.[14]

A situação de vulnerabilidade de diversos atores sociais que usam as ruas da Luz e região – além dos próprios usuários de crack, a população em situação de rua (marcada por razoável heterogeneidade interna, que inclui crianças e adolescentes), prostitutas, travestis, dentre outros – tem levado a uma série de intervenções por parte de várias entidades, ONGs e instituições, cujas complexas articulações (muitas vezes marcadas por conflitos) com o poder público não serão aqui aprofundadas.[15] Durante a pesquisa foi possível contatar (além do já citado "É de Lei") algumas dessas, com distintos graus de aprofunda-

[13] "Segundo participantes do É de Lei, 'estar na nóia' também pode significar um estado em que o usuário se encontra quando está 'vidrado' em busca da pedra de crack" (Frúgoli Jr. e Sppagiari, 2010).

[14] Com base nas observações de relações jocosas entre frequentadores de uma lanchonete e que fazem parte de um time de futebol local (Nova Portuguesinha da Luz).

[15] Para uma visão sistemática a respeito, no campo do atendimento à infância e adolescência em São Paulo, ver Gregori e Silva (2000).

mento empírico, como os Projetos Quixote e Travessia (ambos voltados, com diferentes estratégias, ao público infantil e adolescente das ruas); a Pastoral da Mulher Marginalizada, cuja ação se combina com o Grupo Mulher, Ética e Libertação (GMEL), bem como a Associação Viva Mulher (com recursos da Congregação Maria José), dirigidas ao atendimento a mulheres em situação de prostituição; a Comunidade Evangélica Nova Aurora (CENA), com intervenções direcionadas a um espectro mais abrangente de pessoas em vulnerabilidade e, por fim, a Igreja Batista, que desenvolve projeto específico aos usuários de crack (as duas últimas voltadas claramente à tentativa de conversão religiosa dos atendidos). Trata-se obviamente de um quadro bastante heterogêneo de entidades, recortado transversalmente pelo enfrentamento – com objetivos e fins bastante diferenciados – da questão do uso do crack numa dada territorialidade, cujas ações envolvem certa estrutura de atendimento, a ação regular de agentes mediadores e ofertas de objetos, serviços ou convites para integrar espaços que de certa forma interrompam a permanência ou circulação incessante pelas ruas, com o estabelecimento de relações permeadas por várias formas de reciprocidade. Tal quadro certamente auxilia na compreensão da chamada cracolândia como um campo de relações e mediações, do qual participam obviamente outros agentes – como funcionários do serviço público, policiais, seguranças privados ou pessoas ligadas ao PCC[16] – o que amplia o quadro até aqui descrito.

É também importante pontuar vários casos de moradores da região que, em suas práticas espaciais pelo bairro (Dc Certeau, 1994: 199-215) em companhia de pesquisadores da nossa equipe, fizeram questão de passar a pé por locais ocupados pelos usuários de crack, como se isso fosse algo incorporado ao cotidiano. Uma senhora com quem tivemos relações duradouras durante a investigação, embora no primeiro contato comentasse não ir a lugar algum, nas interações posteriores caminhava conosco pela região para distintos fins, como entrega de encomendas (ela prepara doces e salgados), ida à igreja, supermercado, lotérica, padaria, visita a amigas e uso dos equipamentos de transporte para ida a outros bairros, travando o tempo todo uma série de relações de sociabilidade, reveladoras de facetas significativas da vida social local. Isso inclui eventuais conversas com travestis e mesmo com usuários de crack, que ela diz não estranhar mais, depois de vê-los diariamente por onze anos, com trocas de palavras e até doações, mesmo

[16] Primeiro Comando da Capital, organização criminosa formada no interior dos presídios paulistas e com influência numa série de esferas societárias fora dos mesmos, que, segundo algumas falas, controlaria o tráfico e certas práticas de violência locais.

quando isso lhe acarreta prejuízos, como vários parentes que mal a visitam em virtude da má fama da região em que reside. Percebe-se inclusive a adoção de vários critérios de identificação e diferenciação sobre aqueles que se encontram nas ruas em condições precárias – alguém que se embebedou, um homem de rua, um nóia etc. É obvio, entretanto, que esse exemplo não deve ser tomado como regra. Nossos contatos com moradores locais têm revelado situações extremamente heterogêneas, que ainda merecem aprofundamento. Mas é frequente observar, sinteticamente, uma fala recorrente: *"tirando os nóia(s), (o bairro) é bom"*, embora as qualidades frisadas deslizem facilmente do *bairro* para o *Centro*: estação de trem, ônibus, metrô, padarias, supermercados, centro de saúde, hospital da Santa Casa, além de muitas falas apontarem as várias oportunidades de trabalho (mesmo que precarizado) na região central, como comércio informal, prestação de vários tipos de serviços, catação de material reciclável etc.

FIGURA 2. São Paulo, Edifício na Rua Mauá

Fotografia de Heitor Frúgoli Jr., 2007

Já adentramos alguns edifícios residenciais da região, que além de muito distintos entre si, revelam uma grande variedade de tipos de residentes (com certas conexões dos mesmos entre prédios distintos). Num deles, por exemplo, um morador classificou-os da seguinte forma: antigos proprietários (entre 60 e 70 anos), famílias simples, irmãos ou irmãs que moram juntos, moças que trabalham na região, prostitutas, travestis e moradores envolvidos com comércio informal ou ilegal.

Afirmando que os nóias não atacam os transeuntes, certa época ele conheceu e chegou a acolher por um breve período uma usuária de crack em seu apartamento, tentando depois auxiliá-la, embora a mesma tenha retornado às ruas e hoje esteja presa, o que evidencia uma conexão possível (dentre outras) entre mundos sociais vistos a princípio como apartados.

A polaridade já mencionada entre instituições culturais e cracolândia também encobre determinadas práticas de lazer locais que atraem diversos frequentadores de outras regiões. É o caso do que ocorre aos sábados em dois estabelecimentos comerciais situados em um mesmo quarteirão da R. Gal. Osório: a loja de instrumentos Contemporânea (surgida em 1948), que abriga aos fundos, entre 10h e 14h, uma roda de choro na sala Evandro do Bandolim, com um público predominantemente idoso, e o bar e lanchonete Amarelinho (também conhecido como Zebrinha), onde acontece uma roda de samba no período da tarde até o início da noite, realizada pelo Centro do Samba, com frequentadores diversificados.[17]
No Amarelinho é fácil constatar a presença ocasional de turistas estrangeiros ou de visitantes (principalmente jovens) das instituições culturais do entorno.[18] Vários *habitués* de ambos os locais referem-se obviamente aos cuidados necessários para circular pelas ruas dessa área, e por vezes é preciso lidar com a presença, nas calçadas, de usuários de crack ou pessoas em situação de rua que insistentemente pedem dinheiro. Algumas situações são resolvidas de forma amistosa e até com humor, mas há momentos em que os próprios garçons assumem o papel de seguranças e se valem de práticas agressivas, embora isso também possa ocorrer no interior no bar, com relação a algum cliente com comportamento considerado "inapropriado".

[17] Há várias pessoas que frequentam ambos os locais mencionados.

[18] Muitos inclusive portam adesivos nas roupas ou carregam prospetos das mesmas.

FIGURA 3. São Paulo, Roda de samba no bar Amarelinho

Fotografia de Heitor Frúgoli Jr., 2009

Em suma, pode-se "certamente observar a existência de vários conflitos, embora mais diversificados do que a polaridade [já] mencionada permite entrever. Pode-se dizer que, de certa forma, o *lugar dos conflitos* se desloca, principalmente do ponto de vista dos atores sociais envolvidos cotidianamente com aquele contexto. Vimos, nesse sentido, relatos nos quais os usuários de crack (ou nóias) não seriam evitados a todo custo, mas incorporados por certas trocas que incluem conversas, doações ou eventualmente relações pessoalizadas mais duradouras.[19] Embora se costume dizer que muitos moradores estariam totalmente isolados em suas casas ou apartamentos por causa da cracolândia (Fioratti e Castro, 2009), há residentes que não deixam de se apropriar e de se locomover no bairro em virtude disso, estabelecendo certas estratégias para tanto. Há de todo modo situações bem mais preocupantes para vários moradores, como as relacionadas a conflitos e eventos que se manifestam nos próprios edifícios analisados, como homicídios, agressões, ameaças, práticas marcadas por distintos graus de ilegalidade, especulação imobiliária, lutas em torno da definição de prioridades no

[19] Claro que isso merece maior compreensão, pois tendo em vista uma referência simmeliana (Simmel, 2005), certas proximidades podem vir a ser formas de se estabelecer distâncias.

uso de recursos condominiais, etc. Algumas dessas dimensões conflituosas (menos visíveis à primeira vista) guardam certas relações ou são potencializadas pelo conjunto de intervenções urbanas em curso naquele espaço, mas obviamente informam sobre um quadro mais abrangente do que as temáticas ligadas apenas às dinâmicas de requalificação urbana" (Frúgoli Jr. e Aderaldo, 2010: 18-19).

Ao longo da pesquisa, vários comerciantes também têm sido contatados. De um modo geral, pode-se observar que, quando das primeiras demolições, muitos deles surpreenderam-se pela maneira como seus estabelecimentos foram desapropriados e demolidos, sendo boa parte deles locatários, não proprietários. A queixa sobre a ausência de informações claras sobre os planos do poder local para a região foi muito recorrente. Uma forma comum utilizada pela fiscalização antes da desapropriação tem sido a exigência de alvarás de funcionamento, com interdições que facilitam os passos seguintes. Alguns desses comerciantes encontravam-se numa situação dramática, após a perda do ponto do comércio. Cabe ainda registrar, pelas observações das ruas, que muitos deles contratam seguranças privados para controlar e negociar certos usos do espaço com os usuários de crack. Com o passar do tempo, começou a ocorrer certa organização coletiva e alguns protestos envolvendo vários comerciantes, principalmente quando o poder público tentou aprovar a *lei de concessão urbanística* que, muito resumidamente, agiliza o processo dc desapropriação de uma área urbana ao delegar algumas das competências públicas ao setor privado (Spinelli, 2009). Cabe destacar certa visibilidade obtida pela Associação de Comerciantes da Santa Ifigênia, área contígua à Luz e também sujeita a desapropriações e demolições. Paulo Garcia, diretor da entidade, entende que os comerciantes têm tido um papel dinâmico na região e contou-nos que eles chegaram a participar inicialmente da confecção da nova lei, mas a certa altura, o processo teria perdido confiabilidade. Hoje eles se posicionam pela sua inconstitucionalidade, argumentando que "vem uma empresa e compra a área a preço de cracolândia e vai vender depois a preço de Nova Luz".[20]

Retomando argumentos anteriores, para além das dicotomias já sublinhadas, o que as etnografias revelam é todo um *entremeio* cuja diversidade e as múltiplas facetas necessitam ser reconstituídas. Essa é a empreitada básica a que temos nos proposto. De todo modo, há que se reconhecer

[20] Fala coletada no noticiário SPTV (Rede Globo) de 1/7/2009.

também que, se a observação do cotidiano do bairro em questão revela um conjunto de conexões, mediações e relações de sociabilidade de graus variados de extensão, nos *períodos de conflagração mais explícita dos conflitos* em curso – como na época da já mencionada Operação Limpa (2005) e na Ação Integrada Centro Legal (2009)[21] – há uma tendência à reafirmação, no plano dos discursos e representações, de esferas sociais distintas e apartadas entre si.

Tópicos da etnografia do Bairro Alto (2007-2009)

O caso do Bairro Alto em Lisboa traz uma perspetiva diferente em termos de investigação. Surgido em 1513 e situado na área central, é a princípio um bairro popular, histórico e típico de Lisboa – levando em conta os múltiplos significados que a idéia de bairro evoca no caso português (Cordeiro e Costa, 1999) –, com certa predominância de moradores idosos, protegidos por leis de congelamento das rendas (aluguéis) e que vivem em edifícios envelhecidos, com pouquíssimos investimentos de melhoria de seus proprietários.[22] Ao longo da sua história, caracterizou-se pela boemia, sendo um pólo da vida noturna local.[23]

Durante o séc. XIX, o bairro se tornou também um ponto da imprensa lisboeta, tendo sido nele localizadas as sedes de muitos jornais da cidade.[24] Nos anos 1980, o Bairro Alto viveu um momento significativo, quando desdobramentos da Revolução dos Cravos (ocorrida em 1974) estimularam mudanças em costumes e atitudes na cidade de Lisboa. Neste momento, o bairro serviu como foco central para um novo movimento boêmio, a "movida lisboeta", nome inspirado no movimento espanhol, a "movida madrilenha", que lhe serviu em parte de modelo.[25] Mais ao final do século XX, o bairro

[21] Autorizada pelo Ministério Público, contando com ações conjuntas das Polícias Civil e Militar, órgãos de vistoria e um foco mais voltado à questão da "saúde" (O Estado de São Paulo, 22/7/2009).

[22] Cf. entrevistas com Filipe Lopes (ex-coordenador do Programa de Reabilitação Urbana de Lisboa, 1990-2000) e Antonio Miranda (Unidade de Projeto Bairro Alto e Bica – UPBAB) (set./2007).

[23] Dado ressaltado por muitos, e detalhado em entrevista com a escritora Isabel Fraustino (set./2007). Para uma reconstituição detalhada da boemia no Bairro Alto e em outros bairros de Lisboa na passagem do séc. XIX ao XX, ver Pais (2008) [1985].

[24] Aspeto que ouvimos em muitos relatos sobre a história e memórias do bairro.

[25] Nessa época, a explosão de bares e boates no Bairro Alto – o mais importante dos quais foi o lendário *Frágil* – e a chegada de uma série de artistas plásticos e estilistas, trouxe novos e jovens usuários para o bairro, atraídos especialmente pela vida noturna (com base numa série

FIGURA 4. Lisboa, cena diurna no Bairro Alto

Fotografia de Jessica Sklair, 2007

ainda passou por outra onda de mudanças, em que mais uma geração de usuários (incluindo muitos turistas europeus) chegou para desfrutar a vida noturna nele oferecido, então com uma série de novos bares e restaurantes. À noite, tais usuários transformaram o bucólico bairro em um dos pontos mais lotados e movimentados da cidade, o que causou (e causa até hoje) certos transtornos aos seus moradores.

Em termos de paisagem urbana, podemos dizer que tal trajetória de mudança ou, mais precisamente, as combinações entre mudanças e permanências no bairro acarretaram um convívio (marcado por várias tensões) entre a "tradição" (moradias, tabernas, casas de fado, lojas de comércio

de entrevistas). A partir de 1986, as *Manobras de maio*, uma série de desfiles de moda realizados em suas ruas que marcaram uma nova época na moda portuguesa, também tornaram-se símbolos da nova identidade do Bairro Alto, convertido em espaço de afirmação de valores culturais desse período (cf. entrevista com Belino Costa, lojista e presidente da Associação de Comerciantes do Bairro Alto, set./2007).

tradicional, oficinas de artesãos) e a "modernidade" (novos restaurantes, bares e discotecas, comércio sofisticado, companhias teatrais e ateliês de moda), embora sua característica boêmia e de diversidade social já fosse uma marca anterior, de longa data. Assim, a questão do passado e das mudanças trazidas ao local pela passagem do tempo apareceram de forma expressiva no próprio plano etnográfico do bairro, e nossa pesquisa tem revelado novas modalidades de *entremeios* de polaridades constituídas, em torno principalmente das idéias de "antigo" vs. "novo" e de "morador" vs. "usuário". Como tentaremos mostrar adiante, tais *entremeios* são representados por variados discursos – às vezes morais, nostálgicos ou econômicos – acionados em prol de objetivos diferentes pelos diversos atores encontrados neste campo. Esses *entremeios* precisam ser investigados na sua multiplicidade, para que entendamos com mais profundidade o significado da mudança em curso nesta paisagem urbana específica. Isto torna a tentativa de aplicar criticamente o conceito de *gentrification* a este cenário dinâmico de mudança urbana um exercício bastante interessante.

Em primeiro lugar, encontramos vários exemplos de um discurso que posiciona a "antiga" época do passado do bairro em contraponto à "nova" época do presente, com uma explícita valorização do primeiro sobre o segundo. No Clube Lisboa Rio de Janeiro, por exemplo – estabelecimento fundado no Bairro Alto em 1938 que, até hoje, oferece atividades esportivas e sociais, e organiza a participação do bairro nas marchas populares anuais lisboetas que marcam a festa de Santo António[26] – nota-se grande inquietação sobre o estado atual do bairro. Vitor Silva (50 anos) e Fernando Pereira (77 anos), moradores do bairro e voluntários do clube, reclamam que os atuais usuários dos estabelecimentos noturnos do bairro (na sua maioria, jovens) mostram uma grande falta de respeito para com os residentes locais (entrevista realizada em junho de 2008). Fernando, que mora há 76 anos no bairro, reclama que, hoje em dia, "o pessoal que fica na rua [à noite] estraga os automóveis e as paredes". Para Vitor, o bairro vive um momento "'Dr. Jekyll and Mr. Hyde': de dia é uma personagem simpática, à noite transforma-se [...] está uma guerra aqui dentro". Ainda mais, o barulho da vida noturna, que continua diariamente até as 4 ou 5h da manhã, atrapalha muito o descanso dos moradores. Depois da penúltima ida a campo no Bairro Alto em 2008, buscamos acompanhar alguns desdobramentos desse conflito. A partir de

[26] Observadas pelos autores em junho de 2008.

novembro daquele ano, a Câmara Municipal de Lisboa restringiu o horário de funcionamento noturno de bares, restaurantes e estabelecimentos análogos, o que gerou muitas controvérsias.[27]

Parte das reclamações sobre a vida noturna assinala um olhar nostálgico sobre o passado do bairro, que se reflete na fala de muitos moradores idosos ali presentes, como dona Maria Aline Soares, de 73 anos, que mora no mesmo prédio há 47 anos. Embora sutilmente, ela reclama das mudanças que tem acompanhado no bairro e se recorda de um tempo em que a rua "era sossegada": "havia casas de senhoras",[28] ela afirma, "mas com educação, tudo com respeito, não se via poucas vergonhas". Em contraponto com o passado, "hoje à noite é muito barulho, os jovens não têm futuro brilhante".[29]

Nas falas de Vitor, Fernando e Maria Aline, o barulho e o mau comportamento dos jovens frequentadores do bairro são apresentados como provas de como o bairro teria mudado para pior na época atual, momento esse contraposto a uma época passada pela qual teriam mais apreço. Interessante nesse discurso é a maneira pela qual tais falas evitam ou amenizam qualquer referência à movimentada vida noturna do bairro ao longo do seu passado. Com a sua história de boemia, pode-se imaginar que as ruas do bairro sempre tiveram a sua parcela de barulho e distúrbio noturno, mesmo que com suas peculiaridades históricas, e que isto não seja um circunstância de fato tão nova. É também interessante notar como, na descrição da vida antiga do bairro por parte de dona Maria Aline, até a própria prostituição se torna uma prática nostálgica. Podemos ver que, no processo de criar uma narrativa do passado "bom" em contraposição do presente "ruim", até a moralidade em torno de certas práticas pode ganhar novas configurações.

Outra característica interessante das falas dos entrevistados reproduzidas acima (e de outros atores sociais encontrados no bairro) é a indefinição sobre qual época no passado eles estariam se referindo. Sem a contextualização de tais discursos em um momento ou período específico, cria-se a idéia genérica de um passado intrinsecamente "bom". Ao falarmos com outros atores presentes no bairro, porém, percebe-se que a fala sobre os

[27] Ver detalhes em http://bairroalto-comerciantes.blogspot.com/2008_11_01_archive.html

[28] Para a prática da prostituição.

[29] Sua descrição sobre vizinhos do prédio onde mora e de outros ao redor tem um altíssimo grau de detalhamento, com um conhecimento sobre parentesco que talvez se remeta ao modo como isso é feito nas regiões rurais onde morou até a juventude (na região de Coimbra).

bons velhos tempos (sempre contrapostos a um momento presente ruim ou negativo) pode ser acionada tendo em vista épocas passadas diferenciadas.

Enquanto dona Maria Aline refere-se a um passado mais distante, em que ainda havia no bairro as famosas "casas de senhoras", a artista e comerciante Teresa Lacerda – falando sobre sua loja *De Natura*, que vende peças de arte e artesanato obtidas ao redor do mundo – também reclama do fim de uma "bela época" no Bairro Alto. Isso se refere, porém, ao período de boemia que ela mesma ajudou a criar entre o final dos anos 1970 e início da década seguinte. Hoje em dia, Teresa afirma, uma nova geração frequenta o bairro; mas sua queixa tem menos a ver com o barulho e comportamento desses jovens, e mais com mudanças culturais e condições econômicas características do novo período em questão. Na opinião dela, os novos frequentadores do bairro seriam menos "cultos", menos originais, e menos interessados em participar da recriação da vida cultural do bairro do que aqueles da época da "movida lisboeta". Além disso, a nova legislação da Câmara Municipal, que recentemente havia proibido a entrada de carros que não fossem do bairro, teria acarretado um efeito desastroso na clientela da sua loja – o usuário mais "culto" do bairro, que agora, com mais idade, não se interessaria em vir ao Bairro Alto a pé (entrevista realizada em outubro de 2007).

Na fala do Belino Costa, presidente da Associação de Comerciantes do Bairro Alto, temos outro exemplo de um discurso que faz apelos ao valor do passado. Neste caso, tal discurso é acionado na tentativa de influenciar futuras mudanças no bairro, com o objetivo de trazer benefícios econômicos para os comerciantes regularizados ali encontrados. O uso dos conceitos do "antigo" e do "novo" do bairro nesse caso é um pouco mais complexo do que nos casos anteriores, ao fazer referência, entre outras coisas, a mudanças nas dinâmicas de comércio e da proteção do patrimônio histórico local. Também proprietário de uma loja no bairro, que fornece bebidas para o mercado da noite, Belino Costa reclama não da vida noturna em si (que para ele é obviamente proveitosa), mas da ausência de regulação da mesma pelo poder público local, que do seu ponto de vista ameaça a sobrevivência dos comerciantes regularizados do lugar. Sua fala culpabiliza o poder público por ter abandonado o bairro, permitindo que a cena noturna fosse parcialmente tomada por traficantes de drogas e grafiteiros, bem como pela proliferação de estabelecimentos ilegais. Em uma carta pública enviada aos candidatos à presidência da Câmara Municipal de Lisboa, Belino responsabiliza uma lei recente que proíbe a criação de novos estabelecimentos no bairro por ter estimulado o surgimento de muitos bares clandestinos, e criado uma barreira ao surgimento de novos investimentos locais. Ele também argumenta que a nova lei introduz uma série de exigências que são impossíveis de serem seguidas por muitos dos estabelecimentos já existentes:

> Enquanto os ilegais proliferam, os negócios mais antigos, com alvará e muita tradição, chegam a ser vítimas de verdadeira perseguição, tal o nível de exigências, tal a desconformidade da prepotência dos serviços que, ignorando a história e a especificidade de algumas casas, exigem encontrar em edifícios com centenas de anos as condições de qualquer construção dos nossos dias. [...] São negócios familiares [...] que representam o típico e tradicional, tantas vezes invocado e nem sempre compreendido e apoiado.[30]

Neste caso, a idéia de um certo tipo de estabelecimento presente no bairro, que representaria uma época antiga e "tradicional", é acionada em prol de uma visão particular do futuro comercial local, ou seja, a preservação do passado – com uma presença mais autêntica e desejável ao bairro, em contraponto aos estabelecimentos novos e ilegais, nesta leitura responsáveis pelos conflitos atuais entre moradores e usuários – como meio de viabilizar um futuro mais harmonioso e comercialmente próspero àquele espaço. Interessante em tal discurso, porém, é que seu apelo à valorização dos estabelecimentos mais antigos do Bairro Alto é feito no contexto de um protesto *contra* a lei da Câmara, que proíbe a abertura de novos negócios. De fato, o presidente dessa associação está a favor da abertura de novos estabelecimentos ao lado dos antigos. Seu objetivo é a interdição dos negócios *clandestinos* do bairro, e assim seu discurso – mesmo fazendo apelo aos valores do antigo e "tradicional" – na realidade procura conciliar os estabelecimentos antigos com os novos (e possíveis futuros) regularizados, contra tais clandestinos. Assim, revela-se novamente a maleabilidade ao se recorrer a esses conceitos polarizados, acionados por atores sociais com interesses diferenciados.

Infelizmente não temos como aprofundar nesse texto o complexo cenário da definição e proteção do patrimônio histórico no Bairro Alto, e como o mesmo dialoga com os processos de preservação, provisão e investimento nos tipos diferentes de moradia no bairro.[31] Brevemente, porém, pode-se

[30] Carta disponível em http://bairroalto-comerciantes.blogspot.com/. (Consultada em 4/7/2007).

[31] Para um amplo quadro a respeito, ver Carita (1994) e Cabrita *et al* (1992).

dizer que foi possível constatar que boa parte dos moradores mais antigos do Bairro Alto são, tal como em outros bairros populares lisboetas, trabalhadores rurais que migraram para a cidade de Lisboa em busca de melhores condições de vida. Muitos ainda vivem nas mesmas residências que habitaram durante essa época, pagando, como já dito, rendas (aluguéis) baixas, com base em leis de proteção que não incentivam os proprietários de tais prédios a investir na manutenção ou melhoria dos mesmos, e, consequentemente, vários se encontram em sério estado de degradação. Em contatos com senhoras idosas atendidas pelo projeto local da Santa Casa da Misericórdia, soubemos que os sistemas hidráulicos dos apartamentos de muitos residentes com idade avançada estão tão danificados que muitos não têm mais como tomar banho em suas próprias casas.

A assistente social Dulce Caldeira,[32] que atuava em 2007 junto a muitas pessoas idosas locais, frisou que a maioria delas[33] não nasceu do bairro, tendo vindo das províncias; a maioria dos filhos teriam ido para bairros ou cidades do entorno e os que permanecem seriam os "velhinhos sem dinheiro". Haveria também casais mais jovens com filhos morando em apartamentos com quarto, banheiro e cozinha, que trabalham principalmente na vida noturna local. Ela contou-nos, ainda, que é realmente pequeno o número de prédios ali recuperados, principalmente porque os processos de reabilitação são onerosos, além das dificuldades jurídicas com proprietários dos edifícios ("quase fantasmas") ou com residentes. Por fim – por conta do que já foi abordado até aqui – afirmou ser enorme a variação local das rendas (aluguéis): de 1,5 a 700 euros.

Outra variedade de moradores veio, portanto, para o bairro ao longo das últimas décadas. Entrevistamos um imigrante brasileiro, por exemplo, que trabalhava de *garçon* em um restaurante do bairro e também morava em um pequeno apartamento de um prédio relativamente antigo. Tal edifício tinha um estado de manutenção muito melhor do que aqueles habitados por moradores protegidos pelo programa do congelamento de aluguéis, mas ele pagava um aluguel até 18 vezes mais caro do que tais residentes (entrevista realizada em outubro de 2007).

[32] Funcionária da Unidade de Projeto Bairro Alto e Bica – UPBAB, Direção Municipal de Conservação e Reabilitação Urbana, Departamento de Reabilitação e Gestão de Unidades de Projeto, Câmara Municipal de Lisboa, entrevistada em out./2007.

[33] Algumas inclusive seriam ex-prostitutas, que não querem falar do passado.

Ainda conhecemos o cineasta José Fonseca e Costa, que reside num apartamento grande e luxuoso em um dos poucos prédios de arquitetura moderna do bairro, em sua área mais residencial, apresentando outro perfil de morador, com condição de vida mais privilegiada. Como descobrimos em conversa com ele, o mercado imobiliário lisboeta tem fortes interesses no Bairro Alto, tendo conseguido, por exemplo, redefinir o conceito de "preservação do patrimônio histórico" (com o apoio da Câmara) na controversa reforma do Convento dos Inglesinhos,[34] do qual é vizinho, para transformá-lo em um pequeno condomínio fechado de apartamentos de luxo (entrevista realizada em outubro de 2007). Toda a sua argumentação foi no sentido de uma grande ação orquestrada e obscura para a intervenção em tal convento, vista como um crime patrimonial no qual até a Igreja teria também sua responsabilidade. De fato, parte da arquitetura resultante de tal intervenção destoa significativamente do entorno, porém não nos pareceu, surpreendentemente, que tal protesto tivesse uma ressonância local mais ampla, apesar de sondagens junto a muitos agentes contatados.

Retornando às polaridades entre o antigo e o novo, percebe-se que a idéia do "tradicional" ainda goza de forte apelo comercial no Bairro Alto. Andando pelas ruas estreitas dali, percebe-se rapidamente que a estética de boa parte de seu comércio mais "moderno" parece remeter a uma época "antiga" do bairro e mesmo de Portugal. Pode-se dizer que se trata de uma objetivação ou *comodificação*[35] do passado, em que certos produtos, imagens e práticas são apropriados para inventar uma moda com pretensões de caracterizar o bairro e encorajar o consumo de produtos e serviços nele oferecidos. Um caderno produzido semestralmente e distribuído gratuitamente em lojas e cafés da região, que serve como uma espécie de guia sobre os serviços e atividades do bairro, apresentava um artigo sobre as mercearias "tradicionais" e a sua importância para a comunidade do Bairro Alto (Braga, 2007). Enquanto isso, um restaurante da Rua da Rosa, uma das principais ruas do bairro, exibe na sua janela do primeiro andar uma foto no tamanho real de uma simpática mulher idosa encostada na varanda da sua janela uma cena vista regularmente, sobretudo no período diurno, em todo o bairro.

[34] Fundado em 1632 e reconstruído após o terramoto de 1755 (Carita, 1994: 95).

[35] Adaptação do inglês *commodification* [ou seja, transformação em mercadoria (*commodity*)]. Para uma abordagem no campo da antropologia do consumo, ver Miller (2002). Para um enfoque a respeito no contexto urbano, ver Rubino (2005).

FIGURA 5. Lisboa, Bairro Alto. Na varanda de um restaurante, foto de mulher em tamanho real

Fotografia de Jessica Sklair, 2007

Na *Mercearia de Comida*, restaurante montado alguns anos atrás pela comerciante Ana Pereira, a decoração remete a uma antiga mercearia, com latas e embalagens vazias com etiquetas desenhadas para imitar produtos antigos e um estilo de outra época, e a elegante loja *A Vida Portuguesa* (esta algumas ruas abaixo do próprio Bairro Alto, já no Chiado) comercializa produtos fabricados no país há décadas.[36]

Em todos os exemplos apresentados acima, a ideia do "antigo" (velho, ou tradicional) aparece em contraponto ao "novo" e ao momento presente, muitas vezes acompanhada por um discurso de superioridade moral e (ou)

[36] Produtos que "atravessaram gerações e nos tocam o coração" (ver http://www.avidaportuguesa.com/, consultado em 20/11/2011), com embalagens de *design* e preços em geral elevados.

estética do primeiro sobre o segundo. Outros atores sociais por nós encontrados no Bairro Alto, porém, enfatizaram menos uma distinção entre o antigo e o novo e as épocas antigas e modernas, e mais uma continuidade, especialmente em relação à vida noturna que, de certa forma, sempre caracterizou o bairro.

O morador aposentado Celestino Nelson, por exemplo, revela uma relação distinta com as mudanças introduzidas à vida do bairro ao longo dos anos. Ele desempenha uma série de pequenos serviços na rua, participa, há mais de 40 anos, da organização das marchas do bairro nas festas dos santos populares, junto ao Lisboa Clube Rio de Janeiro e à noite trabalha regularmente para bares do bairro, interagindo bastante com os jovens usuários do bairro e os donos dos seus estabelecimentos (entrevista realizada em jun./2008).

Outro alerta a uma adoção acrítica de uma suposta dicotomia entre o "tradicional" e o "novo" ou "moderno" consiste no exemplo de alguns donos dos estabelecimentos do bairro. A fala de Carmino Magalhães, filho da proprietária e atual gerente do bar *Arroz Doce*, que nasceu e passou a sua vida inteira no Bairro Alto, por exemplo, parece incorporar simultaneamente as dinâmicas de mudança e continuidade locais, resultando em uma única narrativa que, ao invés de contrapor tais dinâmicas, apresenta-as quase como complementares. Assim, se, por um lado, os anos 1980 efetivamente trouxeram novos usuários e estabelecimentos, por outro, o Bairro Alto sempre havia sido um lugar de boemia, o pólo dos jornais e jornalistas do começo do século XX, famoso por suas casas de fado e várias casas de prostituição, como o próprio *Arroz Doce*. Sim, o *Arroz Doce*, que antes ficava aberto 24 horas por dia, gerenciado por equipes de prostitutas em três turnos de oito horas, hoje abre somente à noite e não oferece mais os serviços que o tornaram famoso décadas atrás. Contudo, o bar continua a atrair clientela e hoje em dia goza da fama internacional do "Pontapé", drinque especial de sua fabricação, cujo nome remete aos velhos tempos do estabelecimento. Apesar de tudo, Carmino acredita que o Bairro Alto mantém, em suas palavras, sua "tipicidade" (entrevista realizada em set./2007).

Em outro caso, Graça Andrade Fonseca, dona, junto com seu marido, de três estabelecimentos do bairro (uma padaria, uma mercearia e uma casa de congelados), parece encarar as mudanças locais com talento e disposição para a adaptação. Nos fundos da sua padaria, cercada pelo cheiro de pão quente assando no pequeno forno ao lado, Graça conta como veio para o Bairro Alto em 1962, ainda bebê, com seus pais, que eram donos de uma farmácia local (*idem*). Conta que muitos amigos de infância escolheram sair do bairro em busca de profissões mais "cultas", rejeitando as oportunidades de comércio ali oferecidas. Outros moradores mais velhos, segundo Graça, recusam-se a "modernizar" seus comércios e continuam vendendo os mesmos produtos de sempre. Graça e seu marido, porém, reconheceram as oportunidades apresentadas pela chegada dos novos usuários nos anos 1980 e começaram a vender produtos variados – e às vezes mais caros – que atendem à demanda dessa nova clientela, inclusive dos donos dos novos restaurantes.

Hoje, os comércios de Graça e seu marido podem ser considerados bem sucedidos e a família, que continua morando no bairro, tem quatro carros. Graça caracteriza o bairro como "entre a aldeia e a cidade", e seus comércios como "entre o antigo e o moderno". De fato, a atitude dela e de seu marido parece ter permitido que as mudanças locais em curso fossem transformadas em oportunidades para o crescimento comercial e profissional. E devemos ainda lembrar que (talvez mais do que no caso de Carmino) Graça assume nessa trajetória não somente o papel de quem responde pelas mudanças em curso no bairro, mas de quem contribui ativamente para as mesmas.

Em outro exemplo, o próprio conceito de mudança radical na história do bairro, ou seja, a idéia de que os velhos tempos teriam ali acabado, é colocada em cheque pela presença da popular e movimentada *Tasca do Chico*, administrada por Francisco Gonçalves, com apresentações toda segunda e quarta-feira à noite que atraem os cantores mais nomeados do circuito do "fado vadio" da cidade. Em outras noites, a casa permanece cheia, atraindo jovens de toda a parte para assistir jogos de futebol pela TV e beber cerveja. Em entrevista realizada em junho de 2008, ele conta que a decisão de abrir uma casa de fado no bairro em 1994 veio de uma perceção de que ainda havia uma demanda no Bairro Alto para esse estilo de música portuguesa mais "tradicional" – ao contrário de colegas que pretendiam abrir, na época, "bares modernos", e que o achavam, então, alguém "contra a maré". A casa agora ocupa seu lugar no bairro, ao lado de uma variedade de bares voltados a distintos tipos de públicos e de gêneros musicais, com rodadas informais em que o fado é apresentado e desfrutado (de fato, ele conta que a Tasca hoje em dia é conhecida na cidade inteira como um dos pontos "onde o fado acontece").[37]

[37] A bibliografia sobre o fado em Lisboa é vastíssima. Para um excelente panorama a respeito, ver Brito (1994 e 1999). Para um quadro significativo de casas "profissionais" de fado no Bairro Alto e em outros bairros lisboetas, ver Klein e Alves (1994).

FIGURA 6. Lisboa, Bairro Alto, Fado na Tasca do Chico

Fotografia de Heitor Frúgoli Jr., 2007

Frente à observação dessas variadas experiências, apropriações e contribuições para as mudanças em curso no Bairro Alto ao longo dos últimos anos, sentimos a necessidade de um olhar cauteloso em relação à aplicação do conceito de *gentrification* a esse cenário de mudança urbana. Se, por um lado, vemos a chegada ao longo das últimas décadas de uma nova população ao bairro, causando uma série de conflitos em torno da sua caracterização e a apropriação dos seus espaços, por outro, observamos também uma grande diversidade nas intenções da população mais antiga e nas elaborações frente à chegada de novos usuários. Tais intenções e reações incluem uma série de apropriações da própria idéia de como era o bairro "antigamente", acionadas em diversos momentos e em prol de uma variedade de fins, que não podem ser encaixadas dentro de um simples esquema de explicação vindo da teoria clássica de *gentrification*.

Brevíssimas conclusões

Retomando a proposta inicial desse texto, os resultados parciais das pesquisas em andamento, apresentados aqui de forma concisa, reforçam a potencialidade da exploração de olhares etnográficos sobre contextos urbanos distintos, em abordagens marcadas por relações diferenciadas de interação com os próprios contextos pesquisados (em longo prazo, ou com um caráter mais pontual, embora reiterativo), o que implica o confronto entre diferentes relações entre proximidade e distância quanto a cada local investigado.

É fundamental também atentarmos para os modos como as observações etnográficas reverberam nas formulações teóricas iniciais e nos levam a determinadas revisões dos problemas inicialmente delineados. Desse modo, os bairros pesquisados conduzem-nos à necessidade de cotejar um grau significativo de articulações que inevitavelmente redefinem certos pontos de vista iniciais.

Embora nossos pontos de partida tenham sido bairros marcados por forte centralidade, a investigação propriamente dita é que tem nos permitido situar mais claramente – através da observação de agentes, interações, discursos, representações e interesses diversos – quais são as questões e temas efetivamente em evidência em cada contexto, bem como a escala espacial e as dimensões de temporalidade mais presentes e significativas em cada caso. Trata-se, enfim, do desafiante processo de construção, através de sucessivas aproximações, do próprio contexto etnográfico, pensado aqui a princípio como dois planos de observação que se interpelam em suas diferenças e possíveis aproximações.

Isso nos leva a questionar práticas comparativas sobre o conceito de *gentrification* apoiadas numa homogeneização muito apriorística das realidades analisadas, fixadas nos termos e não nas relações, que tendem a tomar tal processo numa perspetiva global problemática. Em muitas situações, pode-se perceber como o tema da *gentrification* emerge sobretudo num plano discursivo, remetendo-se mais a expectativas ou manifestações de interesses instrumentais, que certamente repercutem no plano do vivido, mas sob lógicas que merecem maior compreensão.

Entretanto não é apenas esse conceito que está em jogo. Como vimos, há uma série de outros que tendem a fixar uma realidade sociocultural de forma parcial ou equivocada. Além disso, como já foi dito, há representações extremamente polarizadas que tendem a ressaltar mundos sociais apenas separados, sem captar suas conexões ou *entremeios*, ou ainda modos da apreensão ou interpretação de processos urbanos que tendem a fixar muito rigidamente um "antes" e um "depois", sendo mais apropriado captá-los como sínteses particulares de relações entre permanência e mudança no contexto das cidades.

Deve-se obviamente admitir que em períodos de conflagração mais evidente de conflitos urbanos, envolvendo a intervenção ou mediação do poder público, tais contextos tendem a se apresentar com dimensões mais delimitadas quanto aos atores e interesses – referimo-nos principalmente, no caso da Luz, aos períodos relacionados às Operações Limpa (2005) e Ação Integrada Centro Legal (2009), ou, no que tange ao Bairro Alto, às limitações dos horários dos bares (a partir de 2008), cada um deles envolvendo enfrentamentos qualitativamente diversos. Isso, entretanto, pode justamente fixar uma idéia ilusória de mundos rigidamente separados e sem relações ou conexões, polarização essa bastante criticada no campo antropológico. Isso se mostra sem dúvida pertinente quanto aos contextos aqui analisados, para que se possa chegar a uma compreensão mais clara de interações cotidianas e do plano das representações, ambos marcados tantas vezes por associações e arranjos surpreendentes e inusitados.

Referências Bibliográficas

Livros, artigos de revistas acadêmicas, dissertações e projetos de pesquisa

ARANTES, Antonio A. (1994), "A guerra dos lugares". *Revista do Patrimônio Histórico Artístico Nacional*, IPHAN, 23, 190-203.

BOURGOIS, Philippe (2003), *In search for respect: Selling crack in El Barrio*. Cambridge: Cambridge University Press.

BRITO, Joaquim P. de (1999), "O fado: etnografia na cidade", in VELHO, Gilberto (org.), *Antropologia urbana: cultura e sociedade no Brasil e em Portugal*. Rio de Janeiro: Jorge Zahar, 24-42.

BRITO, Joaquim P. de (org.) (1994), *Fado: vozes e sombras*. Lisboa: Museu Nacional de Etnologia/Electa (Catálogo da exposição).

CABRITA, António R.; AGUIAR, José; APPLETON, João (1992), *Manual de apoio à reabilitação dos edifícios do Bairro Alto*. Lisboa: Câmara Municipal de Lisboa/Laboratório Nacional de Engenharia Civil.

CARITA, Helder (1994), *Bairro Alto: Tipologias e modos arquitetónicos*. Lisboa: Câmara Municipal de Lisboa.

CORDEIRO, Graça Í. (1997), *Um lugar na cidade: quotidiano, memória e representação no Bairro da Bica*. Lisboa: Dom Quixote.

CORDEIRO, Graça Í. e Costa, António F. da (1999), "Bairros; contexto e intersecção", in VELHO, Gilberto (org.), *Antropologia urbana: Cultura e sociedade no Brasil e em Portugal*. Rio de Janeiro: Jorge Zahar, 58-79.

COSTA, António F. da (1999), *Sociedade de bairro: Dinâmicas sociais da identidade cultural*. Oeiras: Celta.

DE CERTEAU, Michel (1994) [1980], *A invenção do cotidiano: 1. Artes de fazer*. Petrópolis: Vozes.

FERNANDES, José L. (1995), "O sítio das drogas: etnografia urbana dos territórios psicotrópicos". *Toxicodependências*, Ed. IDT, 1, 2, 22-31. (http://repositorio-aberto.up.pt/bitstream/10216/56439/2/39361.pdf).

FRÚGOLI JR., Heitor (2000), *Centralidade em São Paulo: Trajetórias, conflitos e negociações na metrópole*. São Paulo: Cortez/Edusp/Fapesp.

FRÚGOLI JR., Heitor (2006), "Intervention dans les espaces centraux des villes brésiliennes, le cas de São Paulo", in RIVIERE D'ARC, Hélène e MEMOLI, Maurizio orgs.), *Le pari urbain en Amérique latine*. Paris: Armand Colin, 133-147.

FRÚGOLI JR., Heitor (2008), "Abordagens etnográficas sobre o bairro da Luz (São Paulo): gentrification em questão na antropologia". Projeto de pesquisa para o Edital MCT/CNPq 14/2008 – Universal.

FRÚGOLI JR., Heitor (2009), "A cidade no diálogo entre disciplinas", in FORTUNA, Carlos e LEITE, Rogerio P. (orgs.), *Plural de cidade: Novos léxicos urbanos.* Coimbra: Almedina, 53-67.

FRÚGOLI JR., Heitor (2011), "Relações entre múltiplas redes no Bairro Alto (Lisboa)". Texto para o *35º Encontro Anual da ANPOCS*, Caxambu.

FRÚGOLI JR., Heitor e ADERALDO, Guilhermo A. (2010), "Abordagens etnográficas no bairro da Luz, São Paulo: frentes articuladas de investigação". Texto para a *27ª Reunião Brasileira de Antropologia*, Belém.

FRÚGOLI JR., Heitor e SKLAIR, Jessica (2009), "O bairro da Luz em São Paulo: questões antropológicas sobre o fenômeno da gentrification". *Cuadernos de Antropología Social*, 30, FFyL, Universidad de Buenos Aires, 119-136.

FRÚGOLI JR., Heitor e SPAGGIARI, Enrico (2010), "Da cracolândia aos nóias: Percursos etnográficos no bairro da Luz". *Ponto Urbe* 6, Ano 4, Núcleo de Antropologia Urbana, USP, (http://www.pontourbe.net/edicao6-artigos/118-da-cracolandia--aos-noias-percursos-etnograficos-no-bairro-da-luz).

FRÚGOLI JR., Heitor; LOPES, João T. e SKLAIR, Jessica (2009), "Entre cá e lá: Olhares através do trabalho de campo em contextos urbanos". *Paper* para o Fórum "Culturas urbanas: Estudos comparados Brasil-Portugal", *33º Encontro Nacional da ANPOCS*, Caxambu.

GREGORI, Maria F. e SILVA, Cátia A. (2000), *Meninos de rua e instituições: Tramas, disputas e desmanche.* São Paulo: Contexto.

KARA-JOSÉ, Beatriz (2007), *Políticas culturais e negócios urbanos: a instrumentalização da cultura na revitalização do centro de São Paulo (1975-2000).* São Paulo: Annablume/Fapesp.

KLEIN, Alexandra N. e ALVES, Vera M. (1994), "Casas de fado", in BRITO, Joaquim P. de (org.). *Fado: Vozes e sombras.* Lisboa: Museu Nacional de Etnologia/Electa (Catálogo da exposição), 37-56.

KOWARICK, Lúcio (2007), "Áreas centrais de São Paulo: Dinamismo econômico, pobreza e políticas". *Lua Nova*, 70, 171-211.

LOPES, João T. (2009), "Entre 'cá' e 'lá': Estudo comparado de casos – espaços públicos centrais em São Paulo e no Porto". *Ponto Urbe*, 4, Revista do Núcleo de Antropologia Urbana da USP, ano 3, São Paulo. (http://www.pontourbe.net/04/joaolpes--pu04.html). (Consultado em 6/8/2010).

MAGNANI, José G. (2009), "Etnografia urbana", in FORTUNA, Carlos e LEITE, Rogerio P. (orgs.), *Plural de cidade: Novos léxicos urbanos.* Coimbra: Almedina, 101-113.

MARINS, Paulo C. G. (2008), "Trajetórias de preservação do patrimônio cultural paulista", in SETUBAL, M. A. e MARINS, Paulo C. G. (orgs.), *Terra Paulista: Trajetórias contemporâneas.* São Paulo: CENPEC/Imprensa Oficial do Estado de São Paulo, 137-167.

MILLER, Daniel (2002), *Teoria das compras*. São Paulo: Nobel.

PAIS, José M. (2008) [1995], *A prostituição e a Lisboa boémia: do século XIX a inícios do século XX*. Porto: Amar.

PEIXOTO, Paulo (2009), "Requalificação urbana", in FORTUNA, Carlos e LEITE, Rogerio P. (orgs.), *Plural de cidade: Novos léxicos urbanos*. Coimbra: Almedina, 41-52.

PERLONGHER, Néstor (1987), *O negócio do michê: A prostituição viril em São Paulo*. São Paulo: Brasiliense, 2ª ed.

RUBINO, Silvana (2003), "'*Gentrification*': Notas sobre um conceito incômodo", in SCHICCHI, Maria C. e BENFATTI, Dênio (orgs.). *Urbanismo: Dossiê São Paulo – Rio de Janeiro*. Campinas: PUCCAMP/PROURB, 287-296.

RUBINO, Silvana (2005), "A curious blend? City revitalisation, gentrification and commodification in Brazil", in ATKINSON, Rowland e BRIDGE, Gary (orgs.), *Gentrification in a global context*. Londres/Nova Iorque: Routledge, 225-239.

SAHLINS, Marshall (1990), *Ilhas de história*. Rio de Janeiro: Jorge Zahar.

SILVA, Cristina S. (2001), *Famílias de Alfama: Dinâmicas de solidariedades familiares num bairro histórico de Lisboa*. Lisboa: ICS.

SILVA, Selma L. da (2000), "Mulheres na Luz: Uma etnografia dos usos e preservação no uso do *crack*". São Paulo: USP, Departamento de Práticas de Saúde Pública. Dissertação de mestrado.

SIMMEL, Georg (2005) [1903], "As grandes cidades e a vida do espírito". *Mana*, 11, 2, Museu Nacional, 577-591.

SKLAIR, Jessica (2010), *A filantropia paulistana: Ações sociais em uma cidade segregada*. São Paulo: Humanitas.

SMITH, Neil (1996), *The new urban frontier: Gentrification and the revanchist city*. Londres/Nova Iorque: Routledge.

ZUKIN, Sharon (1989), *Loft living: Culture and capital in urban change*. New Brunswick: Rutgers University Press.

Matérias da imprensa, documentos e outros

BRAGA, M. (2007), "Mercearias do bairro". Bairro Alto (Lisboa bairro a bairro). *Guias Convida*. Lisboa, 6-7.

FIORATTI, G. e CASTRO, L. (16/10/2009), "Janelas indiscretas". *Folha de São Paulo*, São Paulo, 8-15 (Revista da Folha).

FOLHA DE SÃO PAULO (3/9/2005), "'Cracolândia' ganha repressão e ações sociais". São Paulo, C-3.

MONTEIRO, K. (3/9/2000), "O vocabulário do usuário de crack". *Folha de São Paulo*, São Paulo, C-3.

O Estado de São Paulo (22/7/2009), "Ação na 'cracolândia' prevê internação de viciados em SP". São Paulo, http://www.estadao.com.br/noticias/geral,acao-nacracolandia-preve-internacao-de-viciados-em-sp,406549,0.htm [acesso em 11/9/2011].

O Estado de São Paulo (13/4/2010), "Demolição de rodoviária começa a mudar a Luz". São Paulo, http://www.estadao.com.br/estadaodehoje/20100413/not_imp537573,0.php [acesso em 18/12/2010].

Prefeitura do Estado de São Paulo (dez./2005), *Nova Luz* (Lei 14.096 de 12/8/2005). São Paulo.

Spinelli, E. (8/5/2009), "Projeto da Nova Luz estará pronto no fim do ano, diz Kassab". *Folha de São Paulo*. São Paulo, C-6.

FAVELAS: POLÍTICAS E PRÁTICAS DE INTERVENÇÃO EM MORADIA PRECÁRIA EM SÃO PAULO

Suzana Pasternak

Introdução

As formas de moradia predominantes para os grupos de baixos ingressos no Brasil variam com a cidade e com o período. Para cada local e em cada momento dominou uma forma específica de moradia, que moldou também o desenho urbano. Neste contexto, 3 tipos históricos básicos se distinguem: os cortiços, as favelas e os loteamentos periféricos, com moradia própria e autoconstrução.

As intervenções para a provisão de moradia popular têm mudado historicamente. No período escravocrata, até 1888, a solução habitacional foi a senzala. Na primeira etapa da industrialização surgem os cortiços, como solução espontânea, e as vilas operárias, como solução da iniciativa privada apoiada pelo poder público. O aluguel dominava como forma de apropriação da casa. Após 1930, um crescimento industrial acelerado e uma expansão industrial superior a 5% resultaram em crescente migração rural urbana e aumento das grandes cidades, sobretudo na região Sudeste. A intervenção na relação locador inquilino desestimulou a construção de moradias de aluguel. O padrão de assentamento urbano apoiou-se no tripé loteamento popular-casa própria-autoconstrução. A área urbanizada expandiu-se horizontalmente, aumentando a chamada periferia.

No período Vargas (1930-1945), as preocupações governamentais sobre a questão da habitação são nítidas, tanto através da intervenção no aluguel, como pela criação de programa de construções através dos Institutos de Aposentadorias e Pensões.

No período populista (1945-1964), o "estado empreendedor" criou a Fundação da Casa Popular, embrião da política habitacional do governo militar. Neste período militar o governo federal montou um ambicioso sistema de captação de recursos e financiamento e de construção de habitação em massa. A escolha da política de moradia como eixo principal da atuação social do governo decorre da necessidade do governo militar de ganhar legitimidade junto aos setores populares. Segundo um dos artífices do sistema, o ministro Roberto Campos,

> a solução do problema da casa própria tem esta particular atração de criar o estímulo de poupança que, de outra forma, não existiria; e contribui muito mais para a estabilidade social do que o imóvel de aluguel. O proprietário da casa própria pensa duas vezes antes de se meter em arruaças ou depredar propriedades alheias e torna-se um aliado da ordem.
>
> (Banco Nacional da Habitação, 1966: 20-21).

No início de 1985, quando se implantou a chamada Nova República, o Banco Nacional de Habitação enfrentava grave crise institucional, que culminou com sua falência e fechamento em 1986. Após esta data, a CEF (Caixa Econômica Federal), um banco comercial, incorpora as atividades do BNH. A política federal apoiou-se sobretudo em programas alternativos, dentro de um suporte ideológico de políticas compensatórias. No governo Sarney os programas habitacionais federais focalizavam-se no Programa Nacional de Mutirões Habitacionais.

O governo Collor, que se seguiu ao Sarney, pouco fez efetivamente nos seus dois anos e meio de mandato (1990-1992). Sua retórica modernista se materializou em propostas com orientação para o mercado, garantindo às empresas privadas condições favoráveis para a promoção de projetos de moradia social. No fim de 1992 foi proposta a criação do Fundo de Investimento Imobiliário, que operaria no mercado secundário, inspirado nos USA e na Inglaterra. Este fundo integrou-se ao Sistema Financeiro Imobiliário, em 1997, no governo Fernando Henrique Cardoso. Collor também reformou a Lei do Inquilinato de 1979, tornando o setor mais atraente para investidores, com a redução do tempo mínimo de contrato de 60 para 30 meses. E, inspirado no governo inglês, reduz o estoque de moradias pertencentes ao poder público federal, sobretudo em Brasília, promovendo a venda de mais de 10 mil apartamentos. Por outro lado, Estados e Municípios aumentaram sua intervenção na habitação popular, com critérios próprios, apoiados pela descentralização proporcionada pela Constituição de 1988. Com a posse do presidente Itamar Franco (1992-1994) esta descentralização acentuou-se. No governo Itamar 2 novos programas surgiram, usando recursos do orçamento federal – Habitat Brasil e Morar Município – com a finalidade de edificação de casas para pobres sob um esquema de autoconstrução. Estes dois programas foram pioneiros de um mecanismo instituído pelo posterior Sistema Nacional de Habitação de Interesse Social, de 10 anos depois: para acessar os fundos do programa, as autoridades locais são obrigadas a constituir um Conselho de Habitação e contribuir com parte do investimento (10% a 20% do total, dependendo da região do Brasil). Estas medidas garantiriam a participação e a transparência na governança dos dois projetos. Os programas são similares: a diferença é que o Habitar Brasil destina-se a cidades com pelo menos 50 mil habitantes e seus fundos se originam de empréstimos do Banco Interamericano de Desenvolvimento (BID). Durante o Governo FHC o Habitar Brasil continuou, enquanto o Morar Município foi substituído pelo Pró-Moradia.

A primeira administração FHC (Fernando Henrique Cardoso, 1995-1998) vai implantar um novo sistema financeiro, o SFI (Sistema Financeiro Imobiliário), montando novos esquemas de captação de capitais – securitização de hipotecas e dando prioridade para a concessão de créditos diretamente ao comprador (e não mais ao agente promotor, como no SFH). O programa Carta de Crédito proporcionou cerca de 300 mil cartas de crédito para demandantes com renda entre 3 a 12 salários mínimos (o salário mínimo na época era cerca de 100 US$), que poderiam ser utilizadas no mercado secundário. Em 1995 o Pró-Moradia foi colocado para financiar estados e municípios na construção de novas casas para famílias de baixa renda, incluindo aí a legalização da terra, compra de material de construção e melhoria de infraestrutura; entre 1995 e 1998, 174.119 casas foram construídas neste programa. Mas, apesar deste programa, o governo FHC falhou na concessão de subsídios. Continuou a operar o Habitar Brasil, beneficiando 253 mil famílias no período. A principal mudança no governo FHC foi a o câmbio no foco da produção para o consumo: se antes a política de moradia centralizava-se na produção de novas unidades, durante este período o mutuário, com a carta de crédito, poderia procurar e comparar uma unidade habitacional, com o preço determinado pelo mercado.

No segundo período FHC (1999-2002), forte crise do real e férrea disciplina fiscal eram condições desfavoráveis para uma política redistributiva. Os novos projetos do segundo mandato apontam para a manutenção de uso mínimo de fundos orçamentários e uma tendência à procura de lucro. Mas, apesar destes pressupostos, anunciou, em meados de 1998, um programa de locação social – Programa de Arrendamento Residencial: PAR. No fundo este programa instituía um *leasing*: após 15 anos de prestação-aluguel, o mutuário se transforma em proprietário, com pagamento total ou refinanciamento do débito. O programa destinava-se a pessoas com renda entre 3 e 6 salários mínimos, em regiões metropolitanas, onde a falta de moradia era mais evidente. Uma das condições de financiamento era que as áreas beneficiadas possuíssem infraestrutura, o que resultava em preenchimentos de vazios urbanos, ou forçava estados e municipalidades a providenciar esta infra para que o governo federal pudesse investir. Um sistema de controle de qualidade e custos foi implementado, e o aluguel fixado em 0,7% do custo total por mês. O programa foi bem sucedido, com 681 conjuntos com 88.539 unidades entre 2000 e 2002. Assim sendo, no segundo governo FHC o foco mudou novamente do consumo para a produção de unidades, embora a carta de crédito continuasse a ser programa importante (Valença e Bonates, 2010).

No governo Lula (2003-2010) ainda não se implantou por completo o SFI, e continua a política de intervenções descentralizadas. A carta de crédito continua, para a população entre 5 e 12 salários mínimos. Mas o governo Lula adicionou outros dois programas com recursos orçamentários para os muito pobres: os subsídios aumentaram de 468 milhões de reais em 2002 para quase 1 bilhão em 2004. O governo Lula introduziu modificações no PAR em 2004, permitindo que alcançasse grupos mais pauperizados: o PARII permite aluguéis de 0,5% do valor, ao invés de 0,7%. Mas, para permitir custos menores, estes conjuntos de deslocam cada vez mais para áreas periféricas, construindo casas horizontais e não mais apartamentos adensados em áreas melhores. Em 2005, o Sistema e o Fundo Nacional de Habitação de Interesse Social foram finalmente aprovados pelo Congresso, oficializando a concessão de subsídios. No início de 2009, instituiu-se o programa Minha Casa, Minha Vida, com intenção de construir 1 milhão de casas. Neste programa alocaram-se 34 bilhões de reais (aproximadamente US$18 bilhões), sendo que 40% das unidades devem ser destinadas a famílias com renda até 3 salários mínimos, 40% para os que ganham entre 3 e 6 salários mínimos e 20% para os com 6 a 10 salários mínimos (quando este texto estava sendo escrito, em janeiro de 2011, o salário mínimo era 540 reais, ou 278 dólares). O programa foi bem vindo, embora tenha recebido críticas: está praticamente em mãos de empresários privados, os subsídios são dados diretamente aos promotores e não aos consumidores, a área construída é mínima (32m^2), a promoção privada é quem decide onde e o que construir, o que está gerando unidades em locais mais baratos e de difícil acesso. Como os limites do financiamento são pré-determinados, os valores para cálculo do lucro e do preço de venda giram em torno do: i) valor do terreno, que resulta minimizado na periferia; ii) custo do projeto:

as construtoras economizam na projeto, utilizando tipologias padronizadas e repetitivas, além de promoverem grandes conjuntos visando economia de escala; iii) custo de produção, minimizado através da utilização de matérias de segunda linha.

Assim continua a existir uma oferta ainda baixa de moradias sociais, existindo restrições macro-estruturais que tornam a favela uma solução possível para moradia da população pobre.

População favelada no Brasil, na Região Metropolitana e no Município de São Paulo

A questão das favelas assume hoje uma dimensão histórica sem precedentes na história do Brasil. Dados do Censo de 2010 mostram que o número de brasileiros vivendo nestas condições passou de 6,5 milhões no ano 2000 para 11,4 milhões em 2010, em 6.329 "aglomerados sub-normais" situados em 323 municípios; 88% dos domicílios deste tipo estão concentrados em 20 grandes cidades.

As favelas estão presentes em todas as regiões brasileiras. Sua distribuição varia pelo território brasileiro. Em 1991 os aglomerados favelados, segundo o Censo Demográfico, eram 3.187; pela Contagem de População de 1996 subiram para 3.348, no ano 2000 atingiram 3.906 assentamentos e em 2010 o Censo Demográfico fornecia a cifra de 6.329 aglomerados.

Assim como os aglomerados, os domicílios e a população favelada também vêm aumentando desde 1980, a taxas maiores que a população total. Entre 1980 e 1991, os domicílios totais para o país cresceram a 3,08% ao ano, enquanto que os favelados cresceram a 8,18% anuais. No período seguinte – entre 1991 e 2000 – os domicílios totais cresceram a 0,88% anuais, enquanto os favelados tiveram uma taxa de incremento anual de 4,18%. Entre 2000 e 2010, a taxa de crescimento anual do parque domiciliar brasileiro foi 0,57%, enquanto a dos domicílios favelados atingiu 6,93%. A população favelada em 1980 alcançava 2,25 milhões de pessoas, a de 1991, mais de 5 milhões, a do ano 2000, cerca de 7,2 milhões e a de 2010, para um total de 3.224.529 domicílios em aglomerados sub-normais, era estimada em mais de 14 milhões. Se a população favelada representava 1,62% da total em 1980, este percentual sobe para 2,76% em 1991, para 3,04% no ano 2000 e alcança 5,61% em 2010.

A favela no Brasil tem sido um fenômeno predominantemente metropolitano: em 1980, 79,16% das moradias faveladas estavam nas 9 regiões metropolitanas federais (Belém, Fortaleza, Recife, Salvador, Belo Horizonte, Rio de Janeiro, São Paulo, Curitiba e Porto Alegre). Em 1991, 2.391 favelas (74%) e 817 mil domicílios (78%) estavam nestas regiões metropolitanas, enquanto no ano 2000 o percentual de população moradora nas favelas nestas 9 metrópoles atingia 87,15% e em 2010 continuava alto, com 71,10% do total de favelados. O dado de 2010 mostra certa inversão da tendência: a favela, embora seja predominantemente um fenômeno metropolitano, já começa a surgir com intensidade em outras cidades: 26% da população favelada em 2000, se localizava em municípios com 100 mil e 500 mil moradores.

A Região Metropolitana de São Paulo apresenta a maior concentração de favelas do Brasil, com 1703 aglomerados (27% do total de favelas brasileiras) e população favelada de mais de 2 milhões de pessoas (19% da população favelada brasileira) Apenas as cidades de São Paulo, Guarulhos, Osasco e Diadema possuíam, no ano 2000, 938 favelas – cerca de ¼ das favelas do país, segundo Censo Demográfico. Em 2010, estes 4 municípios contavam com 1.348 aglomerados, 21% do total brasileiro. O total da metrópole alcança 596.479 casas faveladas em 2010. A proporção de domicílios favelados na metrópole vem aumentando dede 1991. Assim, esta proporção era de 5,72% em 1991, passando a 8,14% em 2000, alcança 9,29% das unidades domiciliares em 2005 e chega a 10,37% em 2010. Deteriora-se a situação de moradia na metrópole.

Este fato pode estar representando uma tendência de expansão periférica da pobreza, aqui representada pela expansão territorial da moradia precária. À precariedade habitacional vai somar-se o aumento das distâncias aos postos de trabalho, dificultando ainda mais a vida das camadas populares metropolitanas. Na Grande São Paulo a população favelada atinge 2.162.368 habitantes, dos quais 56,21% residem na capital.

Os números dos Censos demográficos mostram que a população favelada da capital era de 933 mil moradores, ou seja, 9% da população municipal em 2000, número este que aumentou para 1.280.400 em 2010, representando 11,42% da população municipal. Ou seja, a população favelada tem aumentado a taxas maiores que a população total do município (taxa de crescimento de 4,68% no período 2000-2010, enquanto a população total do município cresceu a uma taxa anual de apenas 0,73%). A favela permanece um sério problema na capital financeira do Brasil.

Política de habitação popular no município de São Paulo. Intervenções na habitação popular

Introdução

As políticas relativas à habitação popular no Brasil, e em especial às relativas a favelas e cortiços eram, até 1984, altamente centralizadas a nível federal. Sempre existiram intervenções a nível local, mas até a extinção do BNH (Banco Nacional de Habitação), em novembro de 1986, não tinham a relevância que apresentavam na última década dos anos 90 (Pasternak Taschner, 1997).

As primeiras experiências de urbanização de favelas no Brasil datam do final da década de 60, fortemente inspiradas nas idéias de John Turner. Entretanto, só a partir da década de 80 é que se consolidou essa forma de intervenção, já sob a responsabilidade de governos municipais e/ou estaduais.

Nos últimos 30 anos, as intervenções foram organizadas em 8 períodos cronológicos. Para cada período é discutido o tipo de análise que se fazia do problema, as soluções encontradas e os problemas e reações que estas intervenções criaram, segundo esquema de análise já utilizado por mim (*idem*) e enriquecido por Patton (1988).

Por análise entendem-se as idéias prevalentes, conceitos e teorias hegemônicas em cada época. Soluções são as ações efetivamente realizadas respondendo aos problemas e às teorias. Reações referem-se a novos problemas detetados, que vão redefinir novas teorias e ações.

Década de 60

Em relação às políticas de desfavelamento, elas só surgiram, nesta década, no município da capital. Nos outros municípios da região metropolitana, as favelas não se apresentavam como grande problema.

A primeira intervenção em favelas no município de São Paulo foi a remoção e a reinstalação do aglomerado em outro lugar. A ideia norteadora deste tipo de intervenção ligava-se à conceção que a favela era antro de doenças, crimes, desorganização social e marginalidade. Essa patologia se extinguiria com a extirpação do assentamento e a remoção dos favelados para unidades adequadas. Deve ser lembrado que a população favelada paulistana era pequena, cerca de 100 mil pessoas, o que tornava a remoção possível. Em São Paulo, a remoção nunca atingiu a truculência do Rio de Janeiro de Carlos Lacerda. Os resultados desta política, tanto no Rio como em

São Paulo, foram pouco animadores. Os núcleos habitacionais para os quais foram removidos os favelados eram normalmente situados em terrenos periféricos, de difícil acesso. Como consequência, o custo do transporte aumentava para a família favelada, onerando o orçamento. De outro lado, a maior distância entre centros de serviço e o domicílio impediam a contribuição feminina para a renda familiar. O poder aquisitivo diminui, dificultando o pagamento de prestação ou aluguel e resultando em volta à favela.

Década de 70

Na década de 70 era claro que a remoção só se justificava para situações de emergência ou para áreas de risco. Como forma modal de intervenção em favelas, era necessária política mais eficaz e menos traumática. Assim, ao invés de conduzir o favelado a uma unidade definitiva, procurou-se localizá-lo nas chamadas V.H.P. (Vilas de Habitação Provisória), que já existiam no Rio de Janeiro desde meados da década de 40, sob o nome de Parques Proletários (*idem*). A V.H.P. se constituía em alojamento não definitivo construído no próprio terreno da favela, onde atuava um serviço social intenso, visando dar formação profissional, alfabetização, documentação à população, visando dar a ela condições de integração à cidade e ao mercado imobiliário. Mesmo o projeto físico do alojamento enfatizava seu caráter provisório, através do uso de material de construção não definitivo – as V.H.P. – eram de madeira, o uso de alvenaria não se colocava e os banheiros eram coletivos. Esperava-se que após um ano a família estivesse apta e se integrar no mercado de moradia e de emprego.

As colocações teóricas que mediaram essa forma de intervenção inspiravam-se nas formulações de integração social da escola de pensamento da sociologia funcionalista. Enfatizavam a ideia que a favela seria a primeira alternativa habitacional para um migrante rural, um "trampolim" para a cidade, etapa necessária de integração à vida urbana. Na V.H.P., a preocupação básica era a de encurtar o "tempo necessário" que o migrante ficaria na favela, através de fornecimento de alguma infraestrutura básica, orientação profissional e instrução formal.

As críticas a este projeto são inúmeras. Além do pressuposto de integração social implícito – e que não se mostrou verdadeiro – dados empíricos, oriundos de Censos de Favelas, cuja coleta sistemática se iniciou em meados da década de 70, mostraram que os favelados não eram em absoluto migrantes recentes e nem tiveram na favela seu primeiro local de moradia. As favelas estavam crescendo mais por empobrecimento que por migração direta.

> Os moradores das favelas não se instalaram logo de início no barraco onde moravam. Foram se deslocando no espaço urbano, numa trajetória de "filtração descendente", dentro do processo de valorização da terra urbana e do empobrecimento da classe trabalhadora, das áreas centrais para as periféricas, das casas de alvenaria para os barracos das favelas.
>
> (*idem*: 54)

A perceção, no fim dos anos 70, que a favela veio para ficar e que os favelados eram trabalhadores, em grande parte empregados registrados da indústria paulista, colocou a necessidade de se buscar novas soluções. Os alojamentos provisórios tornaram-se definitivos. O pressuposto da integração social numa sociedade como a brasileira tem sérios limites: a capacidade da economia paulistana de incorporar força de trabalho nos polos dinâmicos da economia é limitada, além dos pré-requisitos de competência profissional e escolaridade.

Período 1980-1985

Surge a consciência de que a favela não representa uma disfunção do sistema, mas a expressão física das suas contradições. Isso conduziu a um impasse operacional: como colocar o problema da intervenção? Como formar uma metodologia de ação que não seja a de rutura total com o sistema?

Alguns setores técnicos acreditavam que a construção em larga escala, a pré-fabricação, a industrialização e a racionalização da construção poderiam promover o barateamento da casa, colocando-a ao alcance de todos. Assim edificaram-se conjuntos como o de Itaquera, onde alguns modelos de barateamento foram introduzidos (sistemas de pré-fabricção leve com formas metálicas tipo "outnord", alvenaria estrutural, etc.), dentro de esforço da COHAB-SP da edificação de cerca de 80 mil unidades habitacionais entre 80 e 85.

De outro lado, se preconizavam a cooperação, a auto-ajuda e a ajuda mútua como instrumentos que auxiliariam a superar os problemas das favelas. As classe médias nacionais tentaram transmitir aos favelados uma determinada conceção de sociedade, de forma que esses considerassem que o seu cotidiano poderia ser melhorado mediante esforço próprio e auxílio comunitário. A urbanização de favelas se coloca como política básica.

Em 1979, no município de São Paulo, iniciou-se o PROÁGUA, que propõe a extensão da rede de água potável para as favelas, com ligação domiciliar sempre que possível. O PROLUZ, programa de eletrificação das unidades faveladas, iniciou-se também em 1979 e até 1987 já tinham instalado energia elétrica em quase todas as moradias faveladas. Estes programas incluíam-se nas chamadas políticas compensatórias e cobravam de seus usuários apenas tarifa mínima. Em 1981, é utilizado também um programa mais ambicioso – o PROFAVELA – que prevê não apenas a instalação de infraestrutura como serviços de educação e saúde e financiamento, altamente subsidiado, de melhoria e/ou construção de unidades habitacionais. O custo foi muito alto e o projeto foi abandonado em 1984. A nível federal, outro projeto, o PROMORAR, propunha também a erradicação das favelas com a substituição dos barracos por unidades – embrião, na mesma área, com regularização da posse da terra.

Os críticos dos programas de urbanização de favelas argumentam que a certeza da permanência incentiva novas invasões e o adensamento das velhas e traz, para o terreno invadido, um simulacro de mercado imobiliário. De qualquer forma, mesmo em um governo conservador como o de Reinaldo de Barros, em 1979, a massa de favelados (mais de 400 mil pessoas, cerca de 5% da população municipal) já inviabilizava soluções do tipo remoção.

Período de 1986 a 1988

Em janeiro de 1986 toma posse, no município de São Paulo, um novo governo municipal, o primeiro eleito diretamente pelo povo desde 1964.

> Apoiado por forças conservadoras e amplos setores da classe média, temerosos da crescente violência urbana e atribuindo-a parcialmente a "concessões" feitas às camadas populares, este governo tornou a falar em remoções de favelas, sobretudo as localizadas em áreas próximas aos bairros mais ricos.
>
> (Pasternak Taschner, 1997: 61)

A lógica dominante colocava o favelado como pobre a segregar e os espaços das favelas melhor colocadas na trama urbana como terrenos a liberar e recuperar para moradia da classe média. Em 1986, por efeito do Plano Cruzado (que congelou os preços), houve certo "boom" imobiliário.

O plano habitacional do governo 86-88 ficou mais em nível de discurso que da ação. Removeram-se 2 favelas de áreas nobres. A contribuição mais interessante do período foi a parceria com a iniciativa privada para o desfavelamento, mediante o oferecimento de vantagens urbanísticas em troca da construção de casas para favelados: as operações interligadas, que permitiam a um construtor edificar mais do que a área permitia pela lei de zoneamento em troca da doação de unidades residenciais para favelados.

Período de 1989 a 1992

Em 1989, o município de São Paulo passou a ser governados por partidos de esquerda, comprometidos com movimentos populares e lutas sindicais. Suas linhas de pensamento mostravam este compromisso. O retrato da cidade, elaborado por seus técnicos, trazia a tona a existência de uma enorme cidade ilegal que abrigava as camadas populares. Estimou-se no município de São Paulo que 350 mil moradias, a maioria com menos de 125 metros quadrados, estavam irregulares perante lei do zoneamento e código de obras. Somando a isso as casas de favela, cortiços e loteamentos irregulares, cerca de 65% da cidade era irregular.

A segregação urbana surge como item a evitar. O direito à cidade é de todos. Esta postura faz como que experiências de permanência da população encortiçada no centro fossem tentadas. Os projetos de urbanização de favela retornam, desta vez com participação da população. Movimentos populares demandaram a retirada de intermediários e a participação do usuário final no processo de decisão da construção e projeto da moradia. Incentivaram-se projetos que incluíam a autoconstrução e a autogestão. Às críticas da velha esquerda, que via no mutirão (entreajuda) uma sobre-exploração da força de trabalho, a "nova esquerda" responde que o mutirão autogestionado, além da redução de custos, traz consciência política e cidadania, já que a "organização para construir acaba por se tornar uma escola de autogestão e organização coletiva" (Bonduki, 1992: 164).

No caso da reurbanização de favelas paulistanas, a partir de 1990 foram atendidas

> 26.000 famílias em 50 favelas, com obras de infraestrutura: pavimentação, reparcelamento do solo, água. Esgoto, drenagem, abertura de acessos. Ao mesmo tempo, 3.500 famílias em 70 favelas, executando pequenas melhorias, também em mutirão.
>
> (Município de São Paulo, 1992: 12)

Introduziu-se, na urbanização de favelas, o conceito de risco ambiental para definição da prioridade de intervenção. Trata-se aqui de risco geomorfológico para seus habitantes: desabamento, inundação ou solapamento. Em relação à oferta de unidades habitacionais fora das favelas, cerca de 33 mil unidades, parte das quais iniciadas na gestão anterior, tiveram sua construção continuada. Resumindo. As normas de atuação da gestão Luiza Erundina (1989-1992) em relação à habitação popular, foram:

- Desburocratização e simplificação das normas de construir
- Organização da população, escolhendo movimentos populares como interlocutores privegiados
- Construção de moradias por mutirões cogestionados (prefeitura e moradores)
- Urbanização de favelas, priorizando as com risco ambiental
- Intervenção em cortiços
- Continuação da parceria com o setor privado (operações interligadas)

As críticas às políticas vigentes foram inúmeras, ligadas à morosidade do processo de mutirão (entreajuda), à transformação de movimentos populares em máquinas políticas, gerando um novo clientelismo, à continuidade de formação de favelas novas e adensamento das existentes, ao aumento da especulação nas favelas urbanizadas.

Período de 1993 a 2000

Em 1993 toma posse na Prefeitura do Município de São Paulo outro governo eleito que representa vertente política distinta do anterior. Neste ano pesquisa coordenada pela Fundação Instituto de Pesquisas Econômicas (FIPE) apontou a crescente porcentagem de unidades de alvenaria nas favelas – cerca de 75%. O seu perfil mudava, tanto em relação aos aspetos construtivos como econômicos. Nesta pesquisa notou-se o aumento relativo da renda domiciliar nas favelas.

A então gestão municipal não tinha, como na época da prefeita Erundina, nenhum compromisso com movimentos populares. De outro lado, a conceção que favelados eram trabalhadores pobres, com direito à cidade e a serem integrados à vida urbana já tinha se sedimentado. A política habitacional do município concentra-se no PROVER (Projeto de Urbanização de Favelas com Verticalização), comumente chamado de Projeto Cingapura.

O Projeto Cingapura mantém os favelados no mesmo terreno da favela, mas em unidades verticalizadas construídas por empreiteira. Difere, assim, da urbanização de favela do governo anterior ao não aproveitar o tecido urbano já construído pelos favelados e fornecer unidade habitacional acabada e não extensível. No governo Paulo Maluf (1993-96) cerca de 9.000 unidades foram entregues. O governo que sucedeu ao governo Maluf continuou com a mesma política em relação às favelas.

As unidades dos prédios Cingapura, com 5 e 11 andares, são pequenas – $42m^2$ – e não podem ser ampliadas. Seu custo é elevado – cerca de 18 mil dólares. A arquitetura é padronizada, e o projeto é exclusivamente residencial, não se prevê unidades comerciais. Não há participação da população, que, de certa forma, é trocada pela rapidez de execução. Outra crítica presente na imprensa é que as unidades Cingapura têm sido construídas preferencialmente em lugares de grande visibilidade, sendo os critérios de escolha das favelas mais propagandísticos que técnicos.

Outra experiência que vale ser registrada é a realizada pelo Projeto Guarapiranga, que urbanizou favelas na região dos mananciais em São Paulo, Cotia, Embu e Taboão da Serra.

Período 2001-2004

Neste século, outra linha política – novamente a do Partido dos Trabalhadores – é reconduzida à gestão da cidade de São Paulo. A situação habitacional continua deteriorada, com aumento das favelas e dos sem-teto. Como proposta prioritária, até o início do segundo semestre de 2001, foi colocada a revitalização da área central, valorizando seu papel como local de moradia da população pobre. Estimula-se a participação da população, forma de como construir de cidadania.

O discurso da revitalização da área central, destacando o seu papel privilegiado como local de moradia dos pobres, não se concretizou de fato. Apesar das ações do PRI (Programa de Recuperação Integrada), que delimitava áreas de intervenções urbanísticas em alguns segmentos deteriorados da região, e do Plano Diretor Municipal, que previa a demarcação de ZEIS (Zonas Espaciais de Interesse Social) em áreas centrais, apenas ações bastante tímidas foram efetuadas nesta região. Parte das intervenções deveu-se ao governo estadual, através do PAC (Programa de Atendimento aos Cortiços), levado a cabo por uma agência do governo estadual, parte foi responsabilidade do governo federal, através de plano de financiamento (PAR: Plano de Arrendamento Residencial).

O então governo municipal utilizava como instrumento de implantação de sua política habitacional o Programa Bairro Legal. Este programa pode ser definido como um conjunto de ações integradas em territórios contínuos e delimitados, ocupados por população predominantemente de baixa renda. Compreende a urbanização e regularização de favelas e loteamentos irregulares e qualificação de conjuntos habitacionais. Os projetos de intervenção devem considerar a regularização fundiária, o acesso aos serviços e equipamentos públicos e às áreas verdes e de lazer (além de tentar incluir os favelados nos programas sociais e de geração de emprego e renda rotineiros do município, sem abrir nenhuma linha de atuação especial no assentamento).

A intenção foi de implantá-lo nas 10 áreas de maior exclusão social na cidade. Difere dos programas das gestões anteriores pela exigência de atuação integrada entre distintos organismos municipais, buscando também o envolvimento das demais esferas públicas, de organizações não-governamentais e da sociedade civil.

Na descrição do projeto, um item historia e descreve as condições de moradia da cidade. Para o total da área metropolitana, os imóveis vagos estão estimados em 666.257, pelos dados da PNAD (Plano Nacional de Amostragem por Domicílio) de 2005, totalizando 11,5% do estoque total de domicílios. As informações da PNAD 2005 mostram que, entre estas 666 mil casas, apenas pouco mais de 7 mil estão totalmente deterioradas; 584 mil são construções em condições de serem ocupadas e 74.620 são imóveis em construção.

Além da moradia em favelas, a população carente supre suas necessidades habitacionais construindo por conta própria em loteamentos irregulares. Em abril de 2002, constatou-se a existência de 2.866 destes loteamentos. Segundo RESOLO (Departamento de Regularização de Parcelamento do Solo), órgão da PMSP, os loteamentos e condomínios clandestinos e irregulares ocupam um quinto da superfície paulistana: somam 338,8 milhões de m^2. Este mapa da irregularidade não inclui as favelas e cortiços. E, na periferia do município, a produção de domicílios por autoconstrução tem sido estimada em 35% do total de casas.

Segundo o documento governamental, as intervenções em favelas, apesar das distintas conceções implementadas na última década, não conseguiram alterar de forma significativa o quadro urbanístico. Tanto as experiências de urbanização voltadas para o saneamento básico, quando as experiências de reassentamento em novas unidades, mostraram-se pouco sustentáveis. As primeiras, pela dificuldade de incorporação à cidade formal de assentamentos com padrões urbanísticos tão distintos. As segundas, por configurarem intervenções parciais, implementadas sem participação da população, gerando ruturas com relações consolidadas e ignorando investimentos dos moradores, gerando novas dívidas.

Assim, propôs-se uma mudança de paradigma: substituição das políticas voltadas tanto para a produção de novas moradias como a voltada para saneamento por intervenções abrangentes, que considerem de forma integrada a qualificação urbana, a regularização fundiária, a acesso a serviços e equipamentos públicos e áreas verdes, juntamente com programas sociais.

As áreas prioritárias de intervenção foram escolhidas por um critério de exclusão social (definido como uma situação de privação coletiva, que inclui pobreza, discriminação, subalternidade, não equidade, não acessibilidade, não representação pública). O Bairro Legal se iniciou, na primeira fase, por Capão Redondo, Brasilândia, Lajeado, Jardim Ângela e Grajaú, por apresentarem 15% e mais de população favelada. Na segunda fase, atendeu os distritos de Campo Limpo, Guaianazes, Iguatemi e Anhanguera.

O programa habitacional da gestão Suplicy se dividia em 3 partes:

- Estímulo à produção de unidades habitacionais
- Articulação de financiamentos
- Legalização e urbanização de lotes e favelas

Nas gestões passadas, o carro chefe da política de habitação popular era a construção de unidades novas (para as favelas, unidades verticais em conjuntos de prédios – com ou sem elevador – no próprio espaço da favela, através de empreitada). Na gestão Suplicy, a prioridade foi dada à urbanização de favelas e lotes e à regularização das áreas ocupadas.

A justificativa para tal procedimento, segundo o secretário de Habitação, é que a relação custo-benefício deste tipo de ação é melhor, permitindo atender maior parcela da população necessitada. Além disso, há favelas e loteamentos extremamente consolidados, onde a idéia de remoção seria absurda. Assim, devem virar bairros. A prefeitura deve atuar em duas frentes: na legalização e na urbanização da área.

A ênfase do então governo local do município encontra-se no Programa de Reabilitação do Centro, onde serão investidos recursos em habitação popular e na reabilitação de imóveis comerciais desocupados, visando o repovoamento da região, densamente ocupado durante o dia e esvaziado no período noturno.

Período que se iniciou em 2005

Se no governo Marta Suplicy existia uma intenção para o repovoamento do centro, através do Programa de reabilitação do Centro, o governo Serra/ /Kassab (PSDB- Partido da Social Democracia Brasileira) entende que este repovoamento não deve privilegiar a população de baixa renda. O que se percebe são algumas ações de restrição a programas de assentamento da população pobre nas áreas centrais, embora 59 edifícios abandonados na área central estejam sendo objeto de *retrofit* para sua ocupação por famílias de renda baixa no fim da década de 2000.

Percebe-se que houve uma continuidade nos programas de regularização e titulação de imóveis irregulares, bem como nas intervenções de reurbanização de algumas favelas, como Heliópolis (com população de 41.118 pessoas em 12.090 moradias, segundo o Censo de 2010), Paraisópolis (população de 42.826 pessoas, em 13.064 moradias) e outras grandes favelas. O projeto Guarapiranga, de saneamento e regularização de invasões em áreas de mananciais, continua a ser implementado.

Outros aglomerados, como os situados próximo à avenida Berrini, local de escritórios nobres, e demarcada como ZEIS no PD, sofrem pressão para remoção. A produção de moradias para população de renda baixa tornou a crescer, depois da programa federal Minha Casa, Minha Vida.

Conclusões e questões para discussão

Cardoso (2007) resume as atuais intervenções em assentamentos precários em 3 modelos básicos: *urbanização, reurbanização e remoção.* A *urbanização* significa a intervenção que não modifica a estrutura do assentamento, colocando apenas a infraestrutura e pavimentação. É a que tem sido mais usada, embora em geral as favelas tenham um padrão urbanístico completamente fora das normas. A *reurbanização* consiste num intervenção onde se refaz totalmente a estrutura do assentamento, reassentando as famílias na mesma área. Foi o caso da paradigmática urbanização da favela de Brás de Pina, no Rio de Janeiro. A *remoção* implica a total retirada dos moradores e seu reassentamento em outra área. Na prática, muitas intervenções fazem uso das 3 alternativas, reparcelando parte de assentamento, colocando infraestrutura onde é possível e mesmo removendo parcela populacional, quando a favela é muito densa e se é obrigado a fazê-lo, para abertura de vias e colocação de infraestrutura. Muitas vezes esta remoção se dá através de pagamento de indenizações.

Da mesma forma, as intervenções em favelas podem ser pontuais, quando se restringem a pedaços do assentamento, ou integrais. Intervenções pontuais têm acontecido ligadas a práticas clientelísticas ou a necessidades emergenciais, como a reconstrução de áreas atingidas por fogo e/ou enchentes.

Exemplos de intervenção integral são o programa Favela-Bairro, no Rio de Janeiro, ou o Programa Santo André Mais Igual, na Grande São Paulo. Nestes casos, buscou-se atuar em conjunto de favelas menores, realizando o projeto de melhoria integralmente, num período de 2 anos de obra. Nestes casos, os recursos necessários são de grande monta, inviabilizando este tipo de projeto pela maioria das administrações locais, já que os programas de financiamento são bastante restritos. Tanto Rio de Janeiro como Santo André contaram com recursos externos (Comunidade Européia e BID).

Como modelos de gestão, pode-se ter intervenções participativas (como exemplo, o PREZEIS, de Recife) ou autoritárias (como Cingapura, de São Paulo, ou Favela Bairro, do Rio de janeiro)

Os custos variam enormemente com a adoção de distintos padrões de intervenção em favelas. Simulações desenvolvidas pelo Instituto de Pesquisas Tecnológicas do estado de São Paulo (IPT) para projetos de urbanização de favelas situadas nas margens da represa do Guarapiranga apropriaram custos que vão de US$1.000,00 a US$ 13.000,00 por família, dependendo do modelo de intervenção a utilizar. Analisando vários projetos também levados a cabo em Guarapiranga, a prefeitura de São Paulo encontrou custos entre US$2.000,00 e US$5.000,00.

No Favela Bairro não são adotados padrões mínimos de densidade ou de condições de moradia, e os padrões de acessibilidade são bastante flexíveis. Há casos, como na Ladeira dos Funcionários, onde a densidade demográfica chega a 1000 hab/ha. O desadensamento limita-se ao mínimo necessário para abertura de vias e oferta de equipamentos, e a melhoria da moradia individual é deixada ao morador, motivado pela urbanização da área. A acessibilidade não é garantida para todas as moradias: implanta-se uma via carrossável a distância razoável, não eliminando becos nem unidades habitacionais insalubres.

Os argumentos do Favela Bairro enfatizam a alta densidade das favelas cariocas, seu grau de consolidação, seu tamanho e as difíceis condições geográficas e geológicas dos assentamentos no Rio, em morros. A alta densidade, aliada a um alto padrão, implicaria na remoção de grande parcela da população. Esta argumentação coloca séria questão para o poder público: por um lado, o respeito ao direito de permanência da população em seu lugar de moradia; por outro, legalizar assentamentos fora dos padrões urbanísticos da cidade, criando dois princípios de regulação das condições de vida urbana: um para a cidade formal, outro, mais flexível, para a favela. E um dilema trágico está colocado: aceita-se, em nome da permanência no sítio de moradia, qualquer coisa? Regulariza-se qualquer porcaria? Referenda-se dois padrões de cidadania?

A regularização fundiária coloca-se também como desafio. A Zona Especial de Interesse Social tem se mostrado um instrumento eficiente para a garantia de posse, evitando as remoções. Para a população moradora, em geral, isto tem se mostrado suficiente. O argumento de De Soto, que a regularização imobiliário e fundiária, com titulação dos favelados, faria todo este capital fora do mercado integrá-lo, já que poderia ser utilizado inclusive no mercado de hipotecas, não tem se confirmado. Em Lima, a titulação foi feita, e as favelas só fizeram aumentar. E nenhum banco aceitava aquele tipo de propriedade com garantia hipotecária. Em São Paulo, muitos favelados não querem a titulação porque ela envolve o pagamento de impostos territoriais.

A própria urbanização de favelas coloca desafios. Muitos estudiosos referem-se a este procedimento com "enxugar gelo". Será que a urbanização também não incentiva a invasão? A ausência de oferta de novas unidades de moradia com subsídios tem feito com que os programas de *slum-upgrading* sejam a única alternativa. Mas, como se viu no início deste texto, a taxa de crescimento da população favelada tem sido, historicamente, superior à da população como um todo. Assim, as condições de moradia degradam-se cada vez mais. Além disso, mesmo nas favelas já melhoradas, a densidade torna a subir, deteriorando as condições de vida naquelas que já foram objeto de *upgrading*. A discussão dos dois padrões de cidade também se impõe. A favela, mesmo urbanizada, nunca será um bairro. Esta é uma fantasia de integração que escamoteia a profunda desigualdade na sociedade brasileira.

Quadro resumo das políticas de desfavelamento em São Paulo

Dos anos 40 aos 60	Emergência das favelas em São Paulo
	Política de remoção
Anos 70	Crescimento das favelas
	Além da remoção, políticas de construção de alojamento temporário
Anos 80	Crescimento das favelas
	Intervenções de urbanização por governos locais
Meados de 80 a 1988	Retorno das remoções
	Construção de casas populares por parceria público-privada, através das operações interligadas
Início dos anos 90	Urbanização de favelas por governo local, através de programas de autogestão
	Ênfase na participação popular
Meados dos anos 90	Construção de unidades verticais no local da invasão, por empreteiras, sem participação popular, com financiamento do BID (projeto Cingapura)
Início dos anos 2000	Continuação das políticas de urbanização de favelas, tentando aumentar a inclusão social
	Renovação do centro urbano com moradia popular
	Tentativa de legalização da terra em espaço privado
Meados de 2000	Tentativa de recuperação do centro urbano por atividade econômica, diminuindo a ênfase em moradia popular e com *approach* distinto: manutenção ao máximo da estrutura anterior e da população residente

Referências Bibliográficas

Banco Nacional de Habitação (1966), *Relatório de gestão.* Brasília. (Vol.2).

Bonduki, N. (1992), *Habitação e auto gestão. Construindo territórios de utopia.* Rio de Janeiro: FASE.

Cardoso, A. L. (2007), *Urbanização de favelas no Brasil: revendo a experiência e pensando desafio.* (Comunicação no XII Encontro Nacional da Associação Nacional de Pós-graduação e Pesquisa em Planejamento Urbano e Regional. Belém do Pará, maio, CD-Rom).

Município de São Paulo (1992), *Urbanização de Favelas em São Paulo: uma experiência de recuperação ambiental.* São Paulo: Secretaria da Habitação e do Desenvolvimento Urbano.

Pasternak Taschner, S. (1997), "Favelas e cortiços no Brasil: 20 anos de pesquisa e política". *Cadernos de Pesquisa do LAP.* São Paulo: FAU-USP, 18, 1-99.

Patton, C. e Palmer, E. K. (1988), *Spontaneous shelter.* Filadélfia: Temple University Press.

Valença, Márcio Moraes e Bonates, Mariana Fialho (2010), "The trajectory of social housing policy in Brazil: From the national Housing Bank to the Ministry of the Cities". *Habitat International,* 34, 165-173.

SECÇÃO II

EXPRESSÕES DE CULTURA

OS TEMPOS (DIFERENTES) DO USO DAS PRAÇAS DA SÉ EM LISBOA E EM SÃO PAULO

Fraya Frehse

Introdução

Este estudo comparativo pontual dos logradouros que abrigam as catedrais de São Paulo e Lisboa nasceu de uma inquietação que tem marcado bem menos pontualmente o meu contato com a bibliografia sociológica e antropológica recente sobre a temática dos chamados usos das ruas e praças historicamente centrais das atuais metrópoles brasileiras (Frehse e Leite, 2010; Frehse, 2012, no prelo). Noto que um vasto reconhecimento empírico das diferenças implícitas nos comportamentos físicos e interações sociais nesses espaços significados como virtualmente 'de todos' – *lugares públicos* – nos primeiros núcleos urbanizados das cidades grandes do país hoje, coexiste com o raro reconhecimento teórico dessas mesmas diferenças. Como mitigar tal desencontro, incorporando as diferenças empiricamente apreensíveis em nossas conceituações?

No mínimo desde 2000, uma preocupação teórica recorrente nos estudos urbanos brasileiros – isto é, produzidos em instituições acadêmicas do país – é conceituar o impacto que sobre os usos dos lugares públicos centrais de metrópoles como São Paulo, Rio de Janeiro, Belo Horizonte, Recife e Fortaleza têm tido intervenções urbanísticas bem específicas, episódicas ali a partir da década de 1990 (Frehse e Leite, 2010: 214). Capitaneadas pelo poder público com participação variável da iniciativa privada, são modificações físicas em ruas e praças planejadas por especialistas em arquitetura e urbanismo ligados ou não à burocracia estatal – sendo, por isso, passíveis de ser sintetizadas aqui como *urbanísticas*. Só que tais mudanças se fazem ideologicamente em nome da recuperação física de bens materiais que os núcleos urbanos mais antigos dessas cidades abrigariam de modo privilegiado. Refiro-me a construções e artefatos *monumentais*, dotados de um caráter testemunhal em relação ao passado das respetivas urbes e vinculados ao poder – duas características evocadas em definições de 'monumento' forjadas em chaves teóricas bem distintas em termos teóricos (Lefebvre, 1961: 308; 2000: 168; Le Goff, 2006: 526, 535). Integrando políticas que os discursos jornalístico, técnico, político e científico dos últimos anos vinculam internacionalmente ao termo 'requalificação urbana' (Peixoto, 2009), tais intervenções aparecem na pesquisa urbana brasileira sobretudo sob o prisma de como os lugares públicos monumentais por elas engolfados são usados por seus trabalhadores, usuários e por moradores do entorno.

Na esteira dessa busca conceitual, vem sendo produzida uma quantidade notável de dados empíricos sobre esses usos. Na bibliografia, tal termo subsume o que já chamei (Frehse, 2009: 153-154) de *comportamentos corporais* e de *formas de sociabilidade*, ou de uma conjugação de ambos em *atividades sociais*: sobretudo o comércio ambulante, a mendicância, a moradia e o uso de drogas. E isso nos perímetros das urbes brasileiras onde primeiro, em termos históricos, se insinuaram expressões físicas, sociais e culturais do "predomínio da cidade sobre o campo": em suma, onde primeiro apareceu um "tecido urbano" (Lefebvre, 1970a: 10).[1] É o que me leva, aliás, a associar heuristicamente esses núcleos urbanos a *centros históricos*, a despeito do uso ideológico dessa expressão pelas políticas patrimoniais recentes (Peixoto, 2003: 212-215; Vinken, 2010).

Ora, se atualmente é grande o interesse dos pesquisadores pelos vínculos dos usos com as operações urbanísticas em questão, então as investigações oferecem ao campo dos estudos urbanos no país bem mais do que apenas conhecimentos empíricos sobre o que sintetizei como *usos da rua* (Frehse, 2009). Abordando etnograficamente tais usos nos centros históricos das metrópoles brasileiras atuais, os trabalhos acabam por potencializar também nosso conhecimento sobre processos sociais que, pela mediação desses mesmos usos, contribuem significativamente para *diferenciar* os espaços urbanos localmente investigados daqueles que pontilham a bibliografia internacional sobre o assunto que circula no Brasil: Nova Iorque, Londres, Los Angeles, Paris, Berlim. Com efeito, se "diferença" é conceito (lógico) e conteúdo (fatual) historicamente produzidos na esteira das "relações recíprocas, conflituosas e apaziguadas" entre as "qualidades" das "particularidades" que "sobreviveram" a esses encontros mais ou menos tensos (Lefebvre, 1970b: 65), então a pesquisa urbana brasileira recente é amplamente receptiva, no plano descritivo, às diferenças fatualmente produzidas nas cidades brasileiras pela mediação dos usos das ruas e praças de seus centros histó-

[1] São de minha autoria as traduções para o português de textos estrangeiros cujos tradutores não são indicados nas Referências Bibliográficas.

ricos em meio ao vigor episódico das políticas de 'requalificação urbana' das últimas décadas.

Entretanto, quando cabe conceituar tais usos por referência a essas operações urbanísticas, é bem mais rarefeita a recetividade às diferenças empíricas. Na verdade, não são muitas as conceituações. De todo modo, o destaque tem cabido a uma chave interpretativa específica, forjada em abordagens sensíveis às relações de força mais amplas implícitas nos usos da rua por trabalhadores, moradores e usuários (Frehse, 2009: 163-164). Os usos costumam ser associados a atos de contestação informal ao poder que emana das operações urbanísticas (Arantes, 2000; Leite, 2004, 2007).[2]

Assim, as conceituações ressaltam o que há de *comum* entre espaços urbanos diversos – no país e no exterior. De fato, a chave evidencia vínculos entre sociedade e espaço cujo escopo transnacional é próprio dos tempos que correm. A economia globalizada vem de mãos dadas com políticas de 'requalificação urbana' nos quatro cantos do mundo, em meio à "tendência para a policentralidade" e à suposta "perda de vitalidade" dos lugares públicos dos centros históricos (Peixoto, 2009: 41-42). E tais políticas incidem invariavelmente sobre usos ali consolidados.

Mas, na verdade, é uma dinâmica de transformações socioespaciais própria do capitalismo do segundo Pós-Guerra, se lembrarmos, com Henri Lefebvre (2000: 382, 445, 61) da novidade de então que constitui "a ideia de uma centralidade dialética ou de uma dialética da centralidade". Pontilhada por "movimentos baseados na inclusão-exclusão espacialmente provocada por uma causa definida: o centro apenas ajunta distanciando e dispersando", a centralidade – reprodutora do espaço – se liga ao poder (estatal) e ao saber (tecnocrático). Desse ângulo (pioneiro), não espanta que o equacionamento conceitual entre os usos e as políticas de reconversão dos usos dos lugares públicos historicamente centrais ressalte semelhanças entre contextos urbanos diversos.

Essa ênfase conceitual no comum mal não faria ao debate brasileiro, não fosse por um certo caráter "redutor" das diferenças empíricas que, a meu ver, acaba por nele se imprimir. Se, como salienta Lefebvre (1970b: 70), não há como conceituar sem "reduzir", para fins cognitivos, a complexidade

[2] Mas a chave interpretativa usos-contestação não é apanágio brasileiro (cf., entre outros, Fortuna, 1999; Fortuna, Ferreira e Abreu, 1999; Mantecón, 2009; Villadeval i Guasch, 2007, 2009).

(e as diferenças) da realidade empírica, quando essa redução "destrói aquilo que ela colocou entre parênteses, seja no plano teórico, seja no plano prático", estamos em face de "atitudes intelectuais" que acabam por "negar as diferenças": atitudes "redutoras", diversas do "pensamento diferencialista", que "reconhece teoricamente as diferenças". Ora, a chave interpretativa referente ao sentido político comum dos usos contribui para inserir o debate conceitual brasileiro numa pauta de preocupações teóricas forjadas em primeira instância no contato investigativo com realidades empíricas outras – não raro estrangeiras. No limite, há o risco de as diferenças empiricamente existentes desaparecerem da agenda conceitual.

Quanto à problemática do impacto das intervenções urbanísticas de 'requalificação urbana' sobre os usos dos lugares públicos historicamente centrais, o que acaba ficando em aberto, em termos conceituais, é como tais usos são impactados *diferentemente* por tais políticas urbanas. E isso em função de "qualidades" empíricas que *diferenciam* tais usos daqueles apreensíveis nos contextos urbanos estrangeiros (em geral europeus e norte-americanos) que inspiram as conceituações brasileiras.

Meu objetivo aqui é buscar as respostas que nesse sentido oferece uma orientação metodológica alternativa. Sem ignorar a interferência do poder na prática e na teoria relativa a como é usado dia a dia o espaço, a abordagem lefebvriana das contradições históricas da práxis, na vida cotidiana no capitalismo do Segundo Pós-Guerra, problematiza a mediação do espaço na (re)produção dessas contradições.

A práxis é "ato, relação dialética entre a natureza e o homem, as coisas e a consciência" (Lefebvre, 1974: 41), e a vida cotidiana é um "nível de realidade" da práxis, pois o "'vivido' cotidiano" é "resíduo" e "produto" de fatos e conceitos que impregnam toda a atividade humana (Lefebvre, 1961: 62). Portanto, qualquer ato na vida cotidiana está impregnado da possibilidade de mimese, de repetição e de invenção, sendo que o "nível mais elevado" dessa última é atingido na "atividade revolucionária", passível de ser exercida no conhecimento, na cultura (na ideologia) e na ação política (Lefebvre, 1974: 47). Mas a práxis não se dá solta no ar. Se "as relações sociais só têm existência real no e pelo espaço", a práxis se (re)produz pela mediação desse "conjunto de relações entre as coisas (objetos e produtos)" que, produzido socialmente, é ao mesmo tempo meio de produção de práxis (Lefebvre, 2000: 465, 100, xx, 88-89). Nesse sentido, a prática social é "prática espacial", a que corresponde um "uso" (qualitativo) do espaço pela mediação do corpo (*idem*, 23-24). Além de mediação de todos os outros espaços (*idem*, 199), o corpo é referencial para a compreensão dos três "momentos" do espaço: este é "percebido" corporalmente através das mãos, dos membros, dos órgãos sensoriais, e é "vivido" – corporalmente – pela mediação de "imagens e símbolos" que, produzidos por habitantes, pelos chamados usuários, certos artistas e intelectuais, "acompanham o espaço". Tudo isso em meio às pressões do espaço "concebido" racional e especulativamente por sábios, planejadores, urbanistas e tecnocratas (*idem*, 48-50).

Sob esse prisma, a problemática do *impacto diferente* das políticas de 'requalificação urbana' sobre os usos das ruas e praças historicamente centrais das metrópoles brasileiras diz respeito a como os pedestres desses "lugares" – "espaço-tempo locais" a que corresponde um uso do espaço (*idem*, 23) – os usam corporalmente pela mediação do vivido e do concebido. Como esse uso – teoricamente singular - pela mediação do espaço vivido e do concebido pode revelar diferenças no modo como as políticas de 'requalificação urbana' impactam os usos – empiricamente plurais – dos lugares públicos dos centros históricos brasileiros atuais?

O argumento aqui é que é decisiva a *historicidade* do uso do espaço pelos pedestres. Penso no encadeamento de tempos históricos, ou melhor, de temporalidades da história relativas ao passado, ao presente e ao possível.[3] Como mostrou Lefebvre (2001) através do método regressivo-progressivo, as relações sociais, concepções e objetos apreensíveis "no atual" de qualquer "campo" empiricamente investigado carregam "datas" históricas específicas cujos (des)encontros apontam para contradições históricas sinalizadoras de possibilidades definidas de transformação histórica do presente – de mudanças na sociedade atual – ali contidas (cf. também Martins, 1996; Frehse, no prelo).

Inquirir a historicidade do uso dos lugares públicos historicamente centrais impactados pela 'requalificação' em campos empíricos diversos revela que os vínculos entre o vivido e o concebido constituem mediações *diferentes* do uso desses lugares. Eis o que faz da historicidade do uso mediação reveladora de bem mais do que diferença (teórica) nas diferenças (empíricas). Ela vira instrumento conceitual passível de contribuir notadamente para o

[3] "O passado se torna (de novo) presente em função da realização das possibilidades objetivamente implícitas nesse passado. Ele se desdobra e atualiza com elas" (Lefebvre, 1965: 37).

debate sobre os sentidos políticos dos usos da rua. Evidencia que o caráter contestatório desses constitui uma possibilidade histórica entre outras, e não *o* sentido dos usos que moradores, trabalhadores e usuários fazem dos lugares públicos nos centros históricos urbanos 'requalificados'.

A fim de demonstrar o argumento, cabe primeiro operacionalizar a questão de como a historicidade do uso do espaço pode ser conceitualmente reveladora de diferenças no uso dos lugares públicos dos centros históricos atuais – em particular das praças da Sé lisboeta e paulistana por seus pedestres. Na sequência, nada como conhecer a materialidade física e social de ambos os logradouros. Há então como voltar-se para a historicidade do uso primeiro 'lá' e, depois, 'cá'. Por fim, será possível problematizar em termos regressivo-progressivos a diferença que os tempos históricos diferentes revelam.

Em busca da historicidade do vivido e do concebido

Como a ênfase da pergunta investigativa reside nos modos diferentes como lugares públicos historicamente centrais das metrópoles brasileiras atuais são usados por seus pedestres pela mediação do vivido e do concebido, é tentador o exercício comparativo. A comparação permite chegar a "semelhanças *e* diferenças" em relação a um problema teórico (Haupt e Kocka, 1996: 9).

Para fins dos "diálogos urbanos" propostos pela Rede Brasil-Portugal de Estudos Urbanos, optei por transformar em cenários empíricos para o exercício comparativo um lugar público historicamente central de São Paulo – que já estudo há anos – e de Lisboa – em que pude me aprofundar justamente graças a minha participação na Rede.

São duas metrópoles, centralidades que se impõem econômica, política e simbolicamente sobre um entorno. Todavia, as escalas são bem distintas: as relações sociais arranjam-se territorialmente de modos diversos, da dimensão supranacional à corporal passando pela nacional, a regional, a urbana e a local (Keil e Brenner, 2003: 256). Uma evidência se encontra na demografia: 11,2 milhões de habitantes (em 2010) fazem de São Paulo a cidade mais populosa da Região Metropolitana de São Paulo, com 19,7 milhões; já a Área Metropolitana de Lisboa soma quase 2,8 milhões de habitantes (2011), dos quais cerca de 550 mil vivem na cidade. A despeito dessas diferenças, os lugares públicos dos respetivos centros históricos são episodicamente objetos de políticas de 'requalificação urbana', dada a concentração de monumentos. Tais convergências em relação à problemática teórica convidam à comparação.

Para tanto, e ciente de que o plano operacional de uma investigação empírica é indissociável dos pressupostos lógicos da orientação metodológica que se adota (Martins, 2008: 138), reconheço que um "pensamento" teoricamente recetivo às diferenças se interessa pela "apropriação (do corpo, do desejo, do tempo e do espaço)". Essa se define, afinal, "pelo conjunto de diferenças que a prática pode retirar de fontes naturais" (Lefebvre, 1970b: 74). Então, cabe enfocar a dialética entre "apropriação" (qualitativa) e "propriedade" (quantitativa) que impregna a práxis – e sua relação com o pensamento.

Ora, também o uso do espaço está impregnado do embate dialético entre "apropriação" e "propriedade" (Seabra, 1996: 71-72). No capitalismo da segunda metade do século XX, o embate entre ambos na seara do uso é ferrenho. Afinal, o uso transcorre no "cotidiano", modo de vida pautado numa "programação" do dia a dia comandada "pelo mercado, pelo sistema de equivalências, pelo marketing e a publicidade" (Lefebvre, 1989: 134), sendo a referência primordial do cotidiano o Estado, âmbito da "re-produção de relações sociais" (Seabra, 1996: 77). Nesse contexto, é fácil o uso subjugar-se à troca – embora também aqui o embate dialético seja irredutível.

Por tudo isso, o uso do espaço se encontra impregnado também de historicidade. Se "toda realidade no espaço se expõe e explica por uma *gênese* no tempo" (Lefebvre, 2000: 136), qualquer ato ali carrega em si uma data que se relaciona de modos diversos com o passado, o presente e o possível - as possibilidades históricas de mudança do presente em função do modo como o passado impregna esse mesmo presente como contradição. Por exemplo, um uso do espaço dominado pela propriedade é, nos tempos que correm, uso condenado a repetir-se e/ou a mimetizar outro – e, portanto, uma mediação reveladora do vigor da reprodução do espaço (e das relações sociais). E isso para além da inevitabilidade da apropriação. Coexistindo residualmente nesse mesmo uso, mas com uma data histórica outra, a apropriação sinaliza para a irredutibilidade de "necessidades radicais" (marxianas) contidas na práxis: conceções e relações não capturadas pelo poder e subterrâneas na vida social (Lefebvre, 1965: 20; Martins, 1996: 23), cuja satisfação não prescinde de mudanças na sociedade, e que, por isso mesmo, anunciam, no presente, quais as possibilidades históricas de transformação social (*idem*).

Desse ponto de vista, a questão do uso diferente dos lugares públicos nos centros históricos paulistano e lisboeta se deixa reformular: quais os tempos históricos que impregnam esse uso, qual sua historicidade nesses diferentes contextos urbanos?

A fim de apreendê-la empiricamente, nada como centrar-se em representações, "substitutos da presença na ausência" situados "entre o vivido e o concebido, a meio-caminho talvez entre o que escapa e aquilo que se apropria" (Lefebvre, 1980: 240, 56). O vivido é uma ausência que só através da representação se torna presente (*idem*, 164), embora a própria representação possa ser formalizada (abstraída) racional e especulativamente – e, assim, engolfada pelo concebido (*idem*, 180).

Quando o assunto é espaço, esse vínculo entre o vivido e o concebido pela mediação de representações assume uma importância metodológica ímpar. O espaço vivido é "espaço de representações", prenhe de imaginário (Lefebvre, 2000: 52) – essa "relação da consciência (refletida, subjetiva) com o real" (Lefebvre, 1980: 83) da qual as representações são mediações (*idem*, 56). Já o espaço concebido é âmbito das "representações do espaço" (Lefebvre, 2000: 43, 48). Em suma: o espaço é usado pela mediação de representações a seu respeito. Então, a historicidade desse uso é apreensível analiticamente quando se enfoca a historicidade das representações que o medeiam.

Há que ter em mente, contudo, que o espaço das representações não é análogo às representações do espaço. O primeiro é "povoado de objetos, de projetos e trajetos aos quais se ligam as representações e que fazem parte do representado". Já as segundas são "construídas a partir de um saber e de uma lógica, implicando as aquisições das matemáticas, das técnicas, etc." (Lefebvre, 1980: 50). Como aquele, entretanto, não existe sem esse, dada a mediação da prática espacial (e do uso), crucial é "confrontar" o espaço vivido e o concebido pela mediação de representações: como o espaço das representações e as representações do espaço "coexistem, concordam entre si ou interferem um no outro" (Lefebvre, 2000: 52).

Aqui, é disso que se trata. Cabe compreender como o espaço vivido e o espaço concebido se relacionam em lugares públicos lisboetas e paulistanos pela mediação de representações de historicidade variadas que, por sua vez, medeiam o uso desses logradouros pelos pedestres em cada metrópole. Em suma: como as representações que povoam o espaço vivido se relacionam, em termos históricos, com aquelas que impregnam o espaço concebido, na seara do uso do espaço pelos pedestres?

Explicitados esses aspetos, há como aproximar-se do campo empírico aqui em jogo. Nos termos aqui propostos, a comparação requer uma base mínima de "analogias aparentes" ao pesquisador entre dois ou mais "fenômenos" que, apreensíveis de um ou mais "ambientes sociais" distintos, cabe explicar na medida possível (Marc Bloch [1928: 17] *apud* Haupt e Kocka, 1996: 10). Como essa base de comparação tem de se referenciar à questão dos vínculos entre o espaço das representações e as representações do espaço, cabe identificar ao menos uma analogia aparente nos lugares públicos vividos e concebidos nos centros históricos lisboeta e paulistano.

Como aqui o espaço vivido é contemplado pelo prisma do uso, os sujeitos que interessam em especial são pedestres cujo modo de viver os lugares públicos historicamente centrais de Lisboa e de São Paulo da atualidade esteja especialmente impregnado da historicidade própria da apropriação (do uso) – em meio, evidentemente, ao vigor dialético dos tempos históricos da propriedade (da troca). Ora, nos períodos mais cotidianos da semana – o horário comercial (9-19h) dos dias comercialmente mais úteis (segunda-feira a sábado) –, são *transeuntes* e *não-transeuntes* que coexistem nas vias e logradouros públicos das colinas onde emergiram historicamente as atuais São Paulo e Lisboa. Com efeito, ruas, becos e largos da chamada colina histórica ou central paulistana – atualmente conhecida como Centro Velho – e da colina de São Jorge lisboeta atraem, de um lado, pedestres que se particularizam por um comportamento corporal específico nos lugares públicos: eles por ali passam fisicamente com regularidade, mais ou menos anônimos, nativos ou não (Frehse, 2011: 45). Vão e vêm entre os "setores do cotidiano" (Lefebvre, 2001: 99): os lugares de trabalho, de moradia e de lazer por referência aos quais a rua constitui mero lugar de passagem. De outro lado, há nessas ruas e praças gente que se caracteriza por fazer dali o núcleo espacial referencial de seu cotidiano. É ali que os não-transeuntes encontram trabalho e, por vezes, moradia. São, entre outros, vendedores ambulantes, engraxadores, vendedores de jornais, além de gente popularmente chamada no Brasil de morador de rua, pastor, artista de rua, homem-placa.

Justamente o fato de ali permanecerem com regularidade nos momentos mais cotidianos da semana torna os não-transeuntes interessantes para os fins deste estudo. A sua presença ali é indiferente ao constrangimento físico e moral em favor do trânsito que marca o cotidiano das duas metrópoles. A regularidade assegura que o modo como os não-transeuntes vivem tais ruas e praças se impregne de todas as tensões históricas possíveis entre o qualitativo e o quantitativo, o uso e a troca, a apropriação e a propriedade, o vivido e o concebido – em meio às episódicas operações de 'requalificação urbana' que, traduzidas em reformas, interferem em seu cotidiano.

Essa circunstância fenomênica faz do uso desses lugares públicos pelos não--transeuntes uma mediação passível de revelar sinteticamente – crucial, nos limites deste texto – diferenças, quanto aos vínculos do vivido com o concebido dos quais o uso é mediação reveladora.

Mas onde encontrar investigativamente esses não-transeuntes? Ciente de que também a materialidade física a ser investigada em cada metrópole teria de potencializar as possibilidades analíticas de apreensão de diferenças na historicidade do uso, privilegiei, como primeiro critério para a sua seleção, que a rua ou praça potencial se distinguisse pela presença de algum monumento. Não somente porque a presença de monumentos é crucial para fazer de um lugar público um objeto de políticas de 'requalificação urbana' em meio à voga de patrimonialização. Na perspetiva lefebvriana, os monumentos são prenhes de tempos históricos muito diversos. "Espaços monumentais" essencialmente qualitativos, por serem eminentemente simbólicos, eles são "figurações" do passado de uma cidade, "os nós afetivos e ativos de sua vida cotidiana atual" e a "prefiguração de seu futuro" (Lefebvre, 2000: 253-255; 1961: 308). Dada sua proximidade do lugar público que o abriga fisicamente, é legítimo supor que a historicidade complexa do monumento impregne de algum modo também esse espaço.

Mas quais monumentos? Meu segundo critério de seleção foi que os potenciais lugares públicos monumentais compartilhassem ao menos uma característica relativa ao concebido passível de figurar empiricamente como "analogia aparente". Assim, cheguei às praças que sediam, respetivamente em Lisboa e em São Paulo, a Igreja de Santa Maria Maior e a Catedral Metropolitana de Nossa Senhora da Assunção. Desde a Idade Média as cidades ocidentais possuem praças dotadas de catedrais – 'Sés', sedes de dioceses. É da virada do século IV europeu a valorização de "ambientes basilicais" grandiosos e solenes, dos quais a catedral é exemplar (Pastro, 2010: 264). Se até o final do século XV português a "Praça da Sé" era um "espaço residual, adjacente à malha urbana construída, ou um simples adro de Igreja", foi então que se difundiu ali – e consequentemente nas colônias portuguesas – a representação urbanística de que as sedes das paróquias católicas deveriam ser construídas nos centros geográficos dos povoamentos (Teixeira, 2001a: 75). É o que explica o chamado Largo da Sé lisboeta na colina de São Jorge no mínimo desde então, embora a catedral date de bem antes (1147), erguida no local de uma mesquita após a expulsão dos mouros (Birg, 1994: 849). E se entende também por que a Praça da Sé paulistana tem esse nome e abriga a catedral na colina histórica até hoje, embora quase nada ali mais lembre o alargamento de vias até então conhecido como 'Largo da Sé', que, na face norte da atual praça, abrigou, entre finais do século XVI e meados do XVII, e entre 1745 e 1912, os dois templos em arquitetura colonial, antes da atual catedral neogótica (Taunay, 1954; Frehse, 1997).

Como as catedrais não apenas se situam fisicamente nas praças em questão mas são responsáveis por sua toponímia, pode-se inferir que a historicidade dos lugares públicos em questão seja suficientemente complexa para a busca de diferença no modo como esses espaços – a seu modo monumentais – são usados por seus não-transeuntes.

Por tudo isso, o objetivo investigativo se deixa precisar de modo sintético. Cabe buscar a historicidade das representações dos não-transeuntes das praças da Sé lisboeta e paulistana sobre esses logradouros. Já que, sob o prisma do uso, o espaço vivido é inseparável do concebido, a via para chegar à historicidade do espaço de representações é compreender antes os tempos históricos que impregnam as representações que a respeito dos lugares têm os terceiros que os conceberam fisicamente tais como são hoje: urbanistas, arquitetos, planejadores, tecnocratas – em suma, *especialistas*.

Definidos esses critérios todos, é crucial aludir à interferência de fatores práticos. A pesquisa em Lisboa teve de ser pontual: transcorreu em tardes esparsas entre segunda-feira e sábado de junho de 2010 e de maio de 2011, das 13 às 19 horas. De todo modo, foi possível recorrer a conhecimentos prévios sobre a Praça da Sé (Frehse, 1997, 2005, 2011, no prelo), que tiveram como se renovar graças ao estranhamento suscitado pelo trabalho de campo em Lisboa. De fato, se o contato com o campo português foi de "primeira impressão", sendo o tema e o campo até então "completamente desconhecidos", o "poder evocativo" dessa "experiência etnográfica" marcou "todo o trabalho" (Magnani, 2009: 149, 150). Os instrumentos metodológicos desenvolvidos nesse campo viraram parâmetros para a coleta de dados na Praça da Sé em tardes esparsas de dias úteis de fevereiro de 2012: relatos etnográficos, fotografias e um roteiro específico de entrevistas. É para expressar narrativamente neste texto o estranhamento que pude ter do logradouro paulistano em função da experiência lisboeta, que evoco o largo antes da praça.

É no rastro das representações sobre esses espaços e seus tempos que cabe sair analiticamente a partir de agora. Mas não sem antes apresentar física e socialmente o largo e a praça, tal como eles se apresentaram a mim durante a pesquisa de campo entre 2010 e 2012. Para mais fluidez na leitura, o tempo da narrativa será o presente.

O cenário físico e social 'lá e cá'

O Largo da Sé mede aproximadamente 4000 metros quadrados.[4] Espraiando-se em relativo declive, no formato de polígono quase retangular, pela falda da colina de São Jorge recoberta pelo bairro de Alfama, a área é margeada a leste pela catedral, ao norte pelo muro lateral da Igreja de Santo António, ao sul e a oeste pelo talude que separa o largo de uma travessa mais abaixo.

FIGURA 1. Lisboa: Vista nordeste do Largo da Sé

Fotografia de Fraya Frehse, 2010

[4] Informação prestada por Manuela Canedo, "técnica superior assessora" do Gabinete de Estudos Olisiponenses, em e-mail de 13/04/2012.

Já a rua que atravessa o largo como ladeira continua a noroeste em direção à Igreja de Santo António. Nos prédios sobretudo públicos e residenciais que ladeiam a travessa e a rua prevalece a arquitetura 'pombalina', própria das intervenções urbanísticas por que o centro de Lisboa passou, sob a influência do Marquês de Pombal (1699-1782), após o terramoto de 1755.

FIGURA 2. São Paulo: Vista sul da Praça da Sé

Fotografia de Fraya Frehse, 2012

Mas o largo não se restringe à extensão do leito carroçável que o corta. Pontuada por um ponto de ônibus, a calçada sul dessa via se abre para um largo triangular pontilhado por árvores, bancos de praça, um bebedouro, uma estátua com o busto do ator lisboeta Augusto Rosa (1852-1918) e um quiosque, além do gradil que encerra a entrada para o sanitário público, no subsolo.

FIGURA 3. Lisboa: Vista nordeste do setor arborizado e da rua que perfazem o Largo da Sé

Fotografia de Fraya Frehse, 2010

Em toda a extensão, essa calçada é separada visual e fisicamente do largo por cubos de cimento, que impedem a subida de automóveis e ônibus ao local. E são muitos os que param no meio-fio: em especial táxis e ônibus de turismo, afora uma linha municipal dos célebres 'elétricos' (bondes) e outra de 'autocarros' (ônibus).

Já a Praça da Sé é um adro octogonal quase plano de aproximadamente 37.500 metros quadrados (Milanesi, 2002: 161) que se estende a nordeste e a leste da escadaria da Catedral Metropolitana de São Paulo pela colina histórica abarcada pelo bairro da Sé. O templo margeia o lado meridional de um pátio retangular cujas faces leste e oeste são pontilhadas por duas linhas de palmeiras imperiais. Se o centro desse amplo tablado é tomado por uma pedra em estilo *art nouveau* postada sobre uma rosa dos ventos – o chamado Marco Zero, do qual se medem oficialmente todas as distâncias físicas na cidade –, mais ao norte há, desde 2008, uma estátua do Apóstolo Paulo, além de mastros de bandeiras. Esse mobiliário separa visualmente o setor cimentado do pátio retangular de seu segmento norte, recoberto de árvores de copas largas, sem bancos de praça, mas com uma estátua do jesuíta José de Anchieta (1534-1597), um dos fundadores de São Paulo.

Figura 4. São Paulo: Vista sul do setor arborizado da Praça da Sé

Fotografia de Fraya Frehse, 2012

A leste, a praça é margeada por muretas, que separam fisicamente o pátio retangular de um vasto setor ajardinado com patamares interligados por escadas, árvores baixas e bancos de praça, espelhos d'água, estátuas de arte abstrata, um relógio de rua e as entradas da estação – "Sé" – de metrô. Já a oeste o pátio é delimitado por uma rua com prédios (hoje em dia) essencialmente comerciais, cujos estilos arquitetônicos vão do neoclássico ao moderno. Já o setor sombreado da praça é margeado por estabelecimentos comerciais a leste, duas entradas do metrô ao sul, pela rua anteriormente mencionada a oeste e, ao norte, por uma via que, com suas calçadas, separa o setor quadrado da praça do remanescente triangular do antigo Largo da Sé, desprovido de árvores ou bancos.

Com tais características, o traçado do largo e da praça se distinguem claramente das primeiras praças da Sé de cada cidade. O formato lisboeta é indissociável dos efeitos devastadores do terramoto de 1755 sobre a catedral medieval e seu entorno (Pereira, 2005: 24). Uma clara pista nesse sentido existe no sanitário público, cuja construção subterrânea evidenciou, como explicita um folheto ali disponível, as "estruturas arqueológicas" da entrada de uma casa ruída com o terramoto e depois entulhada e terraplanada (Anônimo, s.d.). Mapas de Lisboa anteriores ao terramoto sugerem que o largo foi mais estreito e triangular (Tinoco, 1853; Vieira da Silva, 1939).

Foi esse também o formato do logradouro paulistano até 1912. Já o projeto da nova catedral foi implantado três quarteirões a sul, após a demolição de todas as edificações ali em prol de um amplo pátio retangular que virou a Praça da Sé. Já nos anos de 1970, essa foi expandida radicalmente a leste, com a construção do metrô, e apareceu o vasto setor ajardinado (Damante, 1958; ICI, 1993; Milanesi, 2002).

No que se refere ao cenário social de ambos os logradouros, vale ressaltar de antemão que, em busca de não-transeuntes, a experiência etnográfica lisboeta transcorreu sobretudo no setor arborizado do Largo da Sé, onde eles se concentram. Por essa mesma razão, ao retornar à Praça da Sé, enfoquei sobretudo seu setor quadrado.

Afora os veículos, foi possível discernir assim, de um lado, muitos transeuntes. No largo lisboeta sugerem ser sobretudo turistas movendo-se entre a Sé e a Igreja de Santo António, além de moradores do entorno e trabalhadores do comércio (turístico) ou dos prédios públicos da redondeza. Esses transeuntes apenas passam por ali, ou estacionam brevemente, de pé ou sentados na escadaria da catedral, em algum banco de praça, nas cadeiras do quiosque ou nos cubos de cimento. Já na praça paulistana, os turistas parecem ser comparativamente menos numerosos, os moradores do entorno quase ausentes – sendo o bairro atualmente pouco habitado (ao menos suas edificações, pois as ruas estão cheias de moradores...). De fato, prevaleceram visualmente para mim ali trabalhadores do entorno ou de longe, indo e vindo da estação de metrô, das muitas lojas de comércio popular e dos edifícios públicos da redondeza.

De outro lado, foi possível reconhecer justamente não-transeuntes. No Largo da Sé poucos: ali trabalham entre as 9h e as 18-19h basicamente dois artistas de rua, o funcionário do quiosque – para a venda de café – e a funcionária responsável pelo sanitário.[5] Eles se insinuaram no mobiliário que particulariza o triângulo sombreado:

[5] Ademais, soube em 2011 que 'moradores de rua' ('sem-abrigo' em Portugal) chegam no adro da catedral por volta das 20h para passar a noite – após a missa e o expediente.

FIGURA 5. Lisboa: Vista oeste do setor arborizado do Largo da Sé

Fotografia de Fraya Frehse, 2011

Diferentemente, o quadrado sombreado da Praça da Sé atrai tipos empíricos bem variados de não-transeuntes:

FIGURA 6. São Paulo: Vista norte do setor arborizado da Praça da Sé

Fotografia de Fraya Frehse, 2012

Há aqueles que, para fins de tipificação, denomino *pessoas de rua*, que ali vivem de dia e de noite ('moradores de rua', 'sem-teto', 'meninos de rua'). Mas há ainda *pessoas da rua*, que ali permanecem sobretudo para fins de sociabilidade (aposentados, desempregados de ambos os sexos e várias idades); *comerciantes de rua*, envolvidos em atividades eminentemente mercantis nesses locais (popularmente conhecidos como 'camelôs', 'prostitutas', 'homens-placa', 'mendigos' e mesmo os trabalhadores das cinco bancas de jornal ali existentes); *artistas* e *religiosos de rua* ('pastores' de denominações evangélicas, supostas 'ciganas' que leem as mãos dos transeuntes); enfim, *artesãos de rua* (engraxadores legal e ilegalmente atuantes no local).

Em face de cenários físicos e sociais tão distintos, foi crucial cruzar minhas impressões sobre a materialidade física de cada logradouro com referências bibliográficas de cunho historiográfico.[6] Já em prol dos tempos históricos do espaço vivido pelos não-transeuntes 'lá e cá', recorri, de um lado, a minhas observações etnográficas sobre deslocamentos e interações sociais dos não-transeuntes flagrados nas praças da Sé. De outro lado, lancei mão de entrevistas individuais com os não-transeuntes dispostos a tanto – e, contrapontisticamente, com trabalhadores das respetivas catedrais, transeuntes dos dois logradouros: conversas semipadronizadas sobre as impressões desses pedestres acerca de seu dia a dia em (relação a) tais praças.

Cheguei assim a um *corpus* de três tipos de materiais que fornecem "indícios" de uma realidade mais ampla (Ginzburg, 1991: 177). No caso, traços, sinais em particular da combinação diferente de tempos históricos que impregna os vínculos entre o espaço vivido e o concebido 'lá e cá' entre 2010 e 2012. Há, de um lado, referências documentais e observações empíricas que remetem em particular a representações que qualifico como *urbanísticas* acerca de cada logradouro. Existem, de outro lado, observações a "técnicas corporais" maussianas dos não-transeuntes (Mauss, 1997: 365): modos como esses sabem "servir-se de seus corpos". Elas sinalizam para representações dos não-transeuntes sobre as respetivas praças. Mas também as entrevistas com esses pedestres contêm indícios nesse sentido. Elas trazem "imagens" desses lugares públicos: "formas" específicas das representações (Lefebvre, 1980: 240) muito próximas do vivido. Invenções individuais, as imagens escapam às abstrações racionalmente elaboradas por se situarem no "sensível", congregando "signos" e "simbolismos" que unem expressivamente emoções individuais e grupais passadas ao presente e ao futuro (Lefebvre, 1961: 288). Ora, se as imagens integram imaginários específicos, é possível

[6] Agradeço, nesse sentido, o inestimável auxílio que em Lisboa e *online* obtive do historiador João Pimentel e do sociólogo Cândido José da Silva Pereira.

avaliar que indícios o imaginário dos não-transeuntes sobre os logradouros contém acerca dos vínculos do espaço de representações com as representações urbanísticas do espaço.

Com efeito, embora a quantidade dessas imagens seja restrita em função do número de pedestres que pude entrevistar 'lá e cá', o seu caráter "indiciário" não se esvai. Dado esse limite do material, transformei em critério para a identificação de indícios de representações o fato de as imagens criadas pelos não-transeuntes durante as entrevistas serem compartilhadas por no mínimo dois deles. Quando apenas um pedestre se remeteu a tal imagem, aí foi fundamental que ela reaparecesse na fala de no mínimo um dos dois entrevistados nas respetivas catedrais.

Emergiram assim diferenças de tempo entre o vivido e o concebido que asseguram um espaço teórico *sui generis* para a diferença, quando o assunto é o impacto da 'requalificação urbana' sobre os usos dos lugares públicos dos centros históricos.

De certa pré-história ao início do século XX: Os tempos do Largo da Sé

Movimentar-se etnográfica e 'documentalmente' pelo logradouro com o olhar atento ao espaço concebido revela quatro representações definidas. Merece destaque, em primeiro lugar, a associação simbólica do largo a *um elemento urbanístico central da cidade*. Já vimos que data do medievo português a representação de que a "praça da Sé" deveria atuar como "elemento gerador de uma malha urbana de que é o centro" (Teixeira, 2001a: 78). E, no entanto, a representação medeia a aparência física e social também do atual Largo da Sé. Uma evidência é que, a despeito da expansão geográfica da cidade ao longo dos séculos e, em particular, desde finais do século XIX, a catedral permanece na colina. O que não deixa de ser digno de nota, considerando que hoje Alfama é apenas uma pálida herança do *glamour* social e econômico que permeava a vida de boa parte dos moradores ali residentes no passado – e até o século XX (Costa, 1999: 83; Noivo, 2010).

Se essa representação do largo é, do ponto de vista histórico, a mais antiga que pude ali discernir, o lugar é mediação também de três conceções mais recentes.

Parece datar das décadas finais do século XIX a conceção do Largo da Sé como *via de circulação* de veículos e pedestres, trânsito e transeuntes. É ao menos o que sugere a única referência bibliográfica que encontrei acerca de transformações urbanísticas no largo após o terramoto. Segundo registra em 1885 o olisipógrafo Julio de Castilho (1936: 38), o largo teria sido demolido pela "atual direção das obras, e reconstruído segundo uma nova forma, em harmonia com as exigências modernas da viação pública no local, conservando-se apenas a parte lateral, com a respetiva escada de acesso à porta sul da igreja". De fato, pelo que sugerem as fotografias do "Largo da Sé" do acervo *online* do Arquivo Fotográfico do Arquivo Municipal de Lisboa, e conversas com o sociólogo Cândido da Silva Pereira, parece ter sido nos anos de 1900, na véspera da instauração do regime republicano (1910), que a rua que risca o atual Largo da Sé recebeu 'elétricos'.

Tal representação até hoje medeia o dia a dia no logradouro. Se só uma linha de bondes e a de ônibus risca o leito carroçável dia a dia e noite a noite, automóveis e ônibus não faltam – com as respetivas 'paragens' e placas de sinalização (Figs. 3 e 5).

Porém, notadamente as imagens do Arquivo Fotográfico sugerem mais: parece ser no mínimo do início do século XX a representação do largo como *praça historicamente moderna*. Penso na valorização social que, no século XIX, começa a ter em Portugal um novo tipo de praça, frequentemente ajardinada (Teixeira, 2001b: 15). Com bancos e caminhos para passeio, ela se difunde pelas cidades dos quatro cantos do mundo no rastro da modernidade europeia oitocentista, prestando-se à permanência física momentânea de pedestres cada vez mais anônimos entre si (Frehse, 2011: 44). As praças viram lugares públicos primordiais de descanso para os transeuntes, em meio ao ir e vir regular que os particulariza fenomenicamente nas ruas e praças.

Também essa representação mediava aparência física e social ao menos do setor sombreado do Largo da Sé quando ali pesquisei. Não à toa o mobiliário urbano data, em termos históricos, do século XIX: bancos, quiosques e mesmo sanitários públicos (*idem*, 271, 277). Porém a própria legislação da Câmara Municipal lisboeta carrega indícios do vigor atual dessa representação na cidade. Em seu sítio eletrônico encontrei, entre os "despachos" relativos a "quiosques" e bancas de jornais e revistas nas vias públicas, a ênfase de que "estes tipos de equipamentos continuam a ser indispensáveis à Cidade quer do ponto de vista económico e social, quer do ponto de vista estético" (Costa, 1991).[7]

A representação urbanística historicamente mais recente que pude apreender é de que o largo é *um ponto turístico privilegiado do centro histórico em*

[7] Agradeço ao historiador Gonçalo Gonçalves a indicação do sítio.

função de sua proximidade em relação à catedral (afora os muitos outros monumentos do entorno).

Na verdade, datam do último quartel do século XIX as primeiras iniciativas – "nacionalistas" – em prol da restauração da Sé em conformidade com aquela que teria sido a sua aparência medieval, após as muitas reformas de feição classicista que o templo sofreu sobretudo depois do terramoto (Neto, 1999: 133). Sob a inspiração das conceções arquitetônicas de Viollet-le-Duc (1814-1879) acerca da "catedral ideal", difundiu-se entre os intelectuais a representação da Sé como testemunho privilegiado das origens históricas da nação portuguesa (*idem*, 133; Rosas, 2005). Porém, apenas em 1902 teve início o restauro da catedral, valorizando o elemento gótico numa catedral tornada "monumento nacional" em 1907 e incorporada pelo Estado após a separação deste em relação à Igreja (1911) (Neto, 1999: 135). Posteriormente, ganhou espaço a "reintegração do monumento no tempo medieval" segundo uma "unidade pristina" (*idem*, 136). Mas essa orientação em prol do elemento românico só entrou em prática no Estado Novo (1933-1974), no âmbito de uma política patrimonial mais ampla que fez dos monumentos nacionais "sinônimos dos momentos cruciais da nossa História" (*idem*, 137): testemunhos supostamente autênticos do berço ancestral da nacionalidade portuguesa.

Por mais que toda essa história tenha transcorrido na primeira metade do século XX, consolidando-se simbolicamente quando, na década de 1940, a catedral sediou parte das comemorações do 8° centenário da Fundação de Portugal e da "Conquista de Lisboa aos Mouros", além do 3° centenário da Independência nacional, essa importância simbólica do monumento permaneceu no segundo Pós-Guerra. A partir de então, o turismo se disseminou ainda mais pelo centro histórico lisboeta – embora date de 1911 o primeiro Conselho Nacional de Turismo.[8]

Assim, tenderam a se potencializar as evidências do vigor da representação urbanística do largo como ponto turístico privilegiado em função da catedral. As políticas de 'requalificação urbana' se intensificaram em Portugal a partir dos anos de 1980 (Peixoto, 2001; Fortuna e Peixoto, 2002),

[8] Evidente nesse sentido é um documentário que conheci em Lisboa em 2011: "Realidades portuguesas n° 1: Turismo" (1961), de Miguel Spiguel (1921-1975), que se dedicara antes a documentários sobre as colônias portuguesas (Batista, 2011: 2). Numa das primeiras cenas – significativamente uma vista do Largo da Sé em direção à catedral –, o narrador associa Lisboa à "cidade do encontro do presente com o passado".

depois de instaurado o regime democrático (1974) e da adesão à União Europeia (1986). E vieram de mãos dadas com políticas de "patrimonialização" – de classificação e proteção formal de bens (Peixoto, 2003: 215n). Nesse contexto, o próprio mobiliário atual do Largo da Sé contribui para atrair turistas. Além dos bancos, do quiosque e do sanitário – construído em 1993 –, penso nas placas de rua indicativas dos monumentos turísticos do entorno. Outro indício: a "Sé Patriarcal" integra a lista dos monumentos do sítio eletrônico do Departamento de Turismo de Lisboa como "edifício religioso mais importante da cidade de Lisboa" (Câmara, 2012).

Explicitadas as quatro representações, nota-se que diversos tempos históricos hoje convivem no largo concebido. Mas e a historicidade do espaço vivido?

É a representação do logradouro como *praça moderna* que se oculta sob uma técnica corporal específica que discerni ali entre os seguintes não-transeuntes: os dois artistas de rua estrangeiros – o afegão Said*[9] (de aparentes 35 anos em 2011 e trabalhando no largo desde 2010, embora pareça ter chegado em Portugal e Lisboa em 2001) e o cinquentenário georgiano Jorge* (que em 2000 imigrou para a cidade, trabalhando no largo desde 2010); o "comerciante" (brasileiro) do quiosque Fabiano* (de 32 anos, no local entre maio e novembro desde 2010, quando chegou do Brasil); e a "assistente de sanitário" Clara* (58 anos, moradora bragantina do entorno do largo desde 1974, tendo ingressado na lida do sanitário em 2010). Fabiano e os artistas costumavam dividir – comigo também – um dos bancos da praça, afora banquinhos e cadeiras que os artistas mantinham para pintar alguma tela (sobretudo Said; Jorge não gostava de pintar "na rua"). Inclusive Clara às vezes subia do subsolo para um pouco de sol e um dedo de prosa num banco, com alguma moradora ou trabalhadora das redondezas.

Embora esparsa, a técnica corporal é indicativa do largo vivido por esses não-transeuntes. Se a mediação principal da presença deles ali nos dias úteis é o trabalho, e trabalho ritmado pela presença cotidiana de turistas na catedral e no entorno, nem por isso o corpo deixa de ser usado em prol do descanso. Para tanto, nada como os bancos.

Também a representação do logradouro como *ponto turístico* reaparece, a seu modo, pela mediação de algumas técnicas corporais desses não-transeuntes. Penso em particular no uso do corpo para comunicar publicamente

[9] O asterico indica o caráter fictício do nome, para fins de anonimato.

supostas virtudes do largo *em função de sua proximidade física a monumentos do centro histórico.*

Reveladoras são, de um lado, as obras dos dois artistas. Mediante licença obtida por "concurso" da Câmara Municipal, Jorge e Said vendiam no largo quadros de autoria própria ou de suas esposas cujo tema quase único era o centro histórico lisboeta, com várias imagens dos bondes diante da catedral, o próprio templo, o largo e Alfama em geral. De outro lado, é significativo que Clara tenha feito comigo um verdadeiro *tour* por todas as cabines (masculinas e femininas) da "casa de banho", chamando a atenção para a brancura dos encanamentos, pias, azulejos e torneiras desde que assumiu o posto, e aludindo orgulhosa à "ruína" arqueológica. Todas essas qualidades da "Lisboa subterrânea" tinham naquela mesma semana sido eternizadas numa reportagem da revista *Time Out Lisboa*, que Clara me mostrou com brio – até porque ela ali fora citada. Enfim, como não mencionar que Fabiano me contou permanecer no largo apenas seis meses ao ano, pois nos outros "o movimento diminui"?

Além dessas técnicas corporais, as imagens do logradouro criadas por esses pedestres durante as entrevistas – partilhadas às vezes por ao menos um dos entrevistados na catedral – se vinculam mais ou menos com o Largo da Sé concebido.

Uma primeira representação é comum a Fabiano e Jorge: o Largo da Sé como lugar prenhe de "história". É "um lugar histórico", disse o primeiro, quando lhe perguntei por que o largo teria a aparência que tem: "História... Não sei por que a catedral tem essa cara. 900 anos fizeram ela assim". Tampouco o segundo pestanejou, embora com dificuldades de expressão em português, quando lhe perguntei o que achava do "lugar" que chamou de "Largo da Sé": "Tem grande história (...). É catedral. Lugar grande".

Considerando que se trata de estrangeiros, seria possível imaginar que é o estranhamento implícito nessa condição sociocultural a mediação crucial das imagens. A fala de Jorge corrobora essa impressão: "Faltam muitas palavras... Li livro... História de Portugal.... Reis que foi boa, que foi mal... Bairro tem grande história...". E, em outro momento, quando a pergunta remete ao significado do lugar para Lisboa, a síntese: "Lugar histórico faz a história do país". Trata-se de uma imagem bem mais evocativa de processos históricos mais amplos que aquela criada verbalmente por Fabiano, que aludiu à "história" apenas quando lhe perguntei sobre a "aparência" do largo.

Seriam essas imagens próprias de quem é de fora e se depara com um lugar publicizado em termos turísticos dentro e fora de Portugal como monumental? Ou de quem também, além de ser estrangeiro, não nutre qualquer vínculo com a religião católica? É esse de fato o caso de Fabiano, que no Rio de Janeiro teria frequentado com seus pais a Assembleia de Deus. Se Jorge é cristão ortodoxo, não deixa de ir à catedral: "Gosto dessas coisas...", embora frequente mesmo a "Igreja Russa... Santa Apolónia".

De que a dupla hipótese tem sentido evidenciam as imagens do largo esboçadas não apenas por Clara, mas Bete*, 63 anos em 2011 e moradora da freguesia "desde que nasci": uma mera transeunte do lugar, pois trabalha no museu da catedral. Ambas compartilham, sem saber, a imagem do Largo como lugar prenhe da história pessoal de cada uma. Foi com os olhos marejados que Clara me contou ser o "Largo da Sé muito bonito", vindo na sequência, após eu aludir a sua comoção, uma verdadeira declaração de amor à catedral e ao logradouro: "Nossa catedral é única, é linda. Me comovo porque eu gosto deste sítio... (...) É um sítio único em Lisboa. Minha filha já nasceu aqui", além de ser ali batizada, tal como a neta, que "hoje" dizia que, "quando se casar, quer casar na Sé". O filho também teria sido batizado "aqui", o marido, catequista por muitos anos e hoje "acólito". Embora bem mais lacônica e impaciente com a entrevista – realizada em grande parte na bilheteria do museu –, também Bete associou o lugar instantaneamente a sua trajetória pessoal: "É um sítio bonito (...). Muito bonito; tenho muita estima por ele, foi aqui que eu me casei; foi aqui que eu conheci meu marido; aqui tinha o meu grupo de jovens. Aqui a gente se conheceu. Depois casamos", tendo ele falecido há quase quinze anos. De fato, "sempre frequentei a catedral, mesmo sem ser como emprego. Porque vinha aqui, cantava, fiz catequese, estás a perceber? Sempre frequentei e frequento. Casei aqui. Fiz a primeira comunhão, a profissão de fé... Toda a minha vida..."

Se a aceção de história é outra quando a proximidade afetiva em relação à catedral é grande, a história, como vínculo entre o presente e o passado, persiste como associação simbólica. O que colabora para fazer desses trechos das entrevistas indícios de um imaginário mediado por uma representação mais abrangente sobre o logradouro: a conceção de que o Largo da Sé é um *lugar de história – do país, de seus moradores.*

Se nesse caso datar não é fácil, cabe considerar, de um lado, que a associação do largo com a história de Portugal é, pelo que vimos antes, historicamente indissociável de fins do século XIX. Já quando o assunto é a história pessoal, como não lembrar da reflexão lefebvriana sobre a antiguidade quase pré-histórica do "espaço absoluto", que é "produzido por comunidades em torno de sangue, terra e língua" (Lefebvre, 2000: 60)?

A conceção não se confunde com qualquer das representações urbanísticas de espaço anteriormente apresentadas. O que não surpreende, se lembrarmos que o espaço de representação "tem um nó ou centro afetivo" passível de ser, entre outros, "a praça, a igreja", contendo "os lugares da paixão e da ação, os das situações vividas; portanto implica imediatamente o tempo" (*idem*, 52).

E, no entanto, decerto é fácil grupos sociais específicos mobilizarem a conceção para promover ideologicamente o logradouro como ponto turístico. A substituição de representações é uma das "leis da representação social e política" (Lefebvre, 1980: 83).

Pelo que sugerem as evocações, a catedral é relevante na representação do largo como lugar de história. Clara foi explícita: "A catedral é a igreja-mãe", sinalizando para o vínculo simbólico do templo com a estrutura institucional da Igreja. Mas a funcionária associa essa imagem a uma segunda, quando a questiono sobre o significado do largo para Lisboa: este seria "o coração" da cidade. Fabiano vai em direção análoga em sua resposta à pergunta: o lugar representaria o "centro", pois "é pra cá que todo mundo vem, pessoas dos outros países, aqui que rola escritórios, aqui que funciona tudo". Essas imagens nos aproximam, pela mediação do vivido, da representação urbanística do largo como *elemento urbanístico central da cidade.*

Isso, ao lado de outra representação de espaço anteriormente mencionada. Clara assinalou de passagem que o largo é um "sítio em que há muito turismo". Também Bete foi fugaz, remetendo entre outros, face a minha pergunta sobre o significado do lugar para Lisboa, "pro turismo. Pra vir à catedral". Já quem passa o dia no triângulo arborizado tem mais a dizer. Fabiano, por exemplo, afirma gostar do local porque "você conhece várias... culturas do mundo inteiro, pessoas... ingleses, espanhóis". Turistas, "gente de fora" frequentaria não somente o quiosque, mas o largo em geral. Mas evocou o turismo também como um elemento simbólico afora a história, quando o questionei sobre o significado do lugar para a cidade: "é muito bom, fonte de renda pro país. Acho que é isso também. (...) O próprio país ganha com isso em termos de turistas". Também Jorge respondeu a pergunta aludindo, além da história, ao turismo: "Aqui tem muito grande arquitetura... Turista ganha dinheiro pra ver essas coisas. Turista gosta de coisas antigas...". Assim reapareceu, agora 'na boca' de não-transeuntes de origens socioculturais distintas, o Largo da Sé como *ponto turístico lisboeta privilegiado.*

Outras três imagens, por sua vez, convergem com uma conceção urbanística alternativa. Além de insinuar-se pela mediação de uma das técnicas corporais elencadas anteriormente, a *praça historicamente moderna* se deixa entrever na evocação de Clara à presença de turistas do largo: eles "vêm cansados, deixam-se deitar nos bancos. Ficam aí sentadinhos". Fabiano vai em direção análoga, embora não remeta aos turistas: o lugar seria frequentado por "gente que sobe essa ladeira e para aqui para descansar, tomar um arzinho". Valorativamente bem mais parcial sobre o modo como o largo seria usado pelos pedestres é, por sua vez, o cônego da catedral, lisboeta de 54 anos que há quatorze anos vive no entorno em função do trabalho. Para ele, não há "muito significado" no largo, para Lisboa: "É um sítio de passagem. As pessoas não vivem como espaço e como largo. Pra um ou outro morador, apenas, que repousa ali e senta ali para ver os elétricos passarem". Mas as procissões não assegurariam algum significado alternativo ao Largo? "Aqui [em Lisboa] há bastantes procissões, e não passam aqui".

A observação sugere uma visão negativa do largo, indiferente ao vínculo desse com as funções religiosas da catedral. Não há lugar nem para as duas procissões lisboetas mais populares, Santo António e Corpo de Deus, que se iniciam e findam na catedral.[10]

Para além de seu caráter pontual, as técnicas corporais e imagens verbais são reveladoras de uma historicidade específica a impregnar o uso do espaço. Este é mediado por representações cujas datas históricas variam de certa pré-história ao início do século XX. Penso no largo vivido como lugar de certa história comunitária ou de Portugal, como elemento urbanístico central da cidade, como praça moderna, como ponto turístico.

Mas há mais. Dessas quatro representações, três convergem com três das quatro conceções urbanísticas anteriormente apresentadas. Apenas o lugar de história não encontra eco direto nas representações de espaço – embora seja passível de interferir com facilidade na conceção urbanística do Largo da Sé como ponto turístico monumental privilegiado. Por outro lado, apenas a via de circulação não aparece na 'boca' dos não-transeuntes (nem dos transeuntes): talvez por todos terem sido entrevistados fora da rua?

[10] Sobre Santo António cf. Braga (2012), Carvalho (1991) e Cordeiro (2010); sobre o Corpo de Deus, cf. Perez (2010).

Então, o logradouro usado pelos não-transeuntes é um espaço de representações, no mínimo, historicamente centenárias que estão bastante ligadas – quando não são análogas, mesmo – àquelas que circulam entre os especialistas que direta ou indiretamente atua(ra)m sobre o logradouro em termos urbanísticos, ao longo dos séculos. A existência dessa dinâmica de deslocamento das representações aponta que, se falar em consenso seria exagerado – dado o caráter fragmentário dos dados –, há ao menos uma indelével comunicação simbólica em jogo entre o vivido e o concebido.

Mas tudo pode ser bem diferente. Basta retornar à Praça da Sé.

De certa Idade Média à década de 1970: A historicidade da Praça da Sé

Como vimos anteriormente, também a materialidade atual do logradouro paulistano expressa a contundência da representação urbanística de que a praça-sede da catedral é um *elemento urbanístico central da cidade*. Como em Lisboa, a maior evidência reside no fato de a Catedral Metropolitana se manter na colina histórica até hoje, a despeito de o perímetro central paulistano ter, a partir sobretudo da década de 1970, deixado de ser o local privilegiado de moradia e circulação diária de setores social e economicamente mais privilegiados da metrópole.

Com efeito, na esteira de um processo de urbanização que reservou ao centro histórico o papel de principal entroncamento viário do transporte público metropolitano – e, assim, o papel de "território de transbordo" (Meyer, 1999) –, além de crucial centro do comércio ambulante, enquanto os bairros mais distantes viraram áreas residenciais favoritas de segmentos sociais médios e altos, esse perímetro passou a atrair trabalhadores e moradores que, em função da especulação imobiliária crescente sobretudo desde os anos de 1970, tendem a se concentrar ou nas regiões mais longínquas da metrópole – a chamada periferia (Kowarick, 1979; Martins, 2008) – ou nas praças e ruas do centro (Sposati, 2000; José, 2010). É o que na literatura é chamado de "popularização" (Comin e Somekh, 2004; José, 2010). Nesse contexto, por mais surpreendente que soe, a permanência da catedral na praça é inseparável, em termos históricos, da mediação da representação urbanística medieval também em São Paulo.

Mas essa conceção coexiste, como mediação, com quatro outras. Data da mesma época da demolição da segunda catedral colonial a proposta urbanística, inspirada esteticamente no arquiteto francês Joseph-Antoine Bouvard (1840-1920) e economicamente na prosperidade do café, de que os três quarteirões traseiros à catedral deveriam ceder espaço a uma "praça cívica", retangular com novos monumentos de poder e de fé para multidões (Campos, 2002: 150, 183s; Sevcenko, 1992: 103).

Se a representação do logradouro como *praça cívica* é datada, nem por isso deixa de se fazer presente ali até hoje. A despeito da segunda reforma radical por que a praça passou, já no início dos anos de 1970, a esplanada retangular foi mantida, consolidando-se, sobretudo durante o regime militar (1964-1985), como o principal local de manifestações políticas da cidade (José, 1997: 88-89). Já mais recentemente esse papel político tem sido assumido por movimentos sociais ligados aos chamados moradores de rua e 'sem-teto' – como os jornais diários e a observação etnográfica evidenciam.

Uma terceira representação é historicamente um pouco mais antiga, mas também a conhecemos antes: o logradouro como *via de passagem privilegiada para o trânsito de veículos e pedestres*. Significativamente, a primeira linha de bondes de tração animal foi inaugurada no então ainda Largo da Sé paulistano em 1872 (Frehse, 2005: 130). Com a demolição da velha catedral, apenas se multiplicaram as formas de materialização dessa conceção urbanística. Além de bondes, carroças, carruagens e ônibus, o amplo vazio poligonal fronteiro ao novo templo virou sinônimo de transporte viário. Até a inauguração da nova catedral, em 1954, a então recente Praça da Sé foi um amplo estacionamento de automóveis, além de parada de ônibus, enquanto as ruas contíguas eram riscadas por bondes elétricos. Na década de 1950, o estacionamento cedeu espaço a mais pontos de ônibus, a árvores e a bancos de praça, até que a segunda reforma abrangente modificasse tudo isso em prol da consolidação da Praça da Sé como entroncamento principal das primeiras linhas de metrô da cidade, implantadas a partir de 1969 (Frehse, 1997: 135-146; Milanesi, 2002: 87-178).

Mesmo a última reforma do logradouro, entre 2006 e 2007, manteve, em linhas gerais, essa orientação. Significativamente, uma das principais providências da Empresa Municipal de Urbanismo (Emurb, 2005: 10-3) foi instalar rampas e passarelas de pedestres sobre os espelhos d'água e patamares do segmento ajardinado, para fins de "acessibilidade" e de "circulações transversais e diagonais". Outra evidência recente do vigor da representação se insinuou para mim na entrevista com o cônego da catedral, um sexagenário paulistano há três anos responsável pelo templo. Quando lhe perguntei sobre as procissões na praça – numerosas ali no mínimo até o início do século XX (Frehse, 2005: 143; 2011) –, a resposta foi que atualmente só haveria uma curta, na Sexta-Feira Santa, já que há pelo menos "5-6 anos" a Companhia de Engenharia de Tráfego teria dificultado os trâmites burocráticos para a concessão de autorizações nesse sentido. Enfim, vale ressaltar que, além do metrô e de (muitos) veículos particulares, a praça é ladeada hoje em dia por onze linhas de ônibus públicos (Nascimento, 2011: 151-152).

Por sua vez, a reconfiguração física dos anos de 1970 é evidência de uma quarta representação urbanística de espaço. Também aqui uma certa analogia com o largo lisboeta é possível. Refiro-me à Praça da Sé como *praça moderna*. A conceção, entretanto, parece valer apenas para o vasto segmento ajardinado oriental do logradouro. Foi ali que os arquitetos investiram em equipamentos como bancos de praça, espelhos d'água, canteiros e esculturas (José, 1997: 68), fazendo face às intervenções ligadas à implantação da estação central do metrô no subsolo.

Também essa representação continua, a seu modo, válida até hoje – mas apenas no setor ajardinado da praça. De fato, a reforma mais recente manteve, a despeito das passarelas e rampas, inalterada a aparência desse segmento. De fato, a "premissa básica" foi "colocar a população no interior da praça" (Emurb, 2005: 10-3). Já em qualquer outro setor da praça, a ausência de bancos de praça é flagrante.

Explicitados todos esses aspetos, o que dizer em São Paulo da representação, tão contundente em Lisboa, desse tipo de logradouro como ponto turístico primordial da cidade, em função de sua proximidade com a catedral monumental?

Para tanto é inevitável, como já em relação ao largo lisboeta, levar em conta a história de interferências do Estado na materialidade do templo. À diferença do cenário lisboeta, a separação entre Igreja e Estado, a partir da República (1889), não implicou a perda da catedral pela Igreja (Damante, 1958: 735). Sem o papel de símbolo das origens da nacionalidade de que a catedral lisboeta foi investida nessa mesma época, em São Paulo, o templo ficou bem mais suscetível a transformações físicas radicais. De fato, nos anos subsequentes fortaleceu-se na Igreja local a proposta de uma catedral nova, liberta, em termos arquitetônicos, do estilo colonial português, mas sinalizadora ao mesmo tempo – supostamente nas palavras de seu arquiteto alemão – da "elegância e esbelteza" do predomínio de "fortes linhas verticais" próprias das catedrais, como "grandes monumentos" de natureza religiosa (*idem*, 738). O resultado foi o edifício gótico de cúpula renascentista (Ponzio, 2003), construído entre 1912 e a década de 1960 (Frehse, 1997).

O projeto já foi lido como "gesto nacionalista" do bispo que o idealizou (Martins, 1999: 3). A proposta emergiu durante a romanização da Igreja Católica no Brasil, sendo interpretada, por isso, como "uma das características da nossa modernidade, que é o desenraizamento cultural e o arbítrio das colagens estéticas" (*idem*, 2).

O que quer que tenha sido, data apenas de 2007 a primeira medida legal efetiva de proteção do templo: o seu tombamento no nível municipal (Conpresp, 2007), embora sejam identificáveis iniciativas anteriores de particulares (Martins, 1999). Significativamente, a resolução se estende a um conjunto mais amplo de "bens" (edificações, praças, obras de arte e viadutos) do "Centro Velho" reconhecidos como merecedores de "preservação integral" por seu "excepcional interesse histórico, arquitetônico ou paisagístico" (Conpresp, 2007: Artº 2º). Em suma, estamos em face de patrimonialização, mas longe de um monumento como a catedral lisboeta, reconhecido patrimonialmente como único não apenas na cidade, mas no país há mais de cem anos.

Sinalizaria tal medida para uma valorização também turística da praça como sede de um monumento, por parte dos especialistas do poder público responsáveis por intervir fisicamente ali? Sim e não. Sim, quando se considera que a preocupação com "turistas" na Praça, ausente dos projetos relativos à reforma de 1970 (José, 1997; Milanesi, 2002), aparece numa síntese do projeto da última reforma – intitulada, significativamente, de "requalificação da paisagem urbana" (Emurb, 2005: 1): busca-se, entre outros, a "apropriação da praça pelos usuários da região e por *turistas*" (*idem*, 10-13; itálico meu).

No entanto, o logradouro carece totalmente de placas explicativas da monumentalidade das estátuas e do Marco Zero ali presentes (Figs. 2 e 4). Aliás, é significativo que o sítio eletrônico atual da Secretaria Municipal de Turismo não mencione a catedral e, muito menos, a Praça da Sé, no *link* relativo a "O que visitar" (SPTuris, 2012). Após muito procurar há como encontrar, num 'sub-*link*', uma fotografia da praça com a catedral, associada ao "centro de São Paulo" que pode ser visitado "a pé"; e a catedral aparece em 15° lugar no "roteiro de arquitetura pelo centro histórico".

Essas são indicações de que a representação da praça como *ponto turístico privilegiado em função da catedral* parece *não* ser mesmo *unívoca*. Ao menos, entre alguns especialistas da Prefeitura responsáveis por intervir na sua materialidade física.

Por tudo isso, também a Praça da Sé concebida congrega representações de historicidades distintas. Se, como no largo lisboeta, elas vão da Idade

Média portuguesa – quando São Paulo nem existia – ao início do século XX, a combinação entre praça moderna (no setor ajardinado) e via de circulação (no pátio retangular), materializada no logradouro nos anos de 1970, tem um cariz funcionalista e quantitativo (Milanesi, 2002: 161) indissociável do urbanismo do segundo Pós-Guerra – que Lefebvre tanto criticou como testemunho e promotor do "espaço abstrato", impregnado de formas e quantidades cruciais para o funcionamento do capitalismo contemporâneo (Lefebvre, 2000: 64).

Mas é hora de inverter, ainda uma vez, o prisma em busca o espaço de representações. Dos muitos não-transeuntes que o logradouro congrega nos períodos da semana aqui em foco, merecem destaque quatro com os quais tive contato não apenas visual, mas mediante observação participante e entrevistas em fevereiro último. Refiro-me a José*, mineiro de 70 anos que há 40 trabalha no setor arborizado da praça como "engraxate", engraxador formalmente autorizado pela Prefeitura, tendo chegado na cidade um pouco antes; a Marco*, outro engraxador credenciado, mas agora paulistano de 42 anos, cujos últimos vinte transcorreram ali; a João*, de 58 anos, há vinte proprietário de uma banca de jornal formalmente autorizada; e o paranaense cinquentenário Pedro*, há quase vinte anos na cidade e há cinco morador do setor ajardinado da praça.

De novo, as técnicas corporais são sugestivas. Mas não de qualquer representação urbanística que já conhecemos. Justamente de um alheamento em relação a elas.

Também na Praça da Sé, o corpo que trabalha quer sentar. Para tanto, nada como a cadeira do engraxador; ou banquinho entre as paredes de revistas, jornais e livros da estreita banca de jornal. No logradouro, só há chão, os canteiros das árvores ou muretas – "mas o pessoal fica cismado de sentar lá", diz Marco. Tudo isso afora a longínqua escadaria da Sé – cerca de cinquenta metros ao sul da área das cadeiras e bancas.

Para além do uso do corpo para o sentar, a mesma permanência bem perto dos objetos de trabalho que registrei em Lisboa. Mas nada disso se traduz em gestos e/ou posturas que evidenciem, perante a "pesquisadora professora da USP", estranha, mesmo que não estrangeira, algum indício da representação que percebi contundente entre os não-transeuntes do largo lisboeta: aquela do logradouro como crucial ponto turístico da cidade. Na verdade, o termo "turismo" só foi mencionado uma vez por José, e de passagem, ao responder o que a praça significaria para São Paulo: "Aqui passa 3.000 pessoas por dia: turismo, comprador de [?], gente que quer informação".

Já uma técnica corporal bastante comum entre outros não-transeuntes presentes na praça é reveladora da representação da praça como *lugar de moradia*. Refiro-me ao ato de deitar o corpo no chão, na mureta ou nos canteiros, muitas vezes sobre papelão ou mantas, bem em conformidade com modos de usar ruas e praças que há tempos foram associados à chamada população de rua em São Paulo (Vieira *et al.*, 1994: 37-40).

O reconhecimento de que a representação é comparativamente específica à Praça da Sé me adveio do trabalho de campo lisboeta. Ali, diferentemente, o período comercial dos dias úteis não deixa entrever qualquer 'sem-abrigo'. Foi graças ao explícito incômodo de Bete em relação aos "sem-abrigo" com os quais cruzaria "todo dia" no adro da Sé "de manhãzinha" ou à noite, que permaneci uma vez no largo até as 20h, a fim de acompanhar, mesmo que de longe, a movimentação desses não-transeuntes por ali. Pude notar então que, à diferença da praça paulistana, apenas nesse horário um aparente 'sem-abrigo' se aproximou do adro do templo – não do largo –, caixa grande de papelão em mãos, a fim de montar rapidamente e com grande discrição, bem perto da porta da catedral, o abrigo noturno atrás de cujas paredes logo depois se escondeu, o corpo todo 'encaixotado' – tanto que fiquei um pouco constrangida de me aproximar para conversar.

A experiência me sugeriu que a diferença entre 'lá e cá', nesse sentido, parece ser sobretudo a visibilidade da técnica corporal, quando o não-transeunte se encontra fisicamente perto de estranhos, mais ou menos estrangeiros como eu, e outros pedestres em movimento por ali. De fato, na Praça da Sé de fevereiro último, os muitos não-transeuntes costumavam deitar-se nos mais diversos cantos também de dia – distanciando-se claramente da aparente discrição do não-transeunte lisboeta. Foi Pedro, em particular, que me explicitou voluntariamente morar "no meio da praça, debaixo daquela árvore que eu te mostrei anteriormente", sobrevivendo de "fazer peditório" no entorno. E convidou-me a que o entrevistasse em "minha casa", ou seja, "minha árvore lá trás". Ao chegar ali comigo e sua jovem companheira grávida, de 19 anos, e perceber que uma viatura da Guarda Civil Metropolitana se afastava das proximidades, estendeu uma manta no gramado e se sentou, convidando-me a fazer o mesmo para conversarmos.

Se essas técnicas corporais sinalizam para a representação da praça como lugar de moradia, as falas dos entrevistados apontam para sete outras conceções. Mas, ao contrário de Lisboa, apenas duas convergem de algum modo com aquelas da praça concebida.

Uma primeira representação vai ao encontro da praça como *lugar de história*. Mas o que vem para o primeiro plano é a história urbana local. Ao remeter ao significado do lugar para a cidade, João alude ao "centro", que "representa muito", por ter sido "o começo da coisa aqui. (...) o problema de fundação de São Paulo, um problema histórico". Já a paulistana Vanda*, 56 anos e há oito funcionária responsável pelas visitas guiadas à cripta da catedral, ressalta que o logradouro é "onde se iniciou toda a construção do centro de São Paulo". Falando, por sua vez, de um lugar social e mesmo físico bem distinto, o morador da praça Pedro estabelece uma associação entre o logradouro e "o pedestal de São Paulo, né? Não sei não... (...) Mas eu ouvi dizer isso... que ela é o máximo de São Paulo, que São Paulo começou por aqui". Enfim, quando quem tem a palavra é o cônego, a "história" é a "da Igreja na cidade. A Igreja Católica Apostólica Romana. Tá lá a presença da Igreja. Os sinos chamam o povo pra vir rezar".

O universo social é bem distinto do lisboeta. Embora em dois dos três casos estejamos em face de paulistanos, sendo o primeiro um não-transeunte da praça há vinte anos, suas falas não aludem a qualquer história pessoal; se muito, ela se liga à "história de São Paulo". A data histórica dessa representação é indissociável justamente das primeiras décadas do século XX, quando a intelectualidade local – inclusive o bispo idealizador da nova Sé – se engajou fortemente na promoção ideológica da associação entre as histórias da cidade e do estado com a história do Brasil (Martins, 2012; Damante, 1993).

Por sua vez, uma segunda representação dos não-transeuntes da praça dialoga não somente com o cenário lisboeta, mas com uma das representações urbanísticas do logradouro paulistano: a praça como *elemento urbanístico central da cidade*. Se o vínculo do logradouro com o centro é explícito já na fala de João que mencionei antes, depois veio uma alusão à densidade histórica dessa imagem. Talvez recorrendo a conhecimentos de seu passado de "engenheiro", ele explicou, quando a pergunta visou o significado da catedral para o logradouro: "Se você pegar as cidades do interior aí, quase todas têm uma igreja bem no centro da praça... Não sei... Já vem da Antiguidade, viu?"

Outro indício nessa direção apareceu quando foi Vanda que situou a praça na cidade. Bacharel em turismo, ela generalizou que "Como todo mundo diz, é centro, bem centro". De fato, "Sempre a catedral é ponto central da cidade. Nas cidades menores há igrejas matrizes". A despeito de a origem social de José ser outra, taxista até virar engraxador, também aqui a imagem retorna, mas sem alusão histórica: o logradouro é "o centro de São Paulo. Centro porque é bem localizado. Centro é estar no centro, na capital". Parecem não importar os outros centros comerciais e financeiros da metrópole hoje...

Se essas imagens remetem a representações que medeiam o imaginário de ao menos alguns não-transeuntes em Lisboa e São Paulo, as cinco representações que conheceremos a partir de agora parecem ser exclusivas da realidade local.

Trata-se, primeiramente, da conceção do logradouro como *lugar de uma diversidade humana ímpar* que, na praça vivida simbolicamente, se esboça através de imagens variadas. Os engraxadores contribuem, sem saber, para o vigor da representação ao aludirem à quantidade de gente que por ali circularia dia a dia. É "um lugar que passa milhares de pessoa" (José), um lugar "muito legal, alegre, de companheirismo... dialogar. Com pessoas" (Marco). Se a conceção parece se dever ao fato de que estamos em face de não-transeuntes, que passam o horário comercial de seis dos sete dias da semana no quadrado arborizado da praça, Vanda e o cônego relativizam a impressão. E isso embora nessas falas o critério quantitativo ceda espaço a qualificações alusivas a uma certa anormalidade do lugar. Para a funcionária, que na hora do almoço gosta de "passear" pelo centro da cidade, "[a praça] é um lugar divertido, cê vê um pouco de tudo. A fauna humana. Cê vê o louco. Atitudes humanas que você nunca imagina você vê ali". Já o cônego é valorativamente mais parcial, associando a praça a "loucura. Porque... é um ímã que chama de todos os lados, pontos da cidade, gente de tudo quanto é tipo".

Trata-se, por tudo isso, de uma representação que converge de modo peculiar com a representação urbanística do logradouro como *praça cívica*. Ela, afinal, é indissociável de um enaltecimento valorativo muito próprio da modernidade europeia mas também paulistana do primeiro Pós-Guerra: as praças das cidades 'modernas' deveriam ser vastas para congregar multidões de anônimos (Sevcenko, 1992: 103).

Nem sempre, entretanto, a associação imaginária entre o logradouro e a diversidade humana existe independente de uma segunda. O mesmo Marco que de início elogiou, a seu modo, o cosmopolitismo da praça, logo mais respondeu categoricamente, ao ser perguntado se seria "bom para as pessoas ficarem na praça": "Não. Por causa do ambiente. Perigoso", sendo "perigoso", para ele, "pessoas". O vendedor de jornais João, por sua vez, foi mais unívoco: "Esse lugar realmente não é um lugar bom de transitar. Já foi. Mas hoje...". Teria piorado desde que ele começou a trabalhar no logradouro? "Piorou... O pessoal, né?... Você vê muito mais pessoal desocupado, pessoal carente, nas ruas, é perigoso andar..., dependendo do horário... Até de dia".

A fala de Vanda sugere que as imagens evocativas do perigo não são exclusivas dos trabalhadores da praça. Ela afirma que "as pessoas têm medo" ao saberem que ela trabalha na frente da Praça da Sé, embora ela própria não considere o local perigoso.

É a representação da praça como *lugar de perigo* que aqui se insinua fragmentariamente. Ela concorda – em termos lefebvrianos – com a representação veiculada com vigor pelos jornais paulistanos nos anos de 1990 pela mediação de reportagens sobre o aumento de "assaltos" e a presença de "meninos de rua" e "camelôs" (José, 1997: 98ss). Mas, na verdade, a representação é anterior. A crescente popularização do centro é diretamente proporcional à proliferação de imagens de sua suposta "deterioração", "degradação", termos que medeiam as intervenções do poder público no centro desde os anos de 1970, além do debate acadêmico e, a partir da década de 1990, as políticas de associações privadas em prol de sua 'revitalização' (Frúgoli, 2000: 61-109).

A representação do perigo coexiste com outras duas de caráter valorativo por referência à praça. Elas apareceram juntas nas falas de não-transeuntes como Marco e João, e de transeuntes como Vanda e o cônego, quando lhes perguntei o que achavam da "aparência física do lugar". Sutil, Marco afirmou que "Podia ser melhor. O chão... muito buraco. Já vi pessoas se machucando... (...) Falta cuidar mais... O verde, o cheiro, a limpeza... Tem que dar mais uma melhorada...". Já os outros distinguiram categoricamente o cenário físico do social. Para José, a aparência "é bonita..., a paisagem. Poderia ser muito mais bonita. (...) O pessoal faz xixi... Não tem o cuidado". Vanda foi em direção análoga, só que, atenta ao "patrimônio", contrapôs a beleza do "lugar em si", de sua "aparência", ao fato de que "as pessoas não [o] tratam da maneira como ele devia ser". É que "as pessoas jogam lixo na rua, quebra piso, não conservam. (...) Não existe respeito com o patrimônio". Enfim, o cônego foi, novamente, o mais perentório, dizendo achar a praça "feia" pelo fato de ter "muita gente à toa. O problema é as pessoas, é claro. (...) a 'feira do rolo' [feira clandestina de permuta de mercadorias], pais e mães de rua, com pessoal drogado, punguistas, gente da pior classe tá parada aí".

Pautada nessa dicotomia simbólica entre as supostas virtudes de sua aparência física e os males de sua aparência social, a Praça da Sé se vê inserida em mais uma associação imaginária indissociável, em termos históricos, do processo de popularização das últimas décadas. É a representação do logradouro como *cenário físico belo de pedestres socialmente marginalizados* – às vezes, aliás, pelos próprios entrevistados...

Se não-transeuntes e transeuntes do meu pequeno *corpus* documental convergem, sem saber, em torno dessa conceção, uma quarta parece mediar o imaginário especificamente dos não-transeuntes da praça. Esta é *lugar de realização da atividade social que condiciona a permanência do não-transeunte ali: trabalhar ou morar.*

A conceção se insinuou para mim, sobretudo, através das respostas a "Gostaria de ficar por aqui por quanto tempo mais?" Em sua resposta, o engraxador José afirmou logo que "se aparecer uma oportunidade melhor para mim, ganhar mais do que estou ganhando", iria embora. Já Marco insinuou um problema no relacionamento do poder público com "todos" ali, ao argumentar que "Se eu visse que outro ambiente é melhor que esse aqui, eu mudaria (...), um ambiente organizado (...), a assistência [da Prefeitura] ... muito pouca... pra todos". Tais evocações não se confundem com aquelas dos não-transeuntes do largo lisboeta. Esses aludiram a planos profissionais e pessoais *que incluíam ou não* o trabalho no logradouro – a despeito da atual crise financeira portuguesa. Já em São Paulo, tive a impressão de que o trabalho na praça resultava de uma total falta de alternativa – a despeito do aquecimento econômico brasileiro atual.

As duas falas provavelmente devem muito à suspensão, pelo atual prefeito, dos "termos de permissão de uso", licenças para atividades sociais variadas nas ruas, em particular o comércio ambulante. Uma certa insegurança em relação ao futuro permeava a fala dos engraxadores. Embora estes há décadas detivessem tais termos, me contaram dos rumores recentes, na praça, de que renovações não seriam mais possíveis.

Mas um indício da representação da praça como mero lugar de trabalho transpareceu também quando o assunto foi "o que acha deste lugar" e o entrevistado, João. Este complementou sua observação sobre a "piora" da praça com o seguinte comentário: "venho aqui porque eu trabalho aqui, porque se eu tivesse que vir passear aqui eu não viria". A seu modo, é uma contundência que reaparece em Pedro quando lhe perguntei, para fins comparativos em relação às outras falas, quanto tempo mais gostaria de ficar na praça – sem ignorar que gosto, nesse caso, poderia nem bem se aplicar: "Pra mim tanto faz dormir aqui e dormir em outro lugar qualquer. (...) Se pudesse, sairia agora. [Por quê?] Não que não tenha nada de bom; a gente tem que procurar o melhor".

Esses são indícios de uma representação cuja data histórica é difícil cogitar. De todo modo, em termos lefebvrianos ela é indissociável do capitalismo do segundo Pós-Guerra. É desde então sobretudo que o modo de vida cotidiano tem historicamente como encontrar expressão na "cotidianidade", momento em que predominam a homogeneidade, a fragmentação e hierarquização do tempo linear – do trabalho cotidiano (Lefebvre, 1981: 85). É, por isso mesmo, um momento no qual se exacerba simultaneamente o caráter contraditório dos ritmos cíclicos do não cotidiano, do monumental – e da possibilidade de que a Praça da Sé seja mais do que uma expressão física do espaço abstrato, portanto, um mero lugar funcional de trabalho ou moradia.

À luz dessa representação, não surpreende que, ao contrário de Lisboa, a catedral esteja ausente do imaginário dos não-transeuntes sobre a praça. Nem sempre o templo foi reconhecido nas falas como "Catedral da Sé": uma vez, como "Catedral da Praça da Sé" (José) e outra, como "Catedral de Roma, porque o Papa que estabelece, o Papa que cuida disso aqui" (Marco). Ademais, o templo não foi nunca associado à praça. A evidência mais radical é a associação imediata que Pedro esboçou quando eu, apontando para o pátio retangular da praça, perguntei pelo nome do local e o que ele dali achava: "Ali é a boca dos marreteiro, dos camelô (...). Aqui é o miolo da Sé. (...) Às vezes você procura um clipes ali pra prender um papel, e você arruma ali. E daí pra frente".

Tais imagens colaboram para a representação do logradouro como *praça independente da catedral*, mais uma conceção indissociável do segundo Pós-Guerra e da relevância histórica do espaço abstrato. Basta lembrar que uma das características desse é "funcionar negativamente" em relação a "aspetos históricos, religiosos e políticos" e a um "espaço-tempo diferencial", recetivo às qualidades e diferenças; e a "funcionar positivamente em relação às implicações" do espaço abstrato: "técnicas, ciências aplicadas e o saber ligado ao poder" (Lefebvre, 2000: 62). Embora estejamos longe da Paris da década de 1970, que foi a referência empírica primordial de Lefebvre para essa reflexão, a Praça da Sé imaginada pelos não-transeuntes invariavelmente se deixa associar ao caráter secular do espaço abstrato. No imaginário em foco parecem não importar a formação católica que (todos) tiveram no mínimo na infância, a proximidade física em relação à catedral, e mesmo o peso simbólico do templo na toponímia do logradouro. Será por isso que a palavra "turismo" foi mencionada uma só vez?

Por tudo isso, são bem diversas as representações que pude discernir na praça: quatro de natureza urbanística, das quais uma, relativa ao turismo, é hesitante; e sete insinuadas por técnicas corporais e imagens criadas verbalmente pelos não-transeuntes entrevistados. Se o panorama é bem diferente daquele apreendido no largo lisboeta, importa o que ele revela sobre o uso da Praça da Sé. Sua historicidade é inconfundível com aquela que medeia a prática espacial que conhecemos no largo lisboeta. Embora a praça como lugar urbanisticamente central da cidade e a *praça cívica* remetam respetivamente a certo passado medieval e ao início do século XX de odes a multidões "cívicas", o uso que os não-transeuntes fazem do lugar parece pautado sobretudo em modos de agir e de imaginar próprios dos últimos quarenta anos na praça.

Se a reflexão faz sentido, então esses tempos históricos impregnam o modo como o vivido e o concebido se relacionam na praça pela mediação do uso. Ora, ao menos os não-transeuntes investigados o usam como espaço de representações quase totalmente alheias àquelas mobilizadas pelos especialistas mais ou menos diretamente engajados nas intervenções urbanísticas que agitaram o logradouro desde o século XVI, quando São Paulo foi fundada como povoamento jesuítico no interior da colônia (1554).

De fato, só duas representações urbanísticas tangenciam de algum modo o espaço de representações dos não-transeuntes. É quando os assuntos são a centralidade urbanística da praça e a diversidade humana que algumas convergências parecem se esboçar. Mas mesmo essas são relativas, se lembrarmos que, no imaginário dos não-transeuntes, não há espaço para o vínculo da Sé com a praça, e as imagens relativas à diversidade não raro vêm acompanhadas de alusões ao perigo e à marginalidade social.

Porém então, o uso da praça pelos não-transeuntes contém um duplo alheamento: em relação à história mais ampla do espaço e ao modo como essa tem sido mobilizada pelos especialistas que o concebe(ra)m. De fato, tudo bem diferente do Largo da Sé.

Diferença nas diferenças

Concluído o exercício comparativo de inspiração lefebvriana entre as praças da Sé lisboeta e paulistana, espero ter evidenciado que as diferenças empíricas – óbvias – entre ambos os logradouros não apenas são passíveis de serem descritas etnográfica e documentalmente. Elas se deixam reconhecer no plano teórico. Os usos desses lugares públicos abrem espaço para o embate de tempos históricos que impregna a práxis e, portanto, em particular o uso do espaço 'lá e cá'. Em busca de evidências empíricas disso, nada como concentrar-se nos vínculos que o espaço das representações nutre as representações do espaço pela mediação da prática espacial.

Foi possível assim reconhecer a historicidade dessas representações, problemática em que o próprio Lefebvre não se aprofundou, embora abordando a "produção do espaço" em termos regressivo-progressivos (Lefebvre, 2000). A interpretação do autor sobre os usuários do espaço no capitalismo contrapõe qualidade e quantidade, uso e consumo, mas sem refletir sobre as implicações teóricas da historicidade implícita no uso do espaço por esses sujeitos. Os usuários constituem essencialmente contradições do espaço abstrato (Lefebvre, 2000: *passim*; Seabra, 1996: 78; Frehse, 2008).

Identificada a historicidade que impregna, pela mediação de representações, o uso das praças da Sé 'lá e cá', há finalmente como discernir no plano teórico a diferença que medeia as diferenças empiricamente apreensíveis e relativas ao impacto diferente das políticas de 'requalificação urbana' nos lugares públicos dos centros históricos não apenas em Lisboa e São Paulo nas últimas décadas. Essas diferenças são manifestações práticas de que o espaço vivido e o concebido podem "concordar" mais ou menos. E os não-transeuntes dos logradouros 'lá e cá' para isso contribuem sem saber, ao mover-se fisicamente por ali e imaginar os lugares com palavras, diante da pesquisadora.

É, com efeito, nos vínculos diferentes do espaço vivido com o concebido que reside a possibilidade de uma problematização conceitual *diferente* dos usos da rua nesses contextos – e em particular nos centros históricos das metrópoles brasileiras. Uma primeira dimensão da diferença nesse sentido é de natureza formal, dizendo respeito à forma que os vínculos assumem pela mediação do uso do espaço 'lá e cá'. No largo lisboeta, é forte a concordância entre o espaço das representações e as representações do espaço. Já em São Paulo, o vivido sugere o contrário: é amplamente residual a possibilidade de umas e outras concordarem.

Que esse estado de coisas – simbólicas – é indissociável do grau variável de desigualdade social 'lá e cá', parece evidente – o que os dados sobre as trajetórias de cada entrevistado corroboram. Porém escaparia aos limites deste estudo aprofundar esse aspeto. Mais interessa que as posições de cada não-transeunte no espaço social se traduzem, entre outros, em um uso dos respetivos logradouros que tem mais ou menos em comum com o modo como esses são concebidos urbanisticamente pelos especialistas dedicados a interferir em seu uso pela mediação do espaço.

Equacionados nesses termos, os vínculos entre o vivido e o concebido revelam que, no largo lisboeta, 'comunicar é possível'. E isso seja pela competência do poder-saber em cooptar ideologicamente os não-transeuntes, seja por sua competência, por outro lado, em dialogar – para o bem ou para o mal – com o imaginário do qual ao menos algumas técnicas corporais e imagens sobre o lugar são documentos. Nesse contexto, posso reconhecer ali uma certa *circularidade representacional* – parodiando ponderações de Carlo Ginzburg (1996: 21) sobre a "circularidade, influxo recíproco entre cultura subalterna e cultura hegemônica" na Itália renascentista. Aqui, são conceções de espaço produzidas em lugares bastante distintos do espaço social 'lá' que influem uma na outra pela mediação do uso. Já na Praça da Sé, as representações em torno dos vínculos entre o concebido e o vivido parecem operar de outro modo. É um certo *alheamento representacional* de ambos os lados que se evidencia no desencontro flagrante entre o espaço das representações e as representações do espaço.

Sob esse prisma metodológico, o que torna os dois lugares públicos diferentes entre si, em meio ao muito que os une como alvos mais ou menos diretos e episódicos das recentes operações de 'requalificação urbana', é em particular o modo como representações sobre cada um dos lugares circulam com mais ou menos desenvoltura entre aqueles que, hoje, os concebem urbanisticamente e os outros que os vivem cotidianamente. Vem para o primeiro plano da interpretação a existência – ou não – de mais ou menos circularidade ou alheamento entre as representações que se deslocam pelo espaço social, fazendo dos não-transeuntes mais ou menos prováveis guardiões da monumentalidade dos lugares públicos onde permanecem dia a dia.

Para Lefebvre (1980: 50), a aproximação entre o espaço das representações e as representações do espaço é a tendência da "época moderna". Significaria isso que Lisboa é mais moderna que São Paulo? Outra possibilidade interpretativa: a Praça da Sé seria, mais do que o largo lisboeta, uma manifestação contraditória do espaço abstrato. Mas então São Paulo seria mais moderna que Lisboa...

Aqui, essas possibilidades interessam especificamente por remeterem a potencialidades interpretativas da historicidade do uso do espaço que sinalizam para a segunda dimensão – agora histórica – da diferença conceitual passível de se ser depreendida a partir das diferenças 'lá e cá' empiricamente dadas. Ao menos entre os não-transeuntes pesquisados, o uso do espaço pode estar mais ou menos enraizado, em termos históricos, no presente deste início de século XXI. Em São Paulo, o alheamento em relação ao passado pela mediação do espaço é flagrante. Em Lisboa, é o contrário que se aplica. E isso mesmo quando o não-transeunte é estrangeiro: se Jorge se interessa explicitamente por história, não é esse o caso de Fabiano; todavia também este se torna, sem saber, porta-voz da representação de que o largo é lugar de história.

Justamente por evidenciar vínculos diferentes com o passado a impregnarem o uso do espaço, o enfoque sobre a sua historicidade coloca em questão a natureza supostamente contestatória dos usos que moradores e trabalhadores de lugares públicos 'requalificados' fazem dali. Em termos regressivo-progressivos, após datar as relações sociais, conceções e objetos encontrados em campo, o pesquisador deve relacionar essas datas históricas entre si com vistas ao "desenvolvimento ulterior" ou sua "subordinação às estruturas de conjunto" (Lefebvre, 2001: 74), a fim de avaliar as possibilidades históricas contidas no presente. Ora, nesse sentido, as notícias são desanimadoras 'lá e cá'. Ao menos pelo que sugerem sem saber os não-transeuntes pesquisados, esconde-se sob a historicidade diversa dos vínculos entre o vivido e o concebido uma práxis alheia à contestação ou a qualquer sentido político – levando-se em conta que a "práxis política" só existe através da "exploração do possível e do futuro" (Lefebvre, 1974: 49). Seja porque o vínculo afetivo com o passado é ou não forte, do ponto de vista histórico, estamos diante de técnicas corporais e imagens de claro caráter mimético ou repetitivo, por referência ao passado – pessoal, da cidade, do país. Impera a reprodução social.

Não importa que o espaço de representações dos não-transeuntes 'lá e cá' seja valorativo. Com efeito, "toda representação implica um valor" (Lefebvre, 1980: 47).

Esse caráter valorativo, entretanto, não permite discernir no uso do espaço mediado por tais representações qualquer pregnância política. Nesse sentido, sim, há algo de comum entre os dois logradouros: a política importa pouco, seja quando representações circulam entre o vivido e o concebido, seja quando não o fazem.

As razões para esse estado de coisas são variadas. Ele é indissociável da condição social de cada um dos não-transeuntes pesquisados – e, nesse contexto, da própria "inclusão precária e instável, marginal" (Martins, 1997: 20) que é experimentada ali dia a dia não apenas por esses pedestres. Ademais, a conjuntura é indiscernível do momento da pesquisa: não coletei os dados no 'calor da hora' de nenhuma operação urbanística de 'requalificação' – embora investigar a Praça da Sé depois da última reforma (Frehse, 2007) não tenha revelado imagens muito diferentes do lugar por parte de seus não-transeuntes à época.

Essas e outras possibilidades explicativas apenas evidenciam por outras vias o que aqui interessa ressaltar. Sob o prisma de sua historicidade, o uso que trabalhadores, moradores, usuários dos lugares públicos 'requalificados' dos centros históricos 'lá e cá' – e não só – fazem desses espaços não é contestatório em si. A contestação é um momento da práxis e, portanto, uma possibilidade histórica entre outras.

E eis que, por fim, o próprio sentido político eventual dos usos da rua pode se revelar um indício empírico específico de diferença nas diferenças. A própria política afinal, como busca de transformação social e histórica, é um momento – dialético, contraditório – da práxis no e pelo espaço.

Referências Bibliográficas

ANÔNIMO (s.d.), "Estruturas arqueológicas do Largo da Sé". Lisboa. Folheto. (Mimeo).

ARANTES, Antonio A. (2000), *Paisagens paulistanas.* Campinas/São Paulo: Editora da Unicamp/Imprensa Oficial.

ARAÚJO, Norberto (1992), *Peregrinações em Lisboa* [Vol. 2]. Lisboa: Vega.

BAPTISTA, Thiago (2011), "Abrir os cofres". Folheto. Lisboa: Cinemateca Portuguesa--Museu do Cinema. (Mimeo).

BIRG, Manuela (1994), "Santa Maria Maior", in SANTANA, Francisco e SUCENA, Eduardo (orgs.), *Dicionário da história de Lisboa.* Lisboa: Gráfica Europam, 849-852.

BRAGA, Sérgio I. Gil (2012), "Santo António de Lisboa (Portugal) e de Borba (Amazonas): entre o rito e o teatro em espaços públicos", in FORTUNA, Carlos e LEITE, Rogerio P. (orgs.), *Diálogos urbanos: Territórios, culturas e patrimónios.* Coimbra: Almedina, 319-340.

CÂMARA MUNICIPAL DE LISBOA (2012), "Sé Patriarcal", in CÂMARA Municipal de Lisboa. http://www.lisboa-cidade.com/lx/. (Consultado em 24/04/2012).

CAMPOS, Cândido M. (2002), *Os rumos da cidade.* São Paulo: Senac.

CARVALHO, Ruben de (1991), "A vertente política e a vertente popular das Festas de Lisboa", in COMISSÃO CONSULTIVA DAS FESTAS DE 1990 (1991), *Festas de Lisboa.* Lisboa: Livros Horizonte, 26-55.

CASTILHO, Júlio de (1936), *Lisboa antiga - Segunda parte: Bairros orientais.* [Vol. 5]. Lisboa: S. Industriais da Câmara Municipal de Lisboa.

COMIN, Alvaro e SOMEKH, Nádia (orgs.) (2004), *Caminhos para o centro.* São Paulo: PMSP/CEBRAP/CEM.

CONPRESP (2007), Resolução nº 17/ CONPRESP /2007. São Paulo: Conpresp. (Mimeo).

CORDEIRO, Graça Í. (2010), "As festas dos 'Santos Populares' em Lisboa". Lisboa. (Mimeo).

COSTA, António Firmino da (1999), *Sociedade de bairro.* Oeiras: Celta.

COSTA, Vitor (1991), "Despacho 131/P/91 – Licenças de ocupação da via pública com quiosques" in CÂMARA Municipal de Lisboa. http://www.cm-lisboa.pt/?idc=283&di=57003. (Consultado em 7/04/2011).

DAMANTE, Helio (1958), "Pequena história da Catedral de S. Paulo", in O ESTADO DE SÃO PAULO (org.), *Ensaios Paulistas.* São Paulo: Anhambi, 733-745.

EMURB (2005), *Praça da Sé – Requalificação da paisagem urbana.* São Paulo: Emurb. (Mimeo).

FORTUNA, Carlos (1999), "Introdução ao painel 'Os novos espaços públicos: Identidades e práticas culturais'". *Revista Crítica de Ciências Sociais,* 54, 139-148.

FORTUNA, Carlos (2002), "Culturas urbanas e espaços públicos: Sobre as cidades e a emergência de um novo paradigma sociológico". *Revista Crítica de Ciências Sociais*, 63, 123-148.

FORTUNA, Carlos, FERREIRA, Claudino e ABREU, Paula (1999), "Espaço público urbano e cultura em Portugal". *Revista Crítica de Ciências Sociais*, 52/53, 85-117.

FORTUNA, Carlos e PEIXOTO, Paulo (2002), "A recriação e reprodução de representações no processo de transformação das paisagens urbanas de algumas cidades portuguesas", in FORTUNA, Carlos e SILVA, Augusto S. (orgs.), *Projecto e circunstância: Culturas urbanas em Portugal*. Porto: Afrontamento, 17-63.

FREHSE, Fraya (1997), "Entre Largo e Praça, matriz e catedral: A Sé dos cartões postais paulistanos". *Cadernos de Campo*, 5-6, 117-155.

FREHSE, Fraya (2005), *O tempo das ruas na São Paulo de fins do Império*. São Paulo: Edusp.

FREHSE, Fraya (2007), "Velhos novos usuários das praças 'requalificadas' do centro de São Paulo". Comunicação no 13º Congresso Brasileiro de Sociologia da Sociedade Brasileira de Sociologia. Recife, 29/05-1/06/2007. (Mimeo).

FREHSE, Fraya (2008), "Lefebvre's use of space in the public places of contemporary downtown São Paulo". Comunicação na International Conference "Rethinking theory, space and production: Henri Lefebvre today". Delft, 11-13/11/2008. (Mimeo).

FREHSE, Fraya (2009), "Usos da rua", in FORTUNA, Carlos e LEITE, Rogerio P. (orgs.), *Plural de cidade: Novos léxicos urbanos*. Coimbra: Almedina, 151-170.

FREHSE, Fraya (2011), *Ô da rua! O transeunte e o advento da modernidade em São Paulo*. São Paulo: Edusp.

FREHSE, Fraya (2012), "A recent sociological utopia of urban space in Brazil". *Iberoamericana. América Latina – España – Portugal*, 45, 103-117.

FREHSE, Fraya (no prelo), "In search of difference 'in and through' São Paulo: Historical times in space", in MORAVÁNSKY, Akos *et al.* (orgs.), *After the urban revolution*. Londres: Ashgate.

FREHSE, Fraya e LEITE, Rogerio P. (2010), "Espaço urbano no Brasil", in MARTINS, Heloisa T. de S. (org.), *Horizontes das ciências sociais: Sociologia*. São Paulo: ANPOCS, 203-251.

FRÚGOLI JR., Heitor (2000), *Centralidade em São Paulo*. São Paulo: Cortez/Edusp//Fapesp.

GINZBURG, Carlo (1991), *Mitos, emblemas e sinais*. Trad. F. Carotti. São Paulo: Companhia das Letras. (2ª reimpr.).

GINZBURG, Carlo (1996), *O queijo e os vermes*. Trad. M. B. Amoroso. São Paulo: Companhia das Letras. (8ª reimpr.).

Haupt, Heinz-Gerhard e Kocka, Jürgen (1996), "Historischer Vergleich: Methoden, Aufgaben, Probleme. Eine Einleitung", in Haupt, Heinz-Gerhard e Kocka, Jürgen (orgs.), *Geschichte und Vergleich*. Frankfurt/Nova Iorque: Campus Verlag, 9-45.

ICI [Instituto Cultural Itaú] (1993), *Praça da Sé*. São Paulo: Instituto Cultural Itaú.

José, Beatriz K. (1997), *Espaço público e manifestação artística*. São Paulo: FAU-USP. Trabalho de Graduação Interdisciplinar.

José, Beatriz K. (2010), *A popularização do centro de São Paulo*. São Paulo: FAU-USP. Tese de Doutorado.

Keil, Roger e Brenner, Neil (2003), "Globalisierung, Stadt und Politik", in Scharenberg, Albert e Schmidtke, Oliver (orgs.), *Globalisierung und der Strukturwandel des Politischen*. Münster: Westfälisches Dampfboot, 254-276.

Kowarick, Lúcio (1979), *A espoliação urbana*. Rio de Janeiro: Paz e Terra.

Le Goff, Jacques (2006), *História e memória*. Trad. B. Leitão *et al.* 5ª ed. Campinas: Editora da Unicamp.

Lefebvre, Henri (1961, 1981), *Critique de la vie quotidienne* [Vols. 2-3]. Paris: L'Arche Éditeur.

Lefebvre, Henri (1965), *La proclamation de la Commune*. Paris: Gallimard.

Lefebvre, Henri (1970a), *La révolution urbaine*. Paris: Gallimard.

Lefebvre, Henri (1970b), *Le manifeste différentialiste*. Paris: Gallimard.

Lefebvre, Henri (1974), *Sociologie de Marx*. Paris: Puf. (3ª ed.).

Lefebvre, Henri (1980), *La présence et l'absence*. Paris: Casterman.

Lefebvre, Henri (1989), "Henri Lefebvre", in Corpet, Olivier e Paquot, Thierry (orgs.), *Entrevistas ao* Le Monde. Trad. M. L. Blumer. São Paulo: Ática, 131-137.

Lefebvre, Henri (1992), *Eléments de rythmanalyse*. Paris: Syllepse.

Lefebvre, Henri (2000), *La production de l'espace*. Paris: Anthropos. (4ª ed.).

Lefebvre, Henri (2001), *Du rural à l'urbain*. Paris: Anthropos. (3ª ed.).

Leite, Rogerio P. (2004), *Contra-usos da cidade*. Campinas/Aracaju: Editora da Unicamp/Editora-UFS.

Leite, Rogerio P. (2007), "Posfácio: Um bairro revanchista cinco anos depois", in Leite, Rogerio P., *Contra-usos da cidade*. Campinas/Aracaju: Editora da Unicamp/ Editora-UFS. (2ª ed.).

Magnani, José Guilherme C. (2009), "Etnografia como prática e experiência". *Horizontes Antropológicos*, 15, 32, 129-156.

Mantecón, Ana R. (2009), "Patrimonialización y usos del espacio público", in Viladevall i Guasch, Mireia e Romón, María Castrillo (orgs.), *El espacio público en la ciudad contemporánea*. Puebla: Instituto Universitário de Urbanística y Secretariado de Publicaciones e Intercambio Editorial de la Universidad de Valladolid, 95-107.

Martins, José de S. (1996), "As temporalidades da história na dialética de Lefebvre", in Martins, José de S. (org.), *Henri Lefebvre e o retorno à dialética*. São Paulo: Hucitec, 13-37.

Martins, José de S. (1997), *Exclusão social e a nova desigualdade*. Petrópolis: Paulus.

Martins, José de S. (1999), "Tombamento da Catedral da Sé de São Paulo/Parecer". São Paulo: Condephaat. (Mimeo).

Martins, José de S. (2008), *A sociabilidade do homem simples*. São Paulo: Contexto. (2ª ed.).

Martins, José de S. (2012), *São Paulo no século XX: Primeira metade*. São Paulo: Imprensa Oficial.

Mauss, Marcel (1997), *Sociologie et anthropologie*. Paris: Quadrige/Puf.

Meyer, Regina P. (1999), "A construção da metrópole e a erosão do seu centro". *Revista URBS*, 2, 14, 28-35.

Milanesi, Renata (2002), *Evolução urbana e espaço público*. São Paulo: FAU-USP. Dissertação de Mestrado.

Nascimento, Oswaldo (2011), *Guia Mapograf*. São Paulo: Editora Online.

Neto, Maria João Baptista (1999), "Os restauros da catedral de Lisboa à luz da mentalidade do tempo", in Barroca, Mário (org.), *Carlos Alberto Ferreira de Almeida in memoriam* [Vol. 2]. Porto: Faculdade de Letras da Universidade do Porto, 131-141.

Noivo, Maria Inês de B. C. (2010), *Percurso pela Alfama arqueológica*. Lisboa: FCSH. Trabalho de Projeto de Mestrado.

Pastro, Claudio (2010), *A arte no Cristianismo*. São Paulo: Paulus.

Peixoto, Paulo (2001), "As cidades e os processos de patrimonialização", in Pinheiro, Magda *et al.* (orgs.), *Cidade e metrópole: Centralidades e marginalidades*. Oeiras: Celta, 171-179.

Peixoto, Paulo (2003), "Centros históricos e sustentabilidade cultural das cidades". *Sociologia*, nº 13, 211-226.

Peixoto, Paulo (2009), "Requalificação urbana", in Fortuna, Carlos e Leite, Rogerio P. (orgs.), *Plural de cidade: Novos léxicos urbanos*. Coimbra: Almedina, 41-52.

Pereira, Jorge Paulino (2005), "Lisboa durante o terramoto de 1 de novembro de 1755". *Olisipo*, 22-23, 7-33.

Perez, Léa F. (2010), "Passos de uma pesquisa nos passos das procissões lisboetas". *CIES e-Working Papers*, http://www.cies.iscte.pt/destaques/documents/CIES-WP101_Perez.pdf. (Consultado em 23/07/2011).

Ponzio, Francisca (2003), "O arquiteto da Sé". *URBS*. http://www.vivaocentro.org.br/publicacoes/urbs/urbs31.htm. (Consultado em 26/04/2008).

Ribeiro, Manuel (1931), *A Sé de Lisboa*. Porto: Editor Marques Abreu.

Rosas, Lucia (2005), "A Sé de Lisboa: Augusto Fuschini e a representação da arquitectura medieval". *IDEARTE – Revista de Teorias e Ciências da Arte*, 2, 3, 51-71.

Seabra, Odette (1996), "A insurreição do uso", in Martins, José de Souza (org.). *Henri Lefebvre e o retorno à dialética*. São Paulo: Hucitec, 71-86.

Sevcenko, Nicolau (1992), *Orfeu extático na metrópole*. São Paulo: Companhia das Letras.

Sposati, Aldaíza (2000), *Mapa da exclusão/inclusão social da cidade de São Paulo/2000*. São Paulo: Pólis/INPE/PUC-SP. (CD-ROM).

Spturis (2012), "O que visitar", in *São Paulo*. Site oficial de Turismo da cidade de São Paulo. http://www.cidadedesaopaulo.com/sp/br/o-que-visitar. (Consultado em 27/04/2012).

Taunay, Affonso de E. (1954), *Velho São Paulo* [Vol. 1]. São Paulo: Melhoramentos.

Teixeira, Manuel C. (2001a), "As praças urbanas portuguesas quinhentistas", in Teixeira, Manuel C. (org.). *A praça na cidade portuguesa*. Lisboa: Livros Horizonte, 69-89.

Teixeira, Manuel C. (2001b), "Introdução", in Teixeira, Manuel C. (org.). *A praça na cidade portuguesa*. Lisboa: Livros Horizonte, 9-16.

Teixeira, Manuel C. e Valla Margarida (1999), *O urbanismo português: Séculos XIII--XVIII. Portugal-Brasil*. Lisboa: Livros Horizonte.

Vieira da Silva, Augusto (1939), *A cerca moura de Lisboa*. Lisboa: Ed. Câmara Municipal.

Vieira, Maria A. da Costa *et al.* (orgs.) (1994), *População de rua: Quem é, como vive, como é vista*. São Paulo: Hucitec/Prefeitura do Município de São Paulo. (2ª ed.).

Viladevall i Guasch, Mireia (2007), "Monumento e identidad nacional *versus* espacio público y patrimonio urbano", in Losada, Dení Ramírez (org.), *Espacio público, patrimonio e identidad(es)*. Puebla: Instituto de Ciencias Sociales y Humanidades Alfonso Vélez Pliego, 143-161.

Viladevall i Guasch, Mireia (2009), "La utopia de lo urbano patrimonial o herejías sobre el patrimonio urbano", in Viladevall i Guasch, Mireia e Romón, María Castrillo (orgs.), *El espacio público en la ciudad contemporánea*. Puebla: Instituto Universitário de Urbanística y Secretariado de Publicaciones e Intercambio Editorial de la Universidad de Valladolid, 87-94.

Vinken, Gerhard (2010), *Zone Heimat*. Berlin/München: Deutscher Kunstverlag.

Iconografia

Acervo *online* de fotografias do "Largo da Sé". Arquivo Fotográfico de Lisboa.

Instituto Geográfico e Cadastral de Lisboa (1950), *Câmara Municipal de Lisboa – Planta da Cidade*. Escala 1:1000. Lisboa: Câmara Municipal de Lisboa.

Spiguel, Miguel (1962), "Realidades portuguesas nº 1: Turismo". Filmes Lusomundo.

Tinoco, João Nunes (1853), *Planta da cidade de Lisboa em que se mostrão os muros de vermelho com todas as ruas e praças*. Lisboa: Lithographia da Imprensa Nacional.

ÍNDIOS EM CONTEXTOS URBANOS: O CASO DE MANAUS E OUTRAS CIDADES DA AMAZÔNIA

José Guilherme Cantor Magnani

Introdução

Em viagem à cidade mexicana de Guadalajara, para um colóquio sobre reinterpretações de tradições latino-americanas, em setembro de 2011, entrei em contato com uma realidade que oferece instigante contraste com o caso brasileiro e, em particular, amazônico. O encontro tinha como tema principal a influência do fenômeno *New Age* em práticas indígenas tradicionais como danças, ritos, festas, processos de cura, etc., daí resultando uma série de "hibridizações", turismo religioso, sincretismos de toda ordem. Mas o que chamou mesmo a atenção, para além desse recorte mais religioso, foram a visibilidade e o peso da presença indígena no cenário nacional de alguns países de língua hispânica e, mais concretamente, no espaço urbano – o que imediatamente suscitou inúmeras questões em termos comparativos com o Brasil.

Não há como discorrer, aqui, sobre as sobejamente conhecidas diferenças entre os povos que habitavam o território da América pré-colombiana, e também as diferenças entre as políticas de ocupação, colonização e povoamento levadas a cabo (e a ferro e fogo) por espanhóis e portugueses. Desses processos emergiram, entre outras, as atuais paisagens do altiplano andino e das terras baixas amazônicas, da América Central, do litoral sul e nordeste brasileiros, do Brasil Central, etc. A situação das populações indígenas nos diferentes países latino-americanos é tributária desse longo, tumultuado e conflitivo processo.

No entanto, o quadro difere, desde os casos mais extremos de total extinção dos antigos habitantes até uma situação de presença de segmentos indígenas na condução dos destinos do país, como na Bolívia, passando pelo reconhecimento enquanto antepassados e valorização do seu legado cultural, como ocorre no México – atitude, contudo, que nem sempre se traduz em políticas efetivas de direitos em favor da população indígena contemporânea.

O caso brasileiro tem suas peculiaridades: em contraste com a população autóctone que ocupava o território no século XVI, estimada entre 2 e 4 milhões de habitantes, pertencentes a mais de 1.000 povos diferentes, atualmente, segundo o censo de 2010 do Instituto Brasileiro de Geografia e Estatística (IBGE) a população indígena conta com 896.900 pessoas, pertencentes a 305 povos indígenas, falantes de 274 línguas.[1] Estes números, contudo – correspondentes a aproximadamente 0,42% da população total do país – representam um crescimento de 11% em relação ao registrado no censo de 2000, quando 734 mil pessoas se declararam indígenas. Estimativas feitas por antropólogos, demógrafos e profissionais de saúde mostram que a maioria dos povos indígenas tem crescido, em média, 3,5% ao ano, muito mais do que a média de 1,6% estimada para o período de 1996 a 2000 para a população brasileira em geral.

E, o que é mais surpreendente, mais de um terço dessa população, 36,2%, ainda segundo dados do IBGE, vive em cidades. Por certo, o quadro é muito diverso se se leva em conta a situação nas diferentes regiões do país. Nos Estados do Norte (Acre, Amapá, Amazonas, Pará, Rondônia, Roraima e Tocantins) a população de pessoas autodeclaradas indígenas, conforme o censo do IBGE de 2010, é de 342.836.

Em termos absolutos, o Estado brasileiro com maior número de indígenas é o Amazonas, com uma população de 183.514. Já em termos percentuais, é Roraima, também na região norte, onde os indígenas representam 11% da população total do Estado. Em Manaus, a capital do Estado de Amazonas, a população de índios morando na cidade varia entre 6 mil, estimativa mais conservadora (Bernal, 2009: 36) até 15 a 20 mil (COIAB). Para o IBGE são 7 mil e para o CIMI, 8,5 mil.[2]

E ainda: no município de São Gabriel da Cachoeira, no extremo noroeste da Amazônia, cujo prefeito é um indígena da etnia Tariano, dos 36.000 habitantes, quase metade – 15.000 – vivem na sede, sendo que 81% deles são indígenas. No caso do Estado de São Paulo, só para estabelecer um contraponto, o censo de 2000 levantou a existência de uma população de 63.789 indígenas e, em 1998, a Pesquisa Nacional por Amostra de Domicílios (PNAD) indicava uma população de 33.829 indígenas na Região Metropolitana de São Paulo. Grande parte desses índios, além dos Guarani, é proveniente da

[1] Dados colhidos no *site* do Instituto Brasileiro de Geografia e Estatística, em 13/08/2012.

[2] COIAB: Coordenação Indígena da Amazônia Brasileira; IBGE: Instituto Brasileiro de Geografia e Estatística; CIMI: Conselho Indígena Missionário.

região nordeste do país, como os Pankararu, os Fulni-ô, os Pankararé, os Atikum, os Kariri-Xocó, os Xucuru, os Potiguara e os Pataxó.[3]

Todos esses números, mesmo com a imprecisão que ainda cerca dados sobre a população indígena (os critérios utilizados nas entrevistas do censo são a cor e a autodeclaração)[4] estão aqui arrolados para evidenciar uma determinada situação – a presença indígena das cidades – que, surpreendentemente, desperta pouca atenção entre os antropólogos voltados para questões mais clássicas da disciplina como parentesco, cosmologia, xamanismo entre populações que ocupam territórios tradicionais ou o que restou deles: as "terras indígenas" (T.I.), terras coletivas, demarcadas e homologadas pelo governo federal para seu usufruto exclusivo.[5]

Para situar a, de certa forma, peculiaridade desta questão, convém relembrar uma espécie de divisão de trabalho entre os antropólogos brasileiros que remonta aos inícios da Antropologia como disciplina acadêmica: na década de 1940 assim eram definidas, segundo consta em carta que o professor Emilio Willems enviara a Arthur Ramos em 27 de agosto de 1943, "as três tarefas máximas da Antropologia no Brasil":

a) Estudo de culturas indígenas e seus contatos com a civilização;
b) Estudo das culturas caboclas, indispensável à solução do problema rural brasileiro;
c) Estudo da aculturação de certos grupos étnicos e raciais (negro, japonês, alemão, etc.) (Azeredo, 1986:49-50).

Tal formulação, como base de programas de ensino e pesquisa, revelou-se bastante duradoura, pois passados mais de vinte anos ela podia ser encon-

[3] Dados da CPI – Comissão Pro-Índio de São Paulo: http://www.cpisp.org.br/html/sobre_cpi.html. (Consultado em 09/01/2012).

[4] "A década de 1990 e o início dos anos 2000 foram marcados por duas contribuições importantes para o desenvolvimento de análises demográficas sobre os povos indígenas no Brasil. Por um lado, a inclusão da categoria "indígena" na variável cor ou raça dos recenseamentos nacionais de 1991 e 2000, do Instituto Brasileiro de Geografia e Estatística (IBGE) por meio da autodeclaração (...)" (Pagliaro, 2009: 447).

[5] Como observa Alcida Ramos (2010), "Há, entretanto, um campo que, apesar de sua importância crescente, permanece virtualmente inexplorado: os índios urbanos. Cada vez mais presentes nas cidades brasileiras, eles têm recebido tanto silêncio por parte dos antropólogos quanto da sociedade em geral. Como acontece com frequência na antropologia, o hiato entre o acontecimento e o interesse etnográfico, no caso dos índios citadinos, é especialmente dilatado, sendo raríssimas as publicações sobre o assunto" (*apud* Farias Júnior, 2009).

trada, com algumas nuanças (significativas, mas que agora não vêm ao caso), no texto "Cadeira de Antropologia: Organização e Atividades", da Faculdade de Filosofia, Ciências e Letras da USP, que lista seus propósitos acadêmicos:

a) Investigação da cultura e da vida social indígena e dos processos de transformação resultantes de contatos intertribais e com populações neo-brasileiras;
b) Análise de comunidades rústicas e de mudanças socioculturais que nelas se operam;
c) Finalmente, estudo dos processos de aculturação e de assimilação de minorias étnicas no Brasil (Borges Pereira, 1966: 11).

A trilogia se manteve: Roberto Cardoso de Oliveira, por sua vez, afirmaria mais tarde que a Antropologia sempre primou por definir-se com base no seu objeto, que refere, economicamente, da seguinte forma: "índios, negros ou brancos, estes últimos vistos enquanto grupos étnicos minoritários ou segmentos desprivilegiados da sociedade nacional, sejam, por exemplo, os favelados urbanos, sejam ainda pequenos produtores rurais como bem ilustram os caipiras de São Paulo ou os caiçaras do nordeste" (Cardoso de Oliveira, 1988: 111).

Não obstante a especialização dos campos de trabalho e linhas de pesquisa da antropologia contemporânea, cabe registrar que na atual classificação das áreas de conhecimento do Conselho Nacional de Pesquisa (CNPq), a de Antropologia contém as seguintes subáreas: Teoria Antropológica, Etnologia Indígena, Antropologia Urbana, Antropologia Rural, Antropologia das Populações Afro-Brasileiras. Como se pode ver, mantêm-se, com algumas variantes, "as três tarefas". Chama a atenção também o fato de só uma delas ser designada por expressão específica – "etnologia indígena", enquanto outras são construídas pelo termo comum, "Antropologia", mais a qualificação "urbana", "rural", etc. Esta particularidade, sem dúvida, faz parte da "aclimatação" do termo: Antropologia Social na Inglaterra, Antropologia Cultural nos EUA, Etnologia na França. No Brasil, a expressão "etnologia indígena" terminou por nomear um recorte específico, o estudo e as pesquisas com populações indígenas em contextos tradicionais.

É por referência a essa discussão que se coloca a questão do pouco interesse por parte dos etnólogos ao tema dos índios na cidade: este é um recorte não convencional que junta elementos de dois campos histórica e teoricamente separados. Daí a escassa literatura sobre o assunto e, nos poucos trabalhos disponíveis, as abordagens fogem aos temas usuais do parentesco, cosmologia, xamanismo, cultura material, sistemas de classificação, voltando-se preferencialmente para as precárias condições de vida, trabalho e sobrevivência dos índios na periferia dos centros urbanos, como quaisquer outros moradores de baixa renda.

Vai daí, também, o desafio de encarar esse tema desde outro prisma: o que é cidade, na conceção das diferentes etnias que nela habitam? Que transformações sua presença acarreta no tecido urbano? Como nela estabelecem seus vínculos, estratégias e alianças? Estas são algumas das questões que o Núcleo de Antropologia Urbana – NAU/USP propõe a investigar.

Tudo começou com o convite para participar de um projeto ligado ao Programa Nacional de Cooperação Acadêmica (CAPES) que estabelece formas de intercâmbio entre um programa de pós-graduação consolidado e outro, mais recente. Neste caso, o projeto era "Paisagens ameríndias: habilidades, mobilidade e socialidade nos rios e cidades da Amazônia", entre o PPGAS da USP e o da UFAM (Universidade Federal do Amazonas).

De acordo com o documento enviado à CAPES, órgão do governo federal que financia o programa, este projeto previa três linhas de investigação: a) etnografias entre populações indígenas e "neo-tradicionais", habitantes dos sistemas hidrográficos do Purus-Madeira, Alto Juruá e Rio Negro visando observar as condições materiais da vida social; 2) o levantamento sistemático da documentação e da bibliografia sobre as atividades extrativistas na Amazônia nos séculos XIX e XX e, finalmente, 3) uma etnografia de formas de lazer e modalidades de uso do tempo livre nos espaços de sociabilidade da população indígena nas cidades da Amazônia, como forma de abordagem inovadora dos processos de incorporação da vida urbana pelas populações nativas.

A novidade na introdução deste terceiro eixo, numa proposta de orientação claramente etnológica (no sentido definido mais acima), residia na possibilidade de estabelecer um plano comparativo entre estudos sobre esse tema, já realizados nos grandes centros urbanos do Sudeste do país, e o que ocorre nas cidades com marcante presença indígena. Como se incorporam, principalmente os jovens, no circuito de lazer também utilizado por não índios? Qual o papel e importância do tempo livre e dos equipamentos de entretenimento no estabelecimento de vínculos de convivência, estratégias de negociação e conflitos entre si e com não índios? Ademais, o levantamento dos circuitos de lazer em cidades de diferentes tamanhos permitiria trabalhar não apenas com as escalas urbanas, mas também com a disponibilidade de equipamentos, as diferenças de gostos, de preferências e a criação de alternativas – sempre numa perspetiva de comparação.

O critério para a escolha desse eixo, por parte do NAU, foi a experiência acumulada desde sua criação, em 1988, em torno de um tema que deu origem a inúmeras leituras, discussões e pesquisas ao longo de sua trajetória. Além do acervo de trabalhos resultantes (relatórios, dissertações, teses, livros e artigos), cabe registrar também a construção de uma metodologia própria e a elaboração de categorias específicas de análise.[6] Essa linha de trabalho remonta à própria constituição do campo da Antropologia Urbana em São Paulo, na década de 1970, quando teve início uma diferenciação temática, metodológica e teórica desse ramo da Antropologia em relação a outras abordagens, como as da Sociologia e Ciência Política.

Os "estudos de comunidade", tradicionalmente vinculados à Antropologia por influência da Escola de Chicago, em São Paulo, cederam lugar a pesquisas voltadas para processos de transformações sociais, políticas e culturais mais amplas. Na conjuntura marcada pela eclosão dos chamados movimentos sociais urbanos, principalmente nas décadas de 1970 e 1980, os objetos de estudo da Antropologia – entre os quais o lazer – tornaram-se uma via de acesso ao conhecimento mais sistemático do modo de vida dos trabalhadores urbanos e moradores da periferia dos grandes centros urbanos. Foi nesse contexto que realizei a pesquisa que deu origem ao livro *Festa no Pedaço: lazer e cultura popular na cidade.*[7] Em seguida às primeiras experiências em campo, na periferia paulistana, deu-se uma ampliação do campo: da periferia ao centro e do lazer, como entretenimento, ao tempo livre.

Lazer, tempo livre: e os índios?

A mudança de ênfase, da cultura popular, habitualmente acionada para tratar de temas ligados a folguedos tradicionais, festas e entretenimentos – vistos como "sobrevivências" dos antigos modos de vida de populações migrantes – para o recorte do lazer, colocou a necessidade de se pensar um novo quadro interpretativo. Como a literatura sobre esse tema é ampla, podendo recuar até a Antiguidade Clássica, com as conceções de *scholé* entre os gregos,

[6] Ver, a propósito, o *site* do NAU: http://n-a-u.org/.

[7] Publicado originalmente pela Editora Brasiliense, em 1984, já está em sua terceira edição, pela Editora Hucitec, São Paulo.

ou *otium* na versão latina, optou-se por um recorte histórico mais preciso a partir do qual o lazer se legitimou como um campo de estudo reconhecido nas ciências sociais, fundando uma linha de estudos, a Sociologia do Lazer.

Joffre Dumazedier (1962, 1966 e 1974) é um dos autores mais conhecidos dessa tradição que estabelece como marco a Revolução Industrial e as transformações que acarretou no sistema produtivo, quando o lazer passa a ser visto como um dos fatores que, por meio da recomposição das energias dispendidas pelo trabalhador, asseguram a reprodução da força de trabalho. Nesse contexto, ele adquire caráter marcadamente político, pois se torna objeto de luta na agenda das vanguardas do movimento operário, para as quais as horas arrancadas às então extenuantes jornadas de trabalho, diferentemente do ponto de vista da lógica do capital, são consideradas como ganho de espaço para atividades voltadas para o cultivo de uma "cultura de classe".

Num outro momento, o da chamada "flexibilização do sistema capitalista", o lazer perde essa referência que o vinculava especificamente ao mundo do trabalho, adquirindo autonomia frente a ele. Na esteira de autores como Lalive D'Epinay (1992) e Domenico de Masi (2000), entre outros, ele já não é encarado primordialmente como um dos fatores responsáveis pela reposição das condições físicas e psicológicas do trabalhador, para continuar sendo explorado na linha de produção; agora, é situado em outro contexto, o da conquista de uma melhor qualidade de vida e aprimoramento pessoal, objetivos a serem alcançados por meio de práticas corporais, do cultivo da mente e do espírito, da criação de contatos e vínculos de sociabilidade. Ademais, o trabalho deixa de ser o elemento estruturante do projeto pessoal e/ou familiar e o clássico formato da "carreira", progressiva, numa unidade produtiva ou de serviços abre espaço para outras modalidades como o trabalho voluntário, trabalho temporário, trabalho em casa com horário flexível, em ONGs, "projetos", etc.

Bom, e os índios? Que ocorre fora do contexto ocidental/capitalista? Nas chamadas populações tradicionais, regidas por outras lógicas que não a do mercado, essa discussão evidentemente não se aplica, ao menos não nos mesmos termos. A alternância de períodos de atividade dedicados às lides de subsistência e os de descanso pauta-se pelo ritmo e natureza dessas mesmas atividades – caça e coleta, pastoreio, horticultura – algumas das quais até poderiam ser lidas na chave do conceito ocidental de "lazer" e entretenimento; por outro lado, suas celebrações, rituais e festividades não têm como contraponto a noção abstrata de trabalho, mas são regidos por princípios cosmológicos mais gerais.

Karl Polanyi, no livro *A Grande Transformação* (1980), aponta para essas diferenciações, mostrando como, nas sociedades regidas pelos princípios da reciprocidade, redistribuição e domesticidade, as atividades que consideramos da ordem da economia estão imbricadas nas relações sociais – diferentemente do que ocorre nas modernas economias de mercado. Em *The perception of the environment,* Tim Ingold (2000) recupera essa perspetiva e emprega a expressão *task orientation.*

Tomando como padrão o caso de alguns povos caçadores e coletores, este autor começa com um paralelo entre a perspetiva ocidental e a de sociedades não industrializadas sobre noções de trabalho e tempo. Para ele, nestas últimas o trabalho não está dissociado da vida social. As atividades que os ocidentais classificam como "trabalho" lá são vistas sempre em associação com relações sociais: "*to see an activity as thus embedded in a social relation is to regard it as what I shall call a task*" (*idem*, 324). Isto se aplica também à noção de tempo e o exemplo clássico é fornecido por Evans-Pritchard em seu estudo sobre os Nuer:

> Embora eu tenha falado em tempo e unidades de tempo, os Nuer não possuem uma expressão equivalente ao 'tempo' de nossa língua e, portanto, não podem, como nós podemos, falar do tempo como se fosse algo de concreto, que passa, que pode ser perdido, economizado e assim por diante. Não creio que eles jamais tenham a mesma sensação de lutar contra o tempo ou de terem de coordenar as atividades com uma passagem abstrata do tempo, por que seus pontos de referência são principalmente as próprias atividades que, em geral, têm o caráter de lazer (...) Os Nuer têm sorte.
>
> (Evans-Pritchard, 1978: 116)

No caso dos Nuer, a atividade que dita o ritmo à vida diária é, principalmente, o trato com o gado, de forma que eles têm uma espécie de *cattle-clock.* O trabalho separado da vida social e o tempo como sua medida são noções ocidentais, que bem podem ser resumidas no aforismo "tempo é dinheiro" – ele pode ser vendido, gasto, economizado, usado de forma produtiva ou desperdiçado. De acordo com Tim Ingold, a *task orientation,* ao contrário, é centrada na pessoa, de forma que a experiência do tempo é intrínseca à performance das habilidades no desempenho da atividade em questão (*idem*; *ibidem*). Mas, prossegue o autor, com o advento do capitalismo, a pessoa é afastada do centro para as margens do processo de trabalho e, em consequência, também o tempo inerente à experiência pessoal e à vida social é *disembedded* do tempo do trabalho ou produção.

Ingold, contudo, tira daí sua conclusão sobre a diferença entre tempo livre e tempo de trabalho nas sociedades capitalistas, considerando aquele como suposto exercício de liberdade individual frente às constrições de ordem mecânicas, ditadas pelo relógio (*idem*; *ibidem*). O autor termina situando o trabalho no domínio público da produção, enquanto o lazer ficaria no domínio privado do consumo, o que, a meu ver, deixa de lado inúmeras e criativas modalidades de utilização do tempo livre, mesmo nas sociedades industrializadas contemporâneas. E, como afirmei mais acima, se for para considerar o tempo livre e o lazer a partir da lógica do sistema capitalista, mesmo em contraposição a formas de pensar o trabalho em sociedades regidas por outras cosmologias, realmente pouco se pode avançar além dessas polarizações.

De todos os modos, Ingold não postula que a perspetiva que chama *task orientation* tenha desaparecido nas modernas sociedades industrializadas. Ela persistiria em determinadas situações identificadas como a de estar "em casa". E isso se daria de duas formas: ou em certos domínios que se mantiveram impermeáveis às relações capitalistas de produção, numa espécie de "relíquia" de economias de subsistência, ou então na situação em que estar "em casa" significa uma forma de estar no mundo que ele denomina *perspective of dwelling*: é o contexto da atividade cotidiana onde em "casa" representa uma zona de familiaridade que as pessoas conhecem mais intimamente e na qual são conhecidas também de forma mais intensa. *"As such, it encompasses all the settings of everyday life: whether the house, street, neighborhood, or place of work"* (*idem*, 330). Não há como negar certa similaridade dessa formulação com a categoria de pedaço, por mim desenvolvida a partir de modalidades de lazer e encontro em bairros da periferia de São Paulo (Magnani, 1984).

Outra referência é o trabalho de Philippe Descola (1986), antropólogo francês que estudou os Achuar, um dos quatro grupos da família linguística Jívaro, na bacia amazônica equatoriana. Descola mostra, em seu estudo, que os processos de trabalho desse povo, longe de serem apenas um reflexo ou respostas adaptativas a determinações de ordem ecológica, só podem ser entendidos por referência aos aspetos simbólicos de seu modo de vida, tomado globalmente:

> Como a maioria das sociedades pré-capitalistas, os Achuar não possuem nenhum termo ou noção que sintetizasse a ideia de trabalho em geral... (...) nem termos que designem processos de trabalho em sentido amplo, como horticultura, pesca ou artesanato, de forma que nos encontramos confrontados ao problema da inteligibilidade de categorias indígenas que recortam o processo de trabalho de uma forma completamente diferente da nossa (...).
>
> (Descola, 1986: 367)

Nada de muita novidade, mas é sempre bom estabelecer o paralelo: assim, os Achuar não consideram o trabalho como um processo de transformação sobre a natureza, mas como uma espécie de transação permanente com um mundo dominado por espíritos que é preciso seduzir, constranger ou mover à compaixão por meio de técnicas simbólicas apropriadas que, entretanto, não se distinguem das habilidades técnicas. "Entre os Achuar", afirma Descola, "a intensificação do trabalho não se faz por meio do aumento de sua duração, mas da otimização das condições de realização" (*idem*, 365). Eles possuem uma expressão específica para preguiça e o termo "*takat*", que significa atividade física penosa (o mais próximo da nossa noção de trabalho), aplicável às lides da roça, não é usado, por exemplo, para referir-se à caça, que é designada por termos gerais como "ir à floresta", "procurar", "passear".

A literatura sobre o tema

Para introduzir mais concretamente nessa discussão o caso das populações indígenas em cidades da Amazônia, recorte que coube ao NAU no contexto do projeto PROCAD, foi consultada a bibliografia disponível que, por sinal, não é muito extensa, refletindo a pouca atenção que o tema desperta nas pesquisas de etnologia. Entre os mais representativos podem ser citados, em ordem cronológica:

> "Indios proletários en Manaus: el caso de los Sateré-Mawé citadinos", de Jorge Osvaldo Romano. Brasília: UNB. Dissertação de mestrado. Orientador: Roberto Cardoso de Oliveira. (Romano, 1982).
>
> "O universo social do indígena no espaço urbano: identidade étnica na cidade de Manaus", Raimundo Nonato Pereira da Silva. Porto Alegre: UFRGS. Dissertação de mestrado. Orientador: Oscar Alfredo Aguero. (Silva, 2001).

De volta ao Lago de Leite: Gênero e transformação no Alto Rio Negro. Cristiane Lasmar. São Paulo: ISA/NUTI/UNESP. Tese de doutorado (2004). Orientadora: Bruna Francheto. (Lasmar, 2006).

Cidade do índio: Transformações e cotidiano em Iauareté, de Geraldo Andrello ISA/NUTI/UNESP – 2006. Campinas: UNICAMP. Originalmente, tese de doutorado "Iauaretê: transformações sociais e cotidiano no rio Uaupés (Alto Rio Negro, Amazonas)" (2004). Orientador: Mauro Barbosa de Almeida. (Andrello, 2006).

"Identidade étnica: Os Sateré Mawé no bairro Redenção, Manaus/AM", de Glademir Sales dos Santos. Manaus: UFAM. Dissertação de mestrado. Orientadora: Selma Vale da Costa. (Santos, 2008).

Indios urbanos: Processo de reconformação das identidades étnicas indígenas em Manaus, de Roberto Jaramillo Bernal. Paris: Escola de Altos Estudos em Ciências Sociais. Tese de doutorado. (Bernal, 2009).

"Identidades fluidas: ser e perceber-se como Baré (Aruak) na Manaus contemporânea", de Juliana Gonçalves Melo. Brasília: UNB. Tese de doutorado. Orientador Paul E. Little. (Melo, 2009).

Satereria: Tradição e política – Sateré-Mawé, de Gabriel O. Alvarez. (Alvarez, 2009).

Terras indígenas nas cidades. (Farias Júnior, 2009).

Estigmatização e Território: Mapeamento situacional das comunidades e associações indígenas na cidade de Manaus. (Wagner e Santos, 2009).

"Migração do povo indígena Sateré-Mawé em dois contextos urbanos distintos na Amazônia". (Teixeira, Mainbourg e Brasil, 2009).

Uma primeira apreciação, de conjunto, dessa produção mostra que: três dos trabalhos (Silva, 2001; Bernal, 2009 e Wagner e Santos, 2009) versam sobre índios em geral, em Manaus; quatro, sobre etnias específicas, também em Manaus: três sobre Sateré-Mawé (Romano, 1982; Santos, 2008; Alvarez, 2009), um sobre os Baré (Melo, 2009) e o último sobre uma aldeia em terra urbana demarcada no Município de Rio Preto da Eva, perto de Manaus (Farias Júnior, 2009); dois sobre outras cidades, pequenas, maioritariamente de índios, no Alto Rio Negro: São Gabriel da Cachoeira (Lasmar, 2006) e Iauareté (Andrello, 2006). O último é um artigo de orientação demográfica sobre a presença dos Sateré-Mawé, no médio Amazonas, em territórios indígenas já demarcados e em cidades circunvizinhas: Parintins, Barreirinha, Maués, Nova Olinda do Norte e, finalmente, em Manaus (Teixeira, Mainbourg e Brasil, 2009).

O eixo interpretativo da maioria deles é a questão da identidade e etnicidade, com base nas propostas de Roberto Cardoso de Oliveira, João Pacheco de Oliveira e Frederik Barth; dois (o de Cristiane Lasmar e de Geraldo Andrello) adotam como fatores explicativos elementos do plano sociocosmológico e, entre os autores de referência, podem ser citados Eduardo Viveiros de Castro e Manuela Carneiro da Cunha.

Considerando, agora, apenas as monografias que tratam da população indígena em Manaus e a bibliografia mais geral sobre os padrões de ocupação, povoamento e urbanização, dessa cidade, é recorrente a referência a três momentos nesse processo: o ciclo da borracha – de finais do século XIX às primeiras décadas do século XX; o período de estagnação que se segue e, finalmente, a partir de fins da década de 1960, a retomada do processo com a implantação da Zona Franca de Manaus (ZFM) e as grandes obras do período do governo militar.[8]

Se o primeiro momento é caracterizado como o da "Manaus do fausto" (Oliveira e Schor, 2010), com tudo o que já se conhece sobre a "Paris dos Trópicos" – como o a construção do Teatro Amazonas, dos palacetes, das praças, o intenso comércio transatlântico, o consumo conspícuo das elites, as medidas de erradicação das palafitas e aterramento dos igarapés, *à la* Barão Haussmann – é o terceiro momento que se toma como referência para datar a presença mais significativa da população indígena na cidade, juntamente com as levas de migrantes de distintas regiões do país em busca dos empregos que a ZFM prometia.

Segundo Bernal (2009), são dois os principais polos de partida dos fluxos migratórios em direção a Manaus: Alto Rio Negro e leste do Estado da Amazônia. Este autor toma como base de sua análise as gerações, distinguindo, em primeiro lugar, os chegados entre os anos 1970 e 1980, cuja estratégia teria sido a de reforçar sua identidade através de uma "resistência étnica": eles teriam tentado manter suas tradições sem se inserir na lógica urbana.

Depois, a geração de pessoas atualmente com 30 a 55 anos, que chegaram com suas famílias na primeira onda migratória e que passaram a

[8] Evidentemente essa cronologia não contempla a presença de populações indígenas na região antes do período colonial e nos dois séculos subsequentes.

maior parte de suas vidas na cidade: seria o segmento mais traumatizado pelo choque com a matriz urbana, nos termos do autor. A vivência na família lhes permite manter a referência às tradições, mas precisam dominar a lógica da sociedade envolvente para assim inserir-se em alguns ramos do mercado de trabalho: na área turística, como guias ou na produção de artesanato; no serviço doméstico, nas lides no porto, como seguranças e também como funcionários de agências governamentais. Alguns, geralmente ex-seminaristas, são professores, enquanto outros trabalham nas organizações indígenas. Trata-se de uma geração de transição, já com vinte anos de cidade que, nos termos do autor, vive entre a prática (marcada pelas tradições da etnia, porém resignificadas no quadro da realidade urbana) e o discurso (marcado pelas representações da sociedade onde estão inseridos, mas resignificadas pelas tradições).

E, por último, a população jovem, entre 15 e 30 anos, muitos dos quais já nascidos na cidade. Participam com maior desenvoltura de um espectro mais amplo de atividades, como grupos de teatro e dança, agências não governamentais, frequentam universidades, têm maior presença no mercado do turismo, etc. O autor ressalta a importância do processo construído pelas segunda e terceira gerações, responsável por uma confluência entre práticas tradicionais e discursividade étnica. Por fim, menciona a migração por etapas, que supõe sua passagem por cidades menores antes de se instalarem na capital.

No caso especifico dos Sateré-Mawé, segundo Teixeira, Mainbourg e Brasil (2009), atualmente, entre os jovens, o motivo predominante para seu deslocamento às cidades próximas da terra indígena de Andirá (Parintins, Barreirinha, Maués) é o estudo, o que não implica um afastamento maior com relações a seus pais, de quem dependem para o sustento.

Gabriel Alvarez (2008), seguindo Ramos (1998) e Albert (2000), ressalta a experiência adquirida por esta etnia, ao longo do processo migratório, que terminou por distinguir uma liderança tradicional, formada pelos tuxauas, cujo poder moral estava ancorado na tradição, de uma liderança não tradicional, consolidada no contato e intercâmbio com outros atores.[9]

[9] "A fase mais intensa de reafirmação identitária e de mobilização etnopolítica do movimento indígena – a sua fase de 'movimento social' propriamente dito do movimento indigenista deu-se durante o intenso e sofrido processo de 'diálogo conflitivo' com o Estado para demarcação das terras indígenas ao longo das décadas de 1970 e 1980" (Albert, 2000: 198).

A primeira geração desses líderes não tradicionais, *carismáticos* foi forjada na luta contra os grandes projetos dos anos 1970: construção de barragens, exploração de petróleo e recursos minerais (Ramos, 1998; Albert, 2000). No caso específico dos Sateré-Mawé cabe ressaltar o conflito com a companhia petrolífera francesa *Elf Aquitane* e com a administração municipal, no caso da construção da estrada Maués-Itaituba. Os líderes tradicionais não quiseram aceitar dinheiro de indenização. Já o líder *carismático*, capitão Dico, aceitou, para compra de barcos e construção de barracões.

Em contraste com as antigas lideranças carismáticas, surge uma segunda geração, mais urbana, com experiência anterior no movimento indígena: de um lado, uma liderança *com orientação para o mercado*, socializada na lógica do "mercado de projetos" (Albert, 2000), no contexto das organizações da sociedade civil, ONGs (*Waraná*, por exemplo, voltada para o processamento e comercialização do guaraná). Caracteriza-se por desenvolver um discurso para os brancos, como etno-desenvolvimento, desenvolvimento sustentável e participativo, viagens, contatos com o exterior e venda dos produtos tradicionais diretamente para o mercado global. Em resumo, passa-se da etnicidade política (a dos *carismáticos*) para uma espécie de "etnicidade de resultados".

Por outro lado, surge também, nessa segunda geração, uma liderança *com orientação para a política*: o discurso é dirigido tanto para índios e caboclos, o tema é dos direitos: saúde, educação, aposentadoria. Mecias Sateré, em sua campanha pela prefeitura de Barreirinha, em 2004, é um exemplo dessa estratégia: propôs aliança com os caboclos, contra os "doutores". Segundo ele, foi a luta do movimento indígena, com os índios entrando no Congresso Nacional, que conseguiu esses direitos: hoje eles têm direitos à saúde, enquanto os caboclos não. O autor chama os protagonistas desses três tipos de liderança – as no movimento indígena, as com orientação para o mercado e as com orientação para a política – de *brokers*, mediadores com o mundo dos brancos.

Do ponto de vista dos trabalhos aqui citados, os principais motivos de deslocamento dos índios das aldeias para a cidade são: acesso a serviços de saúde, à educação, a bens industrializados e, de modo geral, às facilidades do modo de vida urbano. O que eles conseguem, no entanto, não vai muito além de trabalhos esporádicos e não qualificados, em razão da falta de escolaridade e de habilidades específicas. A construção civil para os homens, na forma de biscates temporários, de empregadas domésticas para as mulheres e de vendedores ambulantes, de forma geral, são as opções mais comuns.

Cargos em associações indígenas, na FUNAI (nas frentes de contato) e, mais recentemente, o artesanato, principalmente no caso das mulheres, também são referidos.

Segundo os autores compulsados, os indígenas encontram uma cidade pronta, pouco acolhedora, a que precisam se adaptar. O sonho de trabalho na Zona Franca de Manaus e com ele, a aspiração à carteira assinada, supõe, entre outras qualificações, uma básica, que é o conhecimento da língua portuguesa. O resultado, ainda segundo alguns autores, é inevitavelmente, num primeiro momento, o processo de proletarização, marginalidade e exclusão.

A estratégia seguida desde os inícios do processo migratório, principalmente nos anos 1960 até a década de 1980, teria sido a "invisibilidade" para superar o estigma de índio "bravo" em direção ao status de "manso" e, finalmente, ao de "civilizado", o que implicava, entre outros cuidados, não falar a "gíria" (a língua nativa) e, assim, tentar esconder a condição de indígena. Dos anos 1980 em diante, a etnicidade começa a ser empregada como estratégia de inserção e o artesanato, assim como as associações, aparecem como alternativas de trabalho e inserção valorizadas nesse contexto.

Finalmente, em relação às cidades de São Gabriel da Cachoeira e Iauareté, no Alto Rio Negro, analisadas desde outros parâmetros, a dinâmica do processo de inserção dos indígenas nesse contexto urbano (onde são a maioria da população) e os problemas daí advindos poderiam ser resumidos na seguinte formulação: "(...) a questão que se colocaria para os índios seria a de como se apropriar do conhecimento dos brancos sem precisar viver como branco, isto é, sem precisar viver como se vive na cidade" (Lasmar, 2006: 257). Ou seja, poder usufruir das facilidades proporcionadas pelos brancos (sintetizadas pelos bens e serviços encontrados na cidade), sem necessariamente precisar sujeitar-se às suas mazelas, também representadas pela cidade, mas pelo que ela tem de ruim. Uma variante dessa postura encontra-se em Andrello citando a fala de uma liderança tariano:

> Meus irmãos, mesmo que queiramos ser como os brancos, nunca vamos chegar ao topo dessa pirâmide de ser branco, seremos sempre indígenas ou índios civilizados... vamos resgatar nossa cultura, nossa língua, mostrar para o mundo que nós também somos um povo, que temos cultura, que merece respeito, assim como respeitamos outras culturas e povos.
>
> (Andrello, 2006: 425)

Menos do que a cidade, a questão nestes dois casos é a relação com os brancos: Lasmar mostra desequilíbrios sociológicos provocados pela preferência das jovens indígenas pelo casamento com brancos e suas implicações nas regras de parentesco vigentes no Alto Rio Negro – mas com consequências na dinâmica urbana, como o consumo de álcool por parte de rapazes indígenas e daí comportamentos agressivos de "galeras" no espaço público, em lugares de entretenimento, etc. No caso de Iauareté, estudado por Andrello, o mito de origem é invocado para pensar desequilíbrios atuais resultantes das relações com as missões salesianas do passado.

A pesquisa de campo

Se a descrição do surgimento de novas lideranças, principalmente no caso dos Sateré-Mawé, apresentou mais elementos para o entendimento das estratégias dos índios em sua relação com o ambiente urbano – as grandes obras, os projetos, a política – faltava ainda uma leitura mais atenta do cotidiano da população indígena na paisagem da cidade, em sua relação com os equipamentos e instituições urbanas – como e por onde se deslocam, seus espaços de lazer e sociabilidade, o calendário dos rituais, as alianças que estabelecem, etc.

A ideia, de acordo com a proposta inicial, era buscar uma perspetiva de análise que tivesse como referência as pesquisas na cidade de São Paulo e as categorias trabalhadas no NAU, em diálogo com estudos e quadros interpretativos produzidos na área da etnologia, como estava previsto no projeto já citado "Paisagens ameríndias: habilidades, mobilidade e socialidade nos rios e cidades da Amazônia". O eixo do lazer e tempo livre aparecia inicialmente como uma boa via de acesso pois, como foi mostrado, a busca de inserção dos índios na cidade por meio do emprego fixo e regular, apesar de comum aos demais migrantes, parecia pouco esclarecedora, tendo em vista a precariedade dos laços que conseguiam estabelecer no mercado de trabalho. Daí a enveredar na via explicativa da exclusão, marginalidade, pobreza, desintegração, assistencialismo seria um passo.

Desta forma, a questão de como ocupam seu "tempo livre" – e, de forma mais ampla, quais os seus espaços e formas de sociabilidade – prometia ser mais produtiva do que privilegiar as estratégias de inserção na cidade por intermédio do trabalho. O problema inicial era encontrá-los. Onde se localizavam? Estariam dispersos pela cidade? Formariam comunidades étnicas?

Frente a este quadro, duas práticas/espaços de encontro e sociabilidade, com marcada presença indígena na paisagem urbana manauara, constituíram as primeiras entradas em campo: o futebol e as feiras de artesanato. Contudo, logo após um tempo de observação e convívio, ficou claro que os aspetos particularmente óbvios de ambos – entretenimento num caso e venda de produtos como fonte de recursos, no outro – não esgotavam a questão. O futebol – que a literatura mostra ser uma atividade muito disseminada nas populações indígenas, mesmo nas T.I. – em Manaus aparecia também num quadro institucional mais amplo, o "Peladão", famoso torneio de futebol amador que mobiliza a cidade toda, inclusive os índios. O mesmo aconteceu com o artesanato: passar dos pontos de venda para o processo de produção e as redes de distribuição abriram um campo insuspeitado, revelando redes de troca, coleta e aquisição de sementes, entre outros aspetos.

O futebol, sem dúvida, pode ser enquadrado na categoria de lazer, pois é praticado regularmente com igual entusiasmo por indígenas das mais variadas etnias, homens e mulheres, com seus vizinhos não índios, nos campos de terra perto de suas moradias, ou naqueles situados em quadras poli-desportivas. Contudo, a participação oficial de uma chave indígena, desde 2005, no Peladão, o "maior torneio de futebol de várzea do mundo",[10] como a imprensa local gosta de ressaltar, introduz novas conotações, pois abriu um importante espaço de disputas, afirmação e encontro: a formação das equipes, a definição de quem é ou não índio, a que etnia pertence, as acusações mútuas denunciando a presença de 'brancos" no time do adversário, as representações sobre o estilo de jogar dos índios por oposição ao dos não índios, etc.. Todos os anos esse campo de disputa se renova periodicamente e a presença indígena na cidade ganha importante visibilidade, conforme mostra Rodrigo Chiquetto em sua pesquisa sobre o tema (Chiquetto, 2011). Pode-se dizer que, neste caso, o futebol, mais que uma forma de entretenimento, é um dispositivo que produz significados, estabelece distinções, gera categorias de acusação e de pertencimento.

Algo semelhante ocorre com relação ao artesanato, conforme explica Ana Luísa Sertã, no relatório final de sua pesquisa de iniciação científica:

[10] O evento começou em 1977 e, em 2008, segundo material institucional do evento, contou com a participação de 630 equipes, com 14.192 atletas inscritos, que jogaram em 54 campos de várzea por toda a cidade. O campeonato é dividido em cinco categorias: Peladão; Peladinho; Master; Feminino; Indígena. Neste ano, foram 16.000 jogadores, 800 equipes e tanto a abertura como a final ocorrem no principal estádio de Manaus.

> O trabalho de campo realizado encontrou na atividade do artesanato um elemento-chave. Sua prática parece acionar uma extensa rede que envolve parentes na cidade e na Terra Indígena, contatos com indígenas e não-indígenas, turistas, representantes governamentais, ONG's, comerciantes e também um elemento não-humano fundamental, as sementes. Dessa forma, o artesanato parece configurar um modo particular de estar-na-cidade, que passa por uma atualização de saberes e técnicas aprendidos nas áreas indígenas e transmitidos de geração em geração.
>
> (Sertã, 2011:13)

Por outro lado, a clássica divisão trabalho *versus* lazer faz pouco sentido numa prática realizada por mulheres no ambiente da casa, nas brechas dos afazeres domésticos, ou em grupo, em alguma associação, com filhos pequenos em volta, em clima de conversa e descontração. Contudo, não deixa de ser uma importante fonte de renda. A própria obtenção da matéria prima, especialmente as sementes, abre uma extensa rede de relações da qual participam os parentes residentes em aldeias da terra indígena, membros de outras etnias, além da compra no mercado e recolha, durante longos "passeios" por praças, parques, terrenos baldios, devidamente mapeados na paisagem da cidade; sem dúvida cabe aqui a noção já mencionada de *task orientation* desenvolvida por Tim Ingold (2000).

Estas duas vias de acesso, que permitiram uma maior aproximação com os Sateré-Mawé, abriram espaço para frequentar uma de suas aldeias urbanas, Y'apirehy't, no bairro da Redenção. Aí foi possível entrar em contato com outra atividade, o ritual de iniciação masculina denominado Tucandeira, que também aparecia como fortemente agregadora, atraindo pesquisadores, jornalistas, vizinhos, parentes de outras aldeias, etc. O nome vem de uma determinada espécie de formigas, introduzidas em luvas que os iniciandos devem calçar (e cujas ferroadas devem suportar...) durante a dança. Um trecho do caderno de campo dá uma ideia do ambiente de festa em que se desenrola este ritual e das relações que estabelece:

> (...) a iniciativa marcou mais uma vez a presença dos Sateré-Mawé na cidade. Para tanto, acionaram uma extensa rede que inclui a academia – lá estavam os antropólogos, dois deles com dissertação já defendida e outros dois com trabalhos em curso, uma sobre xamanismo e outro sobre o circuito sateré na cidade; o Projeto Nova Cartografia Social da Amazônia, do prof. Alfredo Wagner; os irmãos de fé, os vizinhos, o cantador

> que viera da T.I. do Andirá e trouxera uma das luvas; dona Baku, da outra comunidade sateré, de onde vieram as formigas; a SEIND, a imprensa. (...) Moisés permitira que uma artista plástica participasse do ritual que, no entanto, era para valer; pouco provável que volte para uma segunda experiência "mística", como era sua expectativa, conforme me relatou. A cerimônia toda exigiu a participação de muita gente para a remodelação do pátio e do barracão, onde habitualmente ocorrem os cultos evangélicos, as reuniões, a feitura do artesanato e as aulas: aí foram instaladas as barracas de bambu, o fogão de barro para assar os peixes, o palco e demais equipamentos. Custou trabalho, providências específicas – a confeção das luvas e busca das formigas – dinheiro e muita conversa.
>
> (Magnani, 2010)

Aos poucos, noções algo unívocas e discretas como trabalho, lazer, ritual, começam a ser situadas em contextos mais extensos e em redes mais amplas de relações sociais e espaciais: o conceito de "habitar", outra categoria desenvolvida por Tim Ingold (2000), oferecia uma boa perspetiva para lidar com essa ampliação na medida em que, para além da costumeira conotação de habitar ligada à moradia – no espaço doméstico da casa – descreve ambientes complexos de interação e desenvolvimento de habilidades. Ademais, as atividades observadas começavam a delinear-se na forma de *trajetos* e *circuitos,* revelando regularidades num espaço onde, à primeira vista, apareciam de forma pontual e esporádica.

Como se pode notar, no decorrer da pesquisa, o contato centrou-se nos Sateré-Mawé, uma das etnias com mais tempo em Manaus[11] e das mais numerosas;[12] a literatura parecia corroborar a oportunidade da escolha pois, diferentemente das demais, apresentavam padrões de residência coletiva bem marcados:

[11] Os indígenas residentes em Manaus provêm de todo o interior do Estado e representam a grande maioria das etnias amazonenses. Não há dados globais confiáveis a respeito da repartição étnica dos indígenas que migraram para Manaus, mas sabe-se que eles são originários das terras indígenas de maior concentração populacional, entre as quais se sobressaem as que se situam no Alto Rio Negro e no Alto Solimões. O levantamento estatístico que doravante abordaremos indica que, entre as etnias mais presentes na cidade, encontram-se os Ticunal e Cokama, do Alto Solimões, os Tucano, Baré, Dessana e Tariano, do Alto Rio Negro e os Sateré-Mawé, do Médio Amazonas (Teixeira, Mainbourg e Brasil, 2009: 540).

[12] Numa população de aproximadamente 10.000 índios em Manaus, os Sateré-Mawé são, também aproximadamente, 600.

> (...) à exceção dos Sateré-Mawé, os índios não costumam criar agrupamentos residenciais significativos, verificando-se grande dispersão territorial e o fato de que muitas pessoas não assumem a identidade indígena publicamente, o que dificulta sobremodo a realização de um levantamento quantitativo.
>
> (Melo, 2009:173)

O contato com os trabalhos de Alfredo Wagner e sua equipe, no projeto Nova Cartografia Social da Amazônia, contudo, permitiu relativizar essa impressão, pois mostrou que outras etnias também se organizam em comunidades, na cidade e nos arredores de Manaus. Mas, realmente, os Sateré em especial apresentam uma estratégia particular de implantação na cidade: com sete comunidades, formam um verdadeiro circuito de núcleos residenciais, em estreito e contínuo contato e que inclui também comunidades em cidades vizinhas e até na terra indígena do Andirá-Maraú.[13]

Estratégias na cidade

Uma das dificuldades em realizar censos sobre a população indígena na cidade, com resultados fidedignos, tem a ver com a forma como eles se estabelecem no espaço urbano. Ainda que haja diferenças entre as estratégias adotadas pelas diversas etnias em Manaus – umas tendem a agrupar-se em comunidades ou "aldeias urbanas", como os Tikuna e os Sateré, enquanto outras estão mais dispersas, como os Tukano – todas apresentam um notável fluxo de pessoas entre as respetivas terras indígenas no interior e as residências na cidade: a circulação de parentes é constante, para visitas, tratamento médico, compras, estudos, com períodos variáveis de permanência.

Yuri Bassichetto (2011), analisando o caso dos Sateré-Mawé, refere-se a este fenômeno como um *circuito, mas que precisa ser ampliado,* pois conecta não apenas as aldeias próximas, situadas no mesmo bairro, como Y'aphyrei't e Waikiru, (no bairro manauara da Redenção) como as mais afastadas, já em área de floresta, mas no município (Hywi, I-nhãa-Bé), e também as de outros municípios (Sahu-Apé, em Iranduba) e as situadas na terra indígena de Andirá-Marau, na calha dos respetivos rios, região dos municípios de Parintins e Maués; muitos deles mantêm casas e roças em várias dessas

[13] Trata-se das seguintes comunidades: Y'apyrehy't e Waikiru, no bairro da Redenção, zona oeste da capital; Inhãa-bé, Mawé e Hywi, no Tarumã-Açu, braço do igarapé do Tiú; Sahu-Apé, no município de Iranduba e Waranã, em Manaquiri, mais distante e de formação mais recente.

aldeias. Por esse circuito ampliado, transitam não apenas humanos (membros das diferentes parentelas, lideranças, xamãs, especialistas nos cantos rituais, professores da língua sateré), mas sementes e formigas – aquelas para o artesanato e estas para o ritual da Tucandeira.

Outro aspeto que chama a atenção e tem implicações na presença dos índios na cidade é a proliferação de associações marcadas por suas prolíficas siglas – AMISM (Associação das Mulheres Indígenas Sateré Mawé), AMARN (Associação das Mulheres Indígenas do Rio Negro), AACIAM (Associação de Arte e Cultura Indígena do Amazonas), ACIMRN (Associação das Comunidades Indígenas do Médio Rio Negro), ACINCTP (Associação Comunitária Indígena Agrícola Nheengatu), ACITRUT (Associação das Comunidades Indígenas de Taracuá, Rio Uapés e Tiquié), CIKOM (Coordenação Indígena Kokama de Manaus), OPITTAMP (Organização dos Povos Indígenas Torá, Tenharim, Apurinã, Mura, Parintintin e Pirahãpara) – só para citar algumas das referidas por Alfredo Wagner (2009); Márcio Silva (2010), por sua vez, elenca um número mais expressivo.[14]

Algumas dessas associações, com poucos membros – às vezes não apenas da mesma etnia, mas da mesma família – constituem um expediente para se ter um endereço na área urbana e imediações ou abrigar alguma atividade. Notável é o caso, na Praia do Tupé, junto às margens do Rio Negro (a 25 km de Manaus, cerca de uma hora de barco), de duas grandes e bem equipadas ocas, uma ao lado da outra, destinadas a apresentar a turistas, mediante pagamento, ritos da etnia tukano. Uma ostenta na entrada a seguinte placa: Núcleo Cultural Indígena – *UMURI MAHSÃ WIRÃ KURU OPINKÓN WI'I - TÕ, Õ, PA WI'I DESSANA-TUKANA-TUYUKA*. A outra exibe: *UMURI DIRO MAHSÃ BAYARI WI'I BAYIRIKO IW'I*. O interessante é que cada uma é dirigida por um de dois irmãos que, por conflitos no seio da família,

[14] "A Amazônia Brasileira abriga uma paisagem sociológica marcada por uma notável heterogeneidade cultural e linguística e por processos históricos com muitas peculiaridades locais. Neste cenário emergiram nas últimas décadas 347 organizações indígenas, segundo estimativas feitas em 2000. Grande parte dessas organizações está primordialmente voltada à captação de recursos externos para projetos de desenvolvimento, programas de proteção das terras e dos recursos naturais e prestação de serviços de assistência à saúde. No que concerne às suas ambições políticas, muitas se definem como porta-vozes de comunidades, regiões ou povos indígenas específicos, enquanto outras congregam segmentos profissionais ou sociais distintos, tais como professores, agentes de saúde, estudantes, mulheres etc." (http://www.pontourbe.net/edicao7-artigos/127-organizacoes-indigenas-na-amazonia-brasileira-um-rapido-sobrevoo.) (Consultado em16/05/2012).

resolveram cada qual abrir sua própria associação para oferecer praticamente as mesmas cerimônias, cantos e danças.

O ritual da Tucandeira oferece outro bom exemplo do leque de alternativas que os indígenas, neste caso os Sateré-Mawé, agenciam para sua inserção no espaço urbano. Para além de seus aspetos ritualísticos e sociocosmológicos, sobejamente tratados na literatura (Nimuendajú, 1948; Uggé, 1991; Lorenz, 1992; Mano, 1996; Souza, 1998; Pereira, 2003; Alvarez, 2009), esse ritual, como já foi mencionado, aciona, em graus diversos, pessoas, recursos e objetos para sua realização. José Agnello de Andrade, em sua pesquisa de mestrado sobre o tema, documentou várias versões do rito em diferentes aldeias e todas, não obstante as discussões que suscitam entre os próprios índios sobre o grau de fidelidade a antigos usos e preceitos, têm seu próprio potencial de agregação (Andrade, 2011).

Ora restrita aos vizinhos e parentes próximos, ora com maior repercussão na mídia – às vezes mais voltada para o consumo externo, de turistas, pesquisadores e curiosos – a festa marca a presença sateré em Manaus. Não é sem razão que seu estilo despertou o seguinte comentário de um índio de outra etnia: "esses Sateré gostam mesmo é de aparecer, de cocar, na mídia..." (Magnani, 2010).

E para retomar a observação feita no início deste capítulo, sobre a proporção da população indígena nos países latino-americanos de língua hispânica, em comparação com o caso brasileiro, onde ela é bem menor, cabe ressaltar que sua presença nas cidades, mesmo não tão visível, constitui um tema de interesse tanto para estudos de Etnologia como da Antropologia Urbana. Dado que, fora das terras legalmente demarcadas, os índios não contam com a assistência de órgãos governamentais responsáveis por políticas voltadas para eles, fazem valer sua presença acionando conhecimentos e práticas desenvolvidas por suas lideranças ao longo do contato com os brancos e suas instituições, e combinando-os com equipamentos, formas de luta, recursos e legislação com os quais se deparam na cidade.

Um exemplo: em março de 2008, a ocupação de um terreno no bairro Santa Etelvina, na zona norte de Manaus, por índios de diversas etnias – Sateré-Mawé, Tikuna, Kokama, Tukano, Kanamari, Baniwa, entre outras – ganhou destaque na mídia nacional, principalmente pela violenta repressão policial empregada para desalojá-los. Esta prática, bastante comum em outras capitais brasileiras, organizada por movimentos como MTST (Movimento dos Trabalhadores Sem Teto), neste caso teve uma coloração específica: o caráter indígena deu o tom – não faltaram os cocares, armas tradicionais, grafismos nos corpos e roupas e até mesmo a notícia, amplamente divulgada na imprensa, de que os índios iriam buscar reforços, para resistir, entre "guerreiros Mura, em Autazes". Da parte do poder público tratava-se de invasão de propriedade privada e a ação era de reintegração de posse. O prefeito em exercício chegou a propor a criação de um bairro indígena para resolver o problema da falta de moradia: "Seria um local onde os índios pudessem contar com escolas, hospitais, área para expor seus produtos artesanais. O turismo iria agradecer." Da parte dos indígenas, contudo, o argumento era de que "esse local, um dia, nos pertenceu" (Costa, 2009).

Mais um caso, desta feita em outro contexto e com outros desdobramentos: a Câmara Municipal de Iranduba, cidade próxima a Manaus, contestou a legalidade da aldeia Sahu-Apé no perímetro urbano, alegando invasão (o sub-texto era o conhecido mote de que "lugar de índio é na floresta") e argumentando que aquela ocupação ia contra as determinações do Plano Diretor, instrumento legal de responsabilidade e atribuição municipais. Os Sateré, por sua vez – para quem o terreno foi fruto de uma doação da prefeitura de Manacapuru, em 1996 – apelaram para a legislação federal, e entre seus representantes, no debate travado em sessão especial da Câmara, em março de 2011 (devidamente gravado em vídeo), havia funcionários da FUNAI, INCRA e SEIND.[15] Esses funcionários – alguns deles índios também, versados na legislação dos organismos em que trabalham – enfrentaram em pé de igualdade os vereadores e rebateram seus rebuscados discursos.

A pendenga ainda segue, mas exemplifica bem uma das estratégias acionadas na busca de legitimação no espaço na cidade. Tal como foi observado na introdução, a propósito de uma certa forma de valorizar o elemento indígena como património e depositário de antigas tradições, mas que nem sempre se traduz em políticas públicas efetivas, cabe lembrar que Manaus será uma das sedes da Copa do Mundo em 2014. A presença indígena, assim como a floresta amazónica e seus "encantos" e "recursos naturais" são exaustivamente lembradas como o diferencial nas campanhas publicitárias para incentivo do turismo regional. No dia a dia, porém, a presença das variadas etnias, as estratégias para conquistar espaço e direitos, e as transformações que imprimem no tecido urbano, formam uma intrincada tessitura que é preciso olhar "de perto e de dentro" para reconhecer a agência daqueles que a produzem e os modos de vida, diferenciados, que estabelecem.

[15] Fundação Nacional do Índio, Instituto Nacional de Colonização Reforma Agrária, Secretaria de Estado para Assuntos Indígenas, respetivamente.

Referências Bibliográficas

ALBERT, Bruce (2000), "Associações Indígenas e Desenvolvimento Sustentável na Amazônia Brasileira", in RICARDO, Carlos Alberto (org.), *Povos indígenas no Brasil, 1996-2000*. São Paulo: Instituto Socioambiental, 197-203.

ALMEIDA, Alfredo Wagner Berno e SANTOS, G. S. (orgs.) (2009), *Estigmatização e território: mapeamento situacional dos indígenas em Manaus*. Manaus: Universidade Federal do Amazonas.

ALVAREZ, Gabriel de Oliveira (2009), *Satereria: tradição e política – Sateré-Mawé*. Manaus: Editora Valer.

ANDRADE, José Agnello (2011), "Indigenização do Urbano: Etnografia dos espaços de sociabilidade de indígenas Sateré-Mawé na cidade de Manaus/AM". São Paulo: PPGAS/USP. Relatório de Qualificação.

ANDRELLO, Geraldo (2006), *Cidade do índio: Transformações e cotidiano em Iauareté*. São Paulo: ISA/NUTI/UNESP.

AZEREDO, Paulo Roberto (1986), *Antropólogos e pioneiros - A História da Sociedade Brasileira de Antropologia e Etnologia*. São Paulo: FFLCH/USP.

BASSICHETTO, Yuri (2011), "Habitar e construir – Os circuitos Sateré-Mawé-Mawé na Amazônia". São Paulo: FFLCH/CNPq. Relatório final de pesquisa de Iniciação Científica.

BERNAL, Roberto Jaramillo (2009), *Indios urbanos: processo de reconformação das identidades étnicas indígenas em Manaus*. Manaus: EDUA.

BORGES PEREIRA, João Baptista (org.) (1996), "Cadeira de Antropologia: Organização e Atividades". São Paulo: FFCL/USP.

BRAGA, Sérgio I. G. e FERREIRA, Hueliton S. (2004), "Por uma antropologia do espaço social: Os ensaios de Garantido e Caprichoso em Manaus". *Revista Somanlu*, 1, 139-161.

CARDOSO DE OLIVEIRA, Roberto (1988), *Sobre o Pensamento Antropológico*. Rio de Janeiro: Tempo Brasileiro.

CHIQUETTO, Rodrigo (2011), "Futebol de Índio – Etnografia sobre a apropriação do ambiente urbano por populações indígenas através do futebol". Comunicação apresentada no *Primeiro Seminário de Etnologia Urbana*. São Paulo: GEU - Grupo de Etnologia Urbana do NAU - FFLCH/USP, dez. de 2011.

COMISSÃO PRÓ-ÍNDIO DE SÃO PAULO. http://www.cpisp.org.br/html/sobre_cpi.html.

COSTA, Willas Dias (2009), "Despejos forçados de famílias indígenas", in ALMEIDA, Alfredo Wagner Berno e SANTOS, G. S. (orgs.), *Estigmatização e território: Mapeamento situacional dos indígenas em Manaus*. Manaus: Universidade Federal do Amazonas, 197-208.

De Masi, Domenico (2000), *O ócio criativo*. Rio de Janeiro: Sextante.

Descola, Philippe (1986), *La nature domestique: Symbolisme et praxis dans l'ecologie des Achuar*. Paris: Éditions de la Maison des Sciences de l'Homme.

Dumazedier, Joffre (1962), *Vers une civilisation du loisir?* Paris: Éditions du Seuil.

Dumazedier, Joffre (1974), *Sociologie empirique du loisir: Critique et contre-critique de la civilisation du loisir*. Paris: Éditions du Seuil.

Dumazedier, Joffre e Ripert, Aline (1966), *Loisir et culture*. Paris: Éditions du Seuil.

Evans-Pritchard, E. E. (1978), *Os Nuer*. São Paulo: Perspectiva.

Farias Junior, Emmanuel de Almeida (2009), *Terras indígenas nas cidades*. Manaus: UEA Edições.

Ingold, Tim (2000), *The perception of the environment. Essays on lifehood, dwelling and skill*. Londres e Nova Iorque: Routledge.

Instituto SocioAmbiental (ISA) – http://www.socioambiental.org/. (Consultado em 09/01/2012).

Lalive D'Épinay, Christian (1992), "Beyond the antinomy: Work *versus* leisure? Stages of a cultural mutation in industrial societies during the twentieth century". *Loisir et Societé*. Québec: Presses de l'Université du Québec, 14, 2, 433-446.

Lasmar, Cristiane (2006), *De volta ao Lago de Leite: Gênero e transformação no Alto Rio Negro*. São Paulo: ISA/NUTI/UNESP.

Lorenz, Sônia da Silva (1992), *Sateré-Mawé: Os filhos do Guaraná*. São Paulo: Centro de Trabalho Indigenista.

Magnani, J. Guilherme C. (1984), *Festa no pedaço: Cultura popular e lazer na cidade*. São Paulo: Brasiliense.

Magnani, J. Guilherme C. "O ritual da Tucandeira na comunidade Y'Apyrehit, Manaus". *Ponto Urbe*. (Revista do NAU). (http://www.pontourbe.net/edicao7--etnograficas/134-etnografica-o-ritual-da-tucandeira-).

Magnani, J. Guilherme C. (2002), "De perto e de dentro: notas para uma etnografia urbana". *Revista Brasileira de Ciências Sociais*, ANPOCS, 17, 49, 11-29.

Mano, Marcel (1996), "Etno-História e Adaptação Mawé: Uma Contribuição para a Etnografia Tupi da Área Madeira-Tapajós". São Paulo: FFLCH/USP. Dissertação de mestrado.

Melo, Juliana Gonçalves (2009), "Identidades fluidas: Ser e perceber-se como Baré (Aruak) na Manaus contemporânea". Brasília: UnB. Tese de Doutoramento.

NAU – Núcleo de Antropologia Urbana da USP: http://n-a-u.org/.

Nimuendajú, Curt (1948), "The Maué and Arapium", in Steward, Julian H. (org.), *Handbook of South American Indians*. Vol. 3. Washington: United States Government Printing Office, 245-254.

OLIVEIRA, José Aldemir e SCHOR, Tatiana (2009), "Manaus, transformações e permanências, do forte à metrópole regional", in CASTRO, Edna, *Cidades na floresta*. São Paulo: Annablume Editora, 59-98.

PAGLIARO, Heloísa (2009), "Povos indígenas do Brasil". *Caderno CRH*, 22, 57, 1-4.

PEREIRA, Nunes (2003) [1954], *Os Índios Maués*. Manaus: Editora Valer/ Governo do Estado do Amazonas.

POLANYI, Karl (1980), *A grande transformação*. Rio de Janeiro: Editora Campus.

RAMOS, Alcida (1998), *Indigenism. Ethnic politics in Brazil*. Wisconsin: The University Wisconsin Press.

RAMOS, Alcida (2010), "Revisitando a Etnologia à Brasileira", in MARTINS, Carlos Benedito e DUARTE, Luiz Fernando Dias (orgs.), *Horizontes das ciências sociais no Brasil: Antropologia*. São Paulo: ANPOCS, Discurso Editorial, 25-50.

ROMANO, Jorge Osvaldo (1982), "Índios proletários en Manaus: El caso de los Sateré-Mawé citadinos". Brasília: UnB. Dissertação de mestrado.

SANTOS, Glademir Sales (2008), "Identidade étnica: Os Sateré Mawé no bairro Redenção, Manaus/AM". Manaus: UFAM. Dissertação de mestrado.

SERTÃ, Ana Luísa (2011), "Fazendo colares, tecendo a rede: mulheres indígenas na cidade de Manaus". *Relatório Final*, CNPq.

SILVA, Márcio (2010), "Organizações Indígenas na Amazônia Brasileira: um rápido sobrevôo". *PONTO URBE*. (Revista do NAU). http://www.pontourbe.net/edicao7-artigos/127-organizacoes-indigenas-na-amazonia-brasileira-um-rapido-sobrevoo. (Consultado em 07/05/2012).

SILVA, Raimundo Nonato Pereira (2001), "O universo social do indígena no espaço urbano: Identidade étnica na cidade de Manaus". Porto Alegre: UFRGS. Dissertação de mestrado.

SOUZA, Brito Ferreira (1998), *Os Sateré-Mawé e a arte de construir*. Manaus: Seduc.

TAMBUCCI, Yuri. B. (2011), "Habitar e construir: O circuito Sateré Mawé na Amazônia". Comunicação ao *Primeiro Seminário de Etnologia Urbana*. São Paulo: GEU - Grupo de Etnologia Urbana do NAU - FFLCH/USP.

TEIXEIRA, Pery, MAINBOURG, Evelyne e BRASIL, Marília (2009), "Migração do povo indígena Sateré-Mawé em dois contextos urbanos distintos na Amazônia. *Caderno CRH*, 22, 57, 1-16.

UGGÉ, Enrique (1991), *Mitologia Sateré-Maue*. Quito: Editora Abya-Yala.

WAGNER, Alfredo e SANTOS, Glademir Sales (2009), *Estigmatização e território: Mapeamento situacional das comunidades e associações indígenas na cidade de Manaus*. Manaus: Editora da Universidade do Amazonas.

A REORGANIZAÇÃO DA EXIBIÇÃO CINEMATOGRÁFICA NO MÉXICO E EM PORTUGAL

Paula Abreu e *Ana Rosas Mantecón*

Introdução[1]

Contra todos os prognósticos que vaticinavam o fim da época do cinema como espetáculo de encontro coletivo de massas, a nível mundial, o panorama mudou substancialmente desde meados dos anos noventa do século XX. Entre os fatores que influenciaram, decididamente, o renascimento da exibição cinematográfica encontram-se as mudanças no setor dos serviços a nível mundial, que impulsionaram a redistribuição espacial, a racionalização e a centralização das atividades. A primeira dessas mudanças levou à alteração da localização dos equipamentos para áreas onde os custos do trabalho, de funcionamento e de rentabilização fossem menores; a racionalização conduziu ao encerramento de instalações que não tinham equipamentos tecnológicos capazes de satisfazer as exigências da procura, ou condições para ir ao seu encontro através de mudanças tecnológicas; a centralização favoreceu a oferta dos serviços no âmbito de unidades de grande dimensão, situadas nas cidades de maior dimensão, e o fecho ou a redução do número das antigas salas isoladas, dispersas por múltiplos espaços urbanos (Marshall e Wood, 1995: 59-76). As entidades e instituições relacionadas com a mercantilização e a ampla circulação das formas simbólicas foram-se integrando em grandes conglomerados, pelo que a globalização de padrões e formas de consumo se refletiu também na organização e localização dos serviços (Thompson, 1992: 237-238).

O México e Portugal passaram ambos por estes processos de renovação dos equipamentos de exibição cinematográfica. Em ambos os países é notória a presença das produções de Hollywood nos seus ecrãs, a concentração empresarial e a centralização das infraestruturas de projeção, que favorecem as cidades maiores e afetam as cidades médias e pequenas. Como em todo o planeta, também nestes países se encontra em marcha uma reorganização dos consumos culturais, que envolve o reforço do espaço doméstico como

[1] Ana Rosas Mantecón foi apoiada por *The British Academy* e ambas as autoras pela Rede Brasil-Portugal de Estudos Urbanos.

espaço de consumo, em detrimento dos consumos coletivos, realizados no espaço público, particularmente nos espaços públicos urbanos. No caso do cinema, esse processo é visível na multiplicação das possibilidades de assistir a filmes no espaço doméstico e a diminuição dessa assistência nas salas de cinema.

Não obstante o caráter global destes processos, encontramos diferenças no rumo que estes tomaram em cada um dos contextos nacionais. Estas relacionam-se com os distintos perfis da indústria cinematográfica e da sua vinculação às dinâmicas sociais e identitárias de cada país. Daí a potencialidade de estudos comparativos que nos permitam analisar as similitudes e colocar em contraste as suas especificidades.

Para um esboço da reorganização do cinema

Os países que valorizam o cinema como setor estratégico da indústria cultural e da economia nacional não poupam recursos para apoiar a investigação e a elaboração de indicadores que permitem a monitorização permanente do comportamento da indústria em relação ao investimento, à geração de empregos, à contribuição para a balança comercial e à captação de divisas, à produção e coprodução de filmes, à sua distribuição, aos públicos do cinema, vídeo e internet, às receitas da publicidade, entre outros, sendo que usualmente essa informação está disponível para consulta pública.

Ao contrário do que acontece nos Estados Unidos da América, no Canadá ou em vários países europeus, cuja política cinematográfica se apoia numa poderosa infraestrutura informativa, nem no México nem em Portugal se observam esforços sustentados para produzir e difundir indicadores que permitam tomar seriamente o pulso à indústria cinematográfica e dar origem a análises de caráter económico, histórico ou prospetivo, necessárias para o seu desenvolvimento.

No México é ainda incipiente a produção e a organização comparativa das estatísticas culturais. O Instituto Nacional de Estadística, Geografía e Informática (INEGI) dá uma atenção secundária à informação cultural e os seus dados são demasiado gerais, imprecisos, nem sempre confiáveis e de difícil comparação de um ano para o outro. Os dados relativos à frequência dos cinemas, museus e bibliotecas registados pelo INEGI são frequentemente contrariados quando se consulta diretamente as instituições. E tão pouco podem agrupar-se com os restantes dados do mesmo setor, porque não existem critérios uniformes de registo que deem consistência à informação reunida junto de diferentes organismos. Por outro lado, não existem estudos ou observatórios que sistematizem as informações destes campos (García Canclini e Rosas Mantecón, 2005: 180-181).

Desenvolveram-se diversos esforços institucionais para produzir informação sobre as práticas de consumo cultural que, apesar da sua riqueza, não facilitam a comparação histórica e geográfica entre elas, porque a maioria tem por base universos distintos. No fundo, a ausência de investigação sistemática sobre os comportamentos culturais da população é uma consequência do facto de o desenho e o desenvolvimento das políticas culturais mexicanas ter ocorrido, ao longo do século XX, num contexto antidemocrático que considerava irrelevantes as avaliações sobre a relação dessas políticas com as necessidades e as procuras dos públicos.

A pesquisa sobre cinema no México tem vindo a crescer, fazendo com que a cinematografia mexicana se vá convertendo numa das mais estudadas de todo o mundo. Na atualidade, abundam as pesquisa que incidem sobre uma multiplicidade de temas: atores, realizadores, escritores, músicos, operadores de câmara, o conjunto da indústria cinematográfica, as filmografias – géneros, temáticas, enfoques –, bibliografias, dicionários, agendas cinematográficas, compilações de críticas cinematográficas e de crónicas na imprensa, fotos e cartazes, histórias gerais e de períodos específicos, histórias regionais, textos de divulgação e de ensino, etc. (Miquel, 1998: 30-31 e 2001: 402-403).

Apesar desta diversidade, o público tem sido o "grande ausente" nos estudos sobre o cinema, tanto nos estudos históricos como nos provenientes do campo da comunicação (De la Vega e Sánchez Ruíz, 1994; Rosas Mantecón, 1995; Gómez Vargas, 2000; Enrique Sánchez Ruíz, 2001). Se bem que os trabalhos que abordam expressamente os locais de exibição e os públicos sejam ainda minoritários e não tenham tido continuidade, os estudos sobre os públicos de cinema no México não partem do zero: produziram-se importantes antologias especializadas de informação hemerográfica, formulando uma série de hipóteses, pondo em prática diversas técnicas de investigação e recorrendo a fontes de informação que se revelam de grande utilidade. Os públicos têm sido estudados através de procedimentos metodológicos quantitativos e qualitativos: inquéritos por questionário, observação etnográfica, entrevistas, grupos focais, histórias de vida individuais e de família, assim como de forma indireta, através de análises de artigos de imprensa, entrevistas a exibidores e a trabalhadores relacionados com as salas de cinema. Nos últimos anos desenvolveram-se, no México, novas investigações que talvez, do ponto de vista quantitativo, continuem a ser escassas, mas que mostram a amplitude dos enfoques e campos que se estão a explorar – os processos de receção, a caraterização dos públicos, o desenvolvimento das salas de cinema, estudos sobre géneros, perspetivas integrais sobre a indústria cinematográfica, estudos regionais, nacionais e transnacionais, etc.

Diferentemente do que acontece no México, em Portugal a investigação sobre a indústria cinematográfica é bastante escassa, quer tomemos em consideração o lado da produção, distribuição e exibição de películas, quer o lado do consumo. Os estudos mais relevantes centram-se sobre a história do cinema português, quer numa perspetiva histórica mais factual, quer através de um enfoque de caráter mais filosófico, estético-formal ou político, dando conta das transformações sofridas durante o século XX e dos sobressaltos da relação com a história política e social do país (Pina, 1977 e 1983; Costa, 1978; Coelho, 1983; Cruz, 1989; Costa, 1991; Batista, 2003; Santos, 2011). Em 1983, Eduardo Prado Coelho dizia:

> Em relação ao cinema português contemporâneo é imprescindível que se venha a realizar um estudo sobre as suas estruturas e políticas enquanto indústria cultural. É nesse âmbito que deverá ser considerado o papel dos cineclubes e das revistas, ou da pouca, e muitas vezes infecunda, crítica existente; a contribuição da Fundação Calouste Gulbenkian, quer no apoio direto a determinadas iniciativas, quer pela própria atividade cultural realizada; as peripécias múltiplas que têm tornado tão atribulada a vida do Instituto Português de Cinema; as discussões em torno da Lei do Cinema; as relações com a Radiotelevisão Portuguesa; o lugar da Cinemateca Portuguesa no desenvolvimento de uma cultura fílmica; a questão do ensino do cinema e a atividade conduzida no espaço do Conservatório Nacional; as relações com o mundo da indústria publicitária; o papel dos exibidores e distribuidores; a política de promoção do cinema português no estrangeiro; a questão das coproduções; a questão da legendagem e da dobragem; as formas de apoio e incentivo à exibição do cinema português, etc., etc...
>
> (Coelho, 1983: 10-11)

Apesar desta constatação, este(s) estudo(s) continua(m), em grande medida, por fazer. Aliás, no contexto dos estudos culturais e da sociologia da cultura, em Portugal, são escassos os estudos sobre as indústrias culturais, com exceção feita à indústria da música gravada, onde se destacam os trabalhos de José Soares Neves (1998), Leonor Losa (2009) e Paula Abreu (2010).

Uma das dificuldades na produção de investigação nestes domínios reside, em grande medida, na disponibilidade de dados estatísticos que permitam elaborar um quadro geral das atividades associadas às indústrias culturais e, neste caso particular, a indústria cinematográfica (Mateus & Associados, 2010: 27-55). Os dados relativos às atividades cinematográficas começaram a ser registados e publicados em meados da década de 1950, através dos Anuários Estatísticos, publicados pelo Instituto Nacional de Estatística (INE). No entanto, só a partir de 1979 se inicia a publicação das *Estatísticas da Cultura, Desporto e Recreio,* hoje *Estatísticas da Cultura.* A variação dos sistemas e dos instrumentos de recolha levanta, contudo, problemas de consistência e, portanto, de comparabilidade dos dados disponíveis. Ainda recentemente, no final da última década do século XX, em 1998, se alteraram os instrumentos de recolha de informação das *Estatísticas da Cultura, do Desporto e do Lazer,* dando origem a uma alteração dos dados, a partir de 1999, que é difícil de avaliar. A partir de 2004, a recolha da informação sobre o setor do cinema passou para o Instituto do Cinema e do Audiovisual (ICA) que, através da sua Divisão de Estudos e Estatística, trata os dados recolhidos junto dos recintos cinematográficos do país com bilheteiras informatizadas.[2] Para além de dados relativos a receitas, espectadores e filmes, o ICA compila e difunde ainda dados sobre distribuidores, exibidores, sobre filmes, festivais e cineclubes nacionais. Esta informação é fundamental para dar conta das caraterísticas da oferta da indústria cinematográfica, anteriormente não captadas pelos dados produzidos pelo INE.[3]

Mais recentemente, desde 2007, o Eurostat, organismo oficial da União Europeia (UE) para a produção de dados estatísticos, começou a disponibilizar

[2] Tal aconteceu na sequência da publicação do Decreto-Lei nº 125/2003, de 20 de junho, que estabeleceu a informatização das bilheteiras dos recintos de espetáculos, nomeadamente os recintos dedicados à exibição cinematográfica, e definiu o Instituto do Cinema, do Audiovisual e do Multimédia (ICAM), o antecessor do atual Instituto do Cinema e do Audiovisual (ICA), como o recetor dos dados de bilheteira enviados por cada uma das entidades responsáveis pelos recintos de cinema. Este processo substituiu o modelo de inquirição dirigido às empresas exploradoras de recintos de cinema, anteriormente utilizado pelo Instituto Nacional de Estatística.

[3] A partir de 1999, as Estatísticas do INE passaram a incluir informação não só sobre o número de recintos de cinema, mas também sobre o número de ecrãs por recinto e sobre o tipo de salas (salas de cinemas, multiplex e salas polivalentes). No entanto, a informação sobre a distribuição e, sobretudo, as entidades distribuidoras era extremamente deficitária, limitada à identificação dos tipos de proprietários dos recintos de exibição de cinema.

dados estatísticos sobre a cultura na UE. Mas, ainda assim, com muitas limitações, na medida em que a informação produzida nos países-membro não está estandardizada e é necessário recorrer à produção direta de dados.

A principal mudança nos estudos acerca da indústria cinematográfica e dos seus públicos ocorreu, em Portugal, na viragem do século XX para o século XXI, com a constituição do Obercom – Observatório da Comunicação. Esta é uma entidade que associa não apenas as principais empresas e associações na área da comunicação, mas também instituições públicas ligadas a este setor, e se dedica à produção de informação necessária aos seus associados, mas também à difusão de informação e à publicação de estudos e pesquisas, contribuindo em muito para a melhoria da infraestrutura de produção de dados do setor da comunicação. Sendo um observatório dedicado aos estudos da comunicação, o Obercom tem como parceiros um conjunto de centros de investigação universitários e diversas agências públicas e privadas de produção de informação, agregando e disponibilizando anualmente um conjunto diverso de indicadores, através do seu *Anuário da Comunicação.*[4] Simultaneamente, desenvolve estudos e pesquisas que contêm informação muito relevante neste domínio, incluindo o consumo de cinema nas diversas plataformas atualmente existentes (Obercom, 2007, 2009 e 2011).[5] Estes estudos têm um perfil eminentemente quantitativo, sendo particularmente deficitária a produção de estudos qualitativos.

Seguindo as pegadas da crise do cinema

Não obstante todas as dificuldades apontadas, em Portugal, o recurso aos dados do INE e, complementarmente, aos dados do ICA, permite reconstituir a evolução da exibição de cinema em Portugal, através dos indicadores relativos ao número de recintos de exibição de cinema e ao número de sessões de cinema. Esses dados mostram-nos como, desde finais da década de setenta, o número de recintos de exibição de cinema vinha a decrescer,[6]

[4] O primeiro destes anuários foi o *Anuário da Comunicação 2000/2001 – Os media e os novos media em Portugal.* Todos os anuários encontram-se disponíveis em http://www.obercom.pt/content/21.cp3.

[5] Isto apesar de entre os seus sócios não se encontrar nenhuma das companhias mais relevantes na distribuição e exibição de cinema ou qualquer associação ligada à atividade cinematográfica, seja a Associação de Produtores Cinema (APC) ou a Associação Portuguesa de Realizadores. Apenas a agência pública dedicada ao cinema, o ICA, se constitui como um parceiro do Obercom.

[6] De acordo com os dados publicados no texto *100 years of cinema exhibition in Europe,* disponível *online,* no sítio do *Media Salles,* e que tem como fontes M. Gyory and G. Glas, 1992 e do *European*

refletindo o fecho sucessivo das grandes e clássicas salas de cinema, instaladas nas maiores cidades, mas também os cineteatros que, desde os anos vinte, se tinham construído nas vilas e nas cidades, um pouco por todo o país (Peixoto da Silva, 2010).

O decréscimo do número de recintos é um reflexo tardio da crise da indústria cinematográfica vivida após os anos cinquenta do século passado. Segundo Dessy e Gambaro, essa crise manifestou-se em diversos países, nomeadamente nos Estados Unidos da América, no Reino Unido, na Alemanha e na Itália, e terá sido o resultado, entre outros fatores, da concorrência da televisão, emitida em sinal aberto e popularizada sobretudo a partir da década de sessenta do século passado (Dessy e Gambaro, 2009: 2-3). Nos anos 1980, o surgimento dos videogravadores e dos novos formatos de filme em vídeo, passíveis de ser visualizados no espaço doméstico, terá também contribuído para a quebra da procura das películas em exibição nas salas de cinemas. Em Portugal, essa quebra também se observou, mas mais tardiamente, a partir de meados da década de 1970.[7] A décalage do efeito da crise da indústria cinematográfica está seguramente associada às especificidades das suas condições históricas e políticas. O país viveu sob um regime autoritário durante cinquenta anos do século XX, o qual conheceu o seu fim apenas na primavera de 1974. Esse regime exerceu um forte controle sobre todas as manifestações públicas, nomeadamente as manifestações culturais, subordinadas não apenas ao exame prévio da censura, mas também a uma vigilância *in loco*, impondo um clima de muito pouca liberdade (Ramos do Ó, 1999). Após a mudança de regime e, sobretudo, nos dois anos seguintes ao 25 de abril de 1974, viveu-se um clima de grande liberdade e de euforia política, social e cultural que se manifestou numa explosão da vivência no espaço público (Fortuna, Ferreira e Abreu, 1999: 92), nomeadamente na afluência dos portugueses às salas de cinema. A exibição cinematográfica estava, ela própria, liberta dos constrangimentos anteriormente impostos.

Cinema Yearbook 1994 (Media Salles: 1994), foi em 1975 que se registou o maior número de salas/ecrãs de cinema em Portugal: 485. Considerando este dado, podemos dizer que a diminuição do número de recintos se começou a verificar logo no início da segunda metade da década de 1970.

[7] O pico do número da procura de cinema, em Portugal, observou-se no ano de 1976, dois anos após o 25 de abril, altura em que se registaram 42.812 de espectadores de cinema – mais uma vez de acordo os dados publicados no texto *100 years of cinema exhibition in Europe* e registados pelo Anuário Estatístico de Portugal (1976).

Com o andar do tempo, e em consequência das mudanças económicas e sociais ocorridas no país e dos reflexos internos da crise vivida internacionalmente, as condições socioeconómicas de vida dos portugueses foram-se deteriorando e, com o contributo da concorrência da televisão, o número de espectadores nas salas de cinema foi diminuindo. Tal efeito é visível tanto no decréscimo dos recintos até ao final da década de 1980 e inícios da década de 1990, como no número de sessões e de espectadores.

O ritmo de fecho das salas foi avassalador, de tal modo que, em 1993, o número destes recintos se reduzira em quase 60% relativamente aos que se contavam em 1979 (ver Gráfico 1). A partir desse ano, os dados evidenciam uma recuperação do número destes equipamentos, correspondente ao surgimento de novas salas, de dimensão mais reduzida e normalmente localizadas nos centros comerciais que se vão multiplicar na década de noventa (Cachinho *et al.*, 2000: 34-52). Estes novos recintos caraterizam-se por melhores condições técnicas, de imagem e de som, e físicas, sendo mais confortáveis e compreendendo quase sempre várias salas que oferecem aos seus públicos a exibição simultânea de diversos filmes.

Assim, embora o número de recintos de exibição de cinema tenha decrescido, o número de ecrãs multiplicou-se. E, em 2010, este último era maior do que o número de recintos de exibição de cinema em 1979: 564 ecrãs, em 2010, contra 435 recintos em 1979 (ver Gráfico 1).

Na realidade, o impacto da chegada da televisão no decréscimo da assistência das salas de cinema combinou-se com outros fatores que ainda não foram suficientemente elucidados. No caso dos Estados Unidos da América, por exemplo, o cinema manteve-se durante muito tempo como um espetáculo essencialmente popular (havia salas situadas nos subúrbios operários, onde chegava uma importante população de emigrantes, embora também existissem cinemas nos bairros habitados pela classe média), e a primeira estratégia para enfrentar a crise dos anos trinta do século passado – produto da depressão económica e da diminuição da natalidade no período entre as duas guerras, quando fecharam cerca de um terço das salas – foi a baixa de preços das entradas. A partir do final da segunda Grande Guerra, a exibição reorientou-se para as classes médias, aumentando os preços em 37%, entre 1948 e 1950, provocando uma redução da frequência das saídas das famílias para o cinema. A quebra do público das salas de cinema norte-americanas, entre 1948 e 1950, foi de 33%, ou seja, de uma ordem semelhante à da subida do preço dos bilhetes. Tudo isto ocorreu numa época em

GRÁFICO 1
Evolução do número de recintos e de ecrãs de cinema, por ano, em Portugal

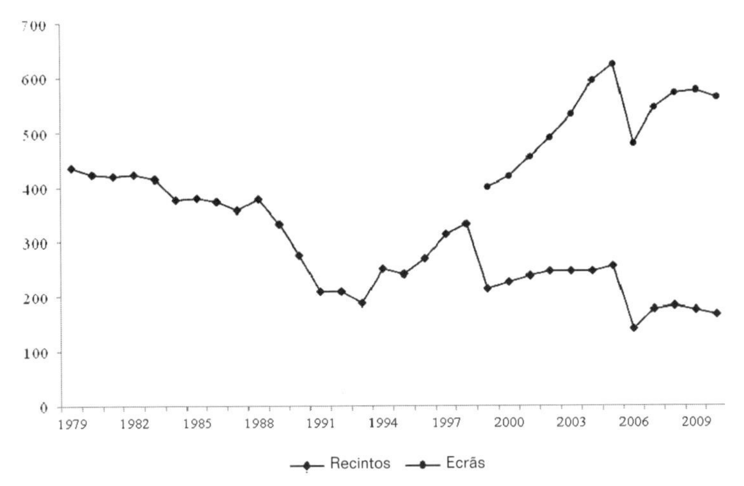

Fonte: INE, *Estatísticas da Cultura, Desporto e Recreio,* até 2003; ICA, de 2004 a 2010.

que o número de televisores era ainda modesto. Um facto que leva Patrice Flichy a concluir que não foi a chegada da televisão que fez cair os públicos do cinema (com uma quebra de 50% em cinco anos); uma parte do público, e em especial do popular e familiar, já havia abandonado as salas de cinema (Flichy, 1993: 210-211).

A presença massiva da televisão não se fez sentir no México até aos anos sessenta do século XX, já que o acesso aos equipamentos por parte das classes médias e, sobretudo, das de menores recursos se deu apenas uma ou duas década depois do que aconteceu nos Estados Unidos ou em diversos países europeus. Em sentido contrário ao que acontecia com a assistência nas salas de cinema, entre os anos sessenta e setenta, a procura de aparelhos de televisão aumenta cerca de 23,3% ao ano; enquanto em 1960 havia 54 televisores por cada mil habitantes do país, em 1995 esse número quase triplicou, crescendo para os 172 (Ochoa Tinoco, 1998: 53; Elizondo, 1991: 6-7; *Macrópolis,* 10 de dezembro 1992: 23). Chegava então ao fim a *época de ouro* do cinema mexicano, quando os públicos começaram a desertar das salas. Entre os anos de sessenta e oitenta do século XX, o crescimento da bilheteira baixa de 2,5% para 1% ao ano, enquanto a procura de aparelhos de televisão aumenta 13,3% (Elizondo, 1991: 7).

Como se pode observar no Gráfico 2, depois de várias décadas de auge, nos anos sessenta do século XX começou a queda da frequência de idas ao cinema: de 6 visitas anuais em 1960 passou para 0,7 vezes no ano de 1995. De forma similar se comportaram os públicos da capital: de 16 vezes por ano na década de 1960, a média de assistências baixou para metade nos anos de 1970 e continuou em queda até 1995, quando chegou a apenas 1,6 idas anuais.

GRÁFICO 2
Número de vezes que se assiste a cinema por ano, no México

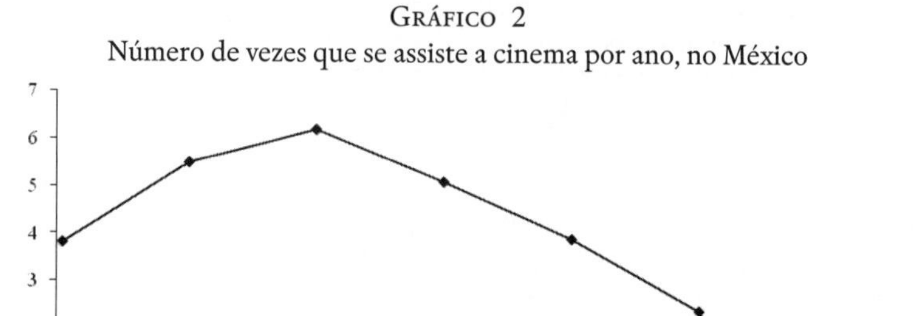

Fontes: INEGI, Películas Nacionales, Cámara Nacional de la Industria del Cine y del Videograma e Víctor Ugalde (1998).

Não é difícil compreender porque se diagnosticava como *terminal* a crise da indústria cinematográfica nos anos de 1980, se observarmos a queda da assistência no México. Como se observa no Gráfico 3, os espectadores dimi-

GRÁFICO 3
Evolução dos públicos de cinema no México (milhões), 1985-1995

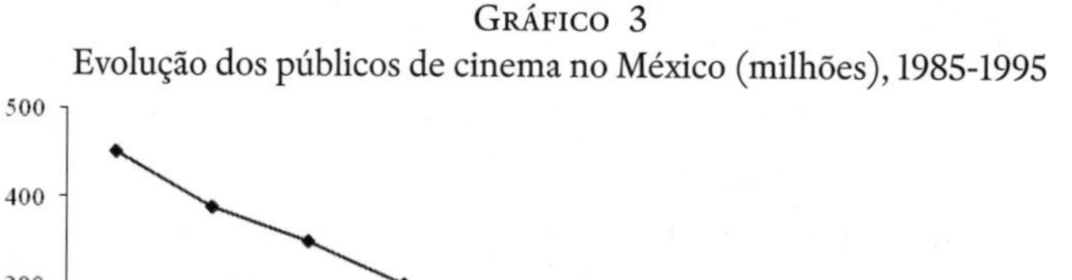

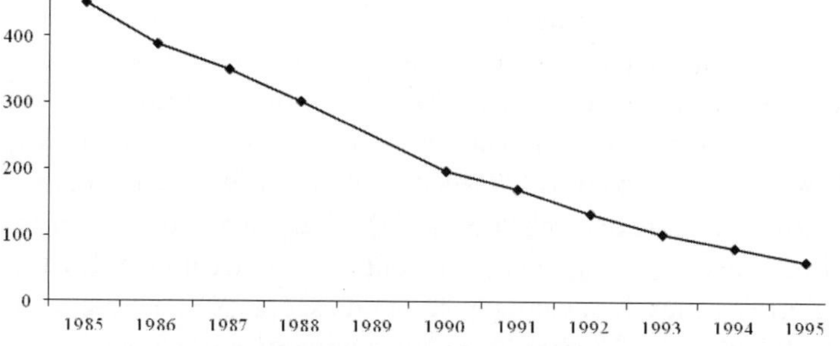

Fontes: Cámara Nacional de la Industria del Cine y del Videograma e Víctor Ugalde (1998).

nuíram sete vezes no país, numa única década, passando de 450 milhões, em 1985, para 62, em 1995.

A reorganização cinematográfica: A concentração do setor industrial da distribuição e da exibição de cinema

O renascimento da exibição, no México, acompanhou a mudança do modelo económico iniciado no princípio dos anos oitenta do século XX. Os apoios governamentais aos investimentos privados nacionais ou internacionais, a entrada em vigor do Tratado de Comércio Livre com os Estados Unidos e o Canadá, assim como as expectativas otimistas de avanço da economia contribuíram para que os exibidores implementassem uma série de projetos e programas que tinham como objetivo reanimar o setor. É então que as tendências mais inovadoras da indústria cinematográfica dos anos de 1970 e 1980, a nível mundial, encontraram possibilidades de se conjugar no México, sob uma nova política do Estado, o qual diminuiu dramaticamente a sua intervenção sobre esta indústria. Por isso, a reativação da exibição de cinema deveu-se principalmente à participação privada, a qual melhorou radicalmente a qualidade do serviço das salas, atraindo públicos que se haviam afastado do cinema, voltando a desenvolver-se um mercado que se encontrava em extinção.

Na busca da racionalização económica, acabaram por se impor, em toda a América Latina, processos de concentração territorial da exibição cinematográfica nos principais centros urbanos e, dentro destes, nas zonas de maior capacidade aquisitiva. A relocalização em zonas de maior poder económico permitiu multiplicar a rentabilidade: reduzindo o volume de públicos e aumentando o preço dos bilhetes, bem como diminuindo o número de recintos e concentrando mais os ecrãs, foi possível também reduzir os gastos e os investimentos (Getino, 2007: 261). O tipo de sala que finalmente se impôs foi o *multiplex*, que noutros países se havia já popularizado nos anos de 1980 (Hubbard, 2002). Os *multiplex* fundam a sua oferta, por um lado, no mecanismo de diversificar, dentro de uma gama muito limitada de opções, as alternativas temáticas oferecidas ao cinéfilo, projetadas em horários diversos e em salas situadas num mesmo complexo cinematográfico. Por outro lado, recorrem a uma melhoria técnica das instalações: maior qualidade de imagem e de som, assim como dos serviços proporcionados nas salas e através dos meios eletrónicos (como páginas na internet onde se podem consultar as agendas cinematográficas ou comprar e reservar bilhetes, etc.).[8]

[8] Por exemplo, www.cinemark.com.mx, www.cinemex.com.mx, www.cinepolis.com.mx

A capacidade das novas salas é muito menor que a das tradicionais, com 150 a 500 lugares, contribuindo para uma organização mais flexível dos tempos, do espaço e do trabalho. A maioria dos *multiplex* situa-se em centros comerciais, existindo outros que se localizam em corredores urbanos de comércio e serviços. Ao mesmo tempo que se expande o modelo *multiplex,* continuam a fechar portas as tradicionais salas, as individuais ou aquelas que já haviam sido subdivididas. Os pequenos e médios empresários foram banidos do mapa e não existe nenhuma política pública que os apoie.[9]

Podemos observar que o encerramento massivo de salas em pequenas cidades e outras povoações foi seguido de uma recuperação (ver Gráfico 4), ainda que exclusivamente nas principais cidades. Assim, em 2009, segundo a revista *Focus,* o México ocupava o sexto lugar de uma lista de sessenta países a registar o maior número de ecrãs de projeção cinematográfica, não obstante estes se encontrarem fortemente concentrados. O *Atlas de Infraestructura Cultural de Mexico,* publicado em 2003, assinalava que 93,7% dos municípios do México não contavam com cinema e, no final da década, a percentagem permanecia praticamente idêntica (92,8%) (Consejo Nacional para la Cultura y las Artes, 2003: 164; IMCINE, 2011: 40 e 43). A reativação da exibição cinematográfica deu-se a nível nacional, com perfis particulares em diferentes zonas. Depois do longo período de crise, os ecrãs[10] de todo o país aumentaram vertiginosamente, passando de 1434 no ano de 1995 para 4818 em 2010, situando-se nas capitais estaduais e nas principais cidades. De acordo com a *Encuesta Nacional de Prácticas y Consumo Culturales,* este padrão de distribuição geográfica transformou a distância à localização das salas de cinema como a principal razão aduzida pela população, a nível nacional, para não assistir a uma sessão de cinema (53,5%), seja porque expressamente se reconhece que não existem salas próximas, seja porque não se sabe onde se situam, por comparação com os 39% que indicam como argumento a falta de tempo e os 32% que indicam como razão o custo das entradas.

[9] Miguel Dagdug, exibidor, assegurava, em 2002, que mais de 70% dos antigos pequenos médios exibidores desapareceram entre 1980 e 1994, o resto continua a desaparecer ou encontra-se em séria crise.

[10] Antes do aparecimento dos *multicinemas* e dos *multiplex,* as salas e os ecrãs eram uma e a mesma coisa. Agora faz-se referência aos ecrãs, porque o seu número varia em cada complexo.

GRÁFICO 4
Evolução do número de salas de cinema no México, 1985-2010

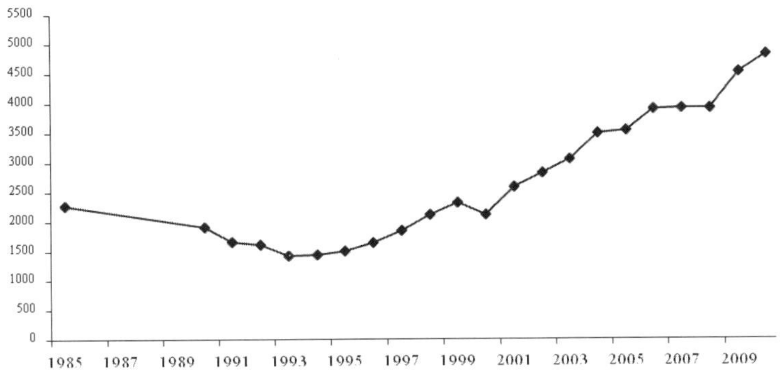

Fonte: Cámara Nacional de la Industria del Cine y del Videograma (número de cinemas filiados na Cámara, sem ter em conta os cineclubes e as salas não comerciais).

Ao elevado preço dos bilhetes soma-se o custo dos doces, dos refrescos, das pipocas, do estacionamento, etc., que chega a representar, para as empresas envolvidas, cerca de 40% da sua faturação (Fernández, 1996: 42). Arrastados pela desregulação dos preços de entrada nas salas de cinema, impulsionada desde finais da década de oitenta, outros aumentos se verificaram: assim, enquanto em 1970 um salário mínimo diário equivalia, no México, a 10% do preço do preço de um bilhete, atualmente o preço de uma entrada ultrapassa o valor do salário mínimo diário.

A renovação tecnológica e dos serviços da exibição comercial teve um impacto negativo nos espaços de projeção cultural, já que definiu um novo padrão de eficiência que não era fácil de acompanhar pelos exibidores tradicionais, que dispunham de recursos exíguos para renovar as suas equipas de projeção e as suas salas. Além do mais, na Cidade do México, certas cadeias comerciais começaram a especializar-se como salas de cinema de autor ou independente, ou, pelo menos, a oferecer nos seus complexos de salas, um ecrã dedicado a esse tipo de cinema, procurando atrair os cinéfilos que gostam de cinema de maior qualidade. A oferta de filmes de Hollywood nas cadeias comerciais tornou-se vertiginosa: em 2010, 90,5% dos espectadores das salas de cinema viram filmes de Hollywood, 6% mexicanos e 3,5% de outros países (IMCINE, 2011: 15). É justamente por isso que os cineclubes e as salas vocacionadas para o cinema de autor ou independente permaneceram como opção, ainda que uma boa parte delas não projetem diariamente.

Por outro lado, os *multiplex* não ofereceram apenas maior competência, mas também a possibilidade de projeção de cinema de qualidade. A Cinemateca Nacional tem vindo a gerir a expansão, a nível nacional, da *Mostra Internacional de Cinema,* tanto em salas de cinema de autor ou independente, como em diversos *multiplex.*

O panorama não tem sido muito distinto em Portugal. Aqui, as transformações sofridas pela rede de equipamentos de exibição de cinema caraterizaram-se por um agravamento das assimetrias na sua distribuição pelo território nacional. De facto, em Portugal são conhecidos os acentuados desequilíbrios na distribuição da generalidade dos grandes equipamentos culturais – museus, bibliotecas, salas de cinema, salas de espetáculo, entre outros –, sobretudo concentrados em Lisboa, a capital do país, e no Porto, a segunda maior cidade de Portugal, e na faixa litoral do território (Fortuna, Ferreira e Abreu, 1999; Silva *et al.*, 2001; Ferreira, Gomes e Casaleiro, 2011: 11-17). O cinema não é uma exceção. Segundo dados do INE e do ICA, as áreas urbanas da Grande Lisboa e do Grande Porto concentravam, em 1988, 37,3% do total das salas de cinema existentes no país. Considerando que, no final da década de 1980, a esmagadora maioria dos recintos só estava equipada com um ecrã de cinema, poderemos comparar esse valor com a proporção de ecrãs que esses dois centros urbanos acolhiam em 1999 e em 2010, respetivamente 48,9 e 40,5%. A concentração dos equipamentos em Lisboa e no Porto é acompanhada pela reprodução da assimetria entre o litoral e o interior do país, através da aglomeração do maior número de ecrãs nas zonas mais urbanizadas do litoral: na península de Setúbal, a sul de Lisboa; na costa algarvia; no Centro do país, em torno de Coimbra e de Aveiro e no Norte, em torno de Braga. Somadas a Lisboa e ao Porto, estas zonas acolhiam 57,4% dos recintos em 1988, e, respetivamente 68,8% e 64,8% dos ecrãs em 1999 e em 2010. De facto, a reconstituição da rede de exibição cinematográfica nas últimas duas décadas acentuou as assimetrias existentes e tornou mais difícil o acesso à exibição pública de cinema para uma grande parte da população portuguesa.[11]

[11] Segundo os dados provisórios do censo de 2011, na Grande Lisboa e no Grande Porto reside cerca de 31,5% da população residente em Portugal, enquanto em 1991, o censo registava 30,4% da mesma população. Já somando a estas duas cidades as zonas da Península de Setúbal, do Algarve, do Baixo Mondego, Baixo Vouga e Cávado, a proporção da população residente é, em 2011, de 53,9%, enquanto em 1991 era de 48,8%.

A transformação do parque cinematográfico português está associada às mudanças que têm ocorrido internacionalmente na indústria do cinema, nomeadamente a concentração empresarial, tanto no que diz respeito à distribuição como à própria exibição. Segundo o *Anuário Estatístico de 2010*, publicado pelo ICA, nesse ano estavam registados 106 exibidores cinematográficos, dos quais 9 (8,5%) eram associações culturais, 21 (19,8%) eram cineclubes, 54 (50,9%) eram Câmaras Municipais e 23 (20,8%) eram empresas de exibição cinematográfica. Os recintos geridos por associações culturais, cineclubes e Câmaras Municipais têm a particularidade de serem salas com um único ecrã e não realizarem, na generalidade dos casos, sessões diárias, representando, por isso, uma pequena parte da oferta cinematográfica nacional. Os recintos explorados pelas empresas possuem, na sua maioria, mais do que um ecrã e múltiplas sessões de cinema diárias. Por essa razão, em 2010, as empresas dominavam 83% dos ecrãs e, no que diz respeito ao número de espectadores, possuíam uma quota de mercado de 98,3%. Mas mais do que isto, apenas uma empresa de exibição possuía 37,8% dos ecrãs e 54,6% da quota de espectadores. As quatro maiores empresas de exibição possuíam 70,6% dos ecrãs e atraíam 90,1% dos espectadores.

Se juntarmos a isto o facto de os recintos *multiplex*, isto é, recintos de cinema com oito ou mais salas de cinema, estarem concentrados na Grande Lisboa (9) e no Porto (3) e só existirem em mais cinco cidades do litoral: Almada (1), Albufeira e Faro (2), Coimbra (1) e Braga (1), sendo 47% deles propriedade da empresa que domina o parque de recintos cinematográficos nacionais, percebemos como existe uma clara correlação entre os processos de concentração empresarial e de concentração geográfica da exibição de cinema em Portugal.

De facto, a concentração empresarial da exibição tem o seu correlato na da distribuição. A empresa que tem dominado os recintos de cinema no país, na primeira década do século XXI, faz parte do grupo empresarial que domina igualmente o mercado da distribuição. Segundo os dados do ICA, essa empresa teve, em 2004, uma quota de mercado dos filmes estreados de 31%. Esse valor foi aumentando sucessivamente até 2009, quando atingiu os 49,8%, diminuindo, em 2010, para 36,7%. Se a esta empresa juntarmos as três outras mais significativas do mercado, podemos observar que, em 2010, elas asseguravam 73,3% do mercado dos filmes estreados, representando um crescimento de 26,2% em relação a 2004. E se este valor já é por si impressivo, muito mais será o que indica a respetiva quota de espectadores: 96,9% do total.

A rede de equipamentos de exibição não comercial é constituída, como se disse anteriormente, por salas geridas por associações, cineclubes e pelas Câmaras Municipais. A oferta garantida pelas Câmaras Municipais, muitas delas de concelhos afastados das zonas litorais e mais urbanizadas, permite colmatar as deficiências da exibição cinematográfica comercial, concentrada no litoral urbanizado e nas duas grandes áreas metropolitanas, oferecendo às suas populações a possibilidade de ver o cinema que agora lhes está muito distante. As associações e os cineclubes têm um papel diferente, oferecendo aos espectadores a possibilidade de verem no grande ecrã filmes que, frequentemente, não entram no circuito comercial, dominado pelo cinema de origem norte-americana. Isto porque, atualmente, apenas em Lisboa encontramos salas comerciais dedicadas ao cinema de autor e independente.

A hegemonia do cinema norte-americano e as fragilidades das produções nacionais

A recuperação da indústria cinematográfica a nível mundial baseou-se na concentração empresarial e na monopolização dos mercados, entre outras tendências (Holt, 2002). O seu atual impulso – como fez notar Enrique Sánchez Ruíz (1998) – está também associado a um processo de acelerada transnacionalização, isto é, cada vez mais subordinado ao mercado mundial dos produtos audiovisuais.

No caso do México, existe exportação de algumas películas e programas televisivos, principalmente para a América Latina e para outros mercados de língua espanhola, nos Estados Unidos e no resto mundo. Mas, fundamentalmente, o país importa do mercado norte-americano uma elevada proporção da sua dieta televisiva, cinematográfica e de vídeo. O mesmo ocorre no resto da América Latina: 85,8% das importações latino-americanas de audiovisuais provém dos Estados Unidos (Roncagliolo, 1996; Sánchez Ruíz, 1998; García Canclini, 1999).

A multiplicação dos espaços de exibição, no México, não se traduziu na melhoria do menu dos filmes oferecidos. Predomina a exibição de cinema norte-americano, segundo mostram os dados do INEGI: enquanto em 1990 se projetavam no país cerca de 50% de películas norte-americanas e cerca de 45,6% mexicanas, em 2005 essa percentagem era, respetivamente, de 79% e 7,4%. No Canadá, por exemplo, projetam-se cerca de 3% de películas nacionais, em contraponto com 90% das películas oriundas do seu vizinho do sul. A proporção em outros países é similar: 9% de filmes nacionais na

Argentina, contra 85% de filmes norte-americanos; no Brasil, 12% de filmes locais face a 80% de filmes norte-americanos; na União Europeia, são exibidos 29% de filmes europeus por contraponto com 67% de filmes norte-americanos. Só a poderosa Bollywood, na Índia, consegue o que nenhuma outra cinematografia consegue: 77% de exibição de filmes de produção nacional contra uns tímidos 18% de filmes norte-americanos.[12]

Na discussão pública assinalou-se que os filmes mexicanos saem para o mercado nacional com atraso e apenas em algumas poucas salas de cinema, nas piores datas de exibição e com valores baixos de aluguer, situação que mantém os produtores numa permanente ameaça de bancarrota, pois não podem competir em igualdade de circunstâncias com os monopólios norte-americanos. Ainda que se reconheça que houve um aumento de bilheteira de alguma películas mexicanas com êxito, que encontraram espaço nas salas de exibição – a partir de 1999, pelo menos um filme mexicano tem-se posicionado entre os dez filmes com mais sucesso no país, segundo a Asociación Mexicana de Productores Independientes A. C. (AMPI) –, a reativação da produção nacional não se traduziu num crescimento equivalente, seja nos números de bilheteira, seja nas exibições.

Os espaços multiplicaram-se, no entanto, pelo facto de a distribuição e parte da exibição estar nas mãos de grandes companhias transnacionais. Impõe-se a programação norte-americana e há uma permanente fuga de divisas depois de descontados os gastos gerados no México. Segundo a informação da AMPI, do total do mercado da exibição, a percentagem relativa a filmes mexicanos, em 1999, foi de 7,18%, em 2000 de 9,9%, em 2001 de 8,2%, em 2002 baixou para 6,6% e em 2005 apenas chegou a 7,4%, apesar da produção nacional ter crescido de forma sustentada a partir de 2002, passando de 14 longas-metragens para 73 em 2011 (AMPI, 2002: 13-16; INEGI e IMC).[13]

Em Portugal observamos a mesma tendência. Segundo dados do *Anuário Estatístico 2010*, do ICA, a proporção de filmes exibidos em Portugal, nesse mesmo ano, com origem norte-americana foi de 34,2%, embora entre os filmes estreados esse peso cresça para 47,4%.[14] Aparentemente, estes

[12] Dados da Cámara Nacional de la Industria del Cine y del Videograma para 2007, segundo Raquel Peguero, "El IETU 'apaga' al cine mexicano", disponível em http://www.cnnexpansion.com/expansion/2008/12/22/una-pelicula-de-terror. (Consultado em janeiro de 2009)

[13] Para dados do INEGI ver http://www.inegi.org.mx/; para dados do Instituto Mexicano de Cinematografia, ver http://www.imcine.gob.mx/.

[14] Portugal beneficia da sua integração no espaço da União Europeia, onde a política comum tem incentivado a circulação dos filmes de origem europeia. Em 2010, de acordo com os dados

números são contraditórios com a afirmação da hegemonia norte-americana, no entanto, no que diz respeito aos espectadores e às receitas obtidas com os filmes de origem norte-americana, esses valores crescem substancialmente: 78,3% dos espectadores e 79,6% das receitas. Uma hegemonia que se impõe não apenas perante o cinema de origem portuguesa (que captou, em 2010, 1,9% dos espectadores e 1,6% das receitas), como perante o de origem europeia, na sua globalidade (que, no mesmo ano, captou 7,8% dos espectadores e 7,6% das receitas). Estes valores são mais significativos em Portugal do que os observados na União Europeia (UE), onde, de acordo com a revista *Focus*, em 2009, 65,8% dos espectadores assistiram a filmes de origem norte-americana e 26,7% a filmes de origem europeia (*Focus*, 2010: 19). Mas a esse facto não será estranha a coincidência de a sociedade que domina o circuito da distribuição e da exibição no país ser também aquela que detém o exclusivo dos filmes das grandes *majors* norte-americanas, representadas pela UIP (Universal International Pictures) (Lemière, 2006: 745). Um sinal claro da operacionalização dos processos de transnacionalização que atravessam a indústria cinematográfica também na Europa e em Portugal.

A hegemonia do cinema norte-americano, em Portugal, prende-se com os movimentos de globalização da indústria cinematográfica, mas relaciona-se também com a situação da própria indústria de produção cinematográfica nacional, que é uma das mais pequenas no contexto da UE, e com a sua má relação com o setor da distribuição e da exibição. Segundo o *Anuário Estatístico* do ICA (2010), em 2010 foram produzidas 22 obras de ficção em longa-metragem, o que representa, em termos absolutos, o 17.º lugar no conjunto dos 27 países da União Europeia.[15] Este é o segundo valor mais baixo da Europa dos 15, depois do Luxemburgo com 18 obras. Na União Europeia, os países que detêm as maiores quotas de mercado para o seu próprio cinema são, simultaneamente, aqueles que possuem indústrias cinematográficas nacionais com uma mais longa história e com maior capacidade de produção. Estamos a falar, evidentemente, da França, mas também da Alemanha e da Itália (*Focus*, 2010).

do ICA, 54,8% dos filmes exibidos eram de produção europeia, embora entre os estreados a proporção baixe para 38,6%.

[15] Também a quota de mercado dos filmes nacionais, em Portugal, é uma das mais baixas da Europa, com as receitas médias de bilheteira nos últimos seis anos a rondarem 1,8 milhões de euros. Em 2009, essa quota foi de 2,5%, a segunda mais baixa da Europa dos 15 e o 18.º lugar entre os 27 países da União Europeia (*Focus*, 2010).

Em Portugal, a indústria do cinema teve um começo atribulado, condicionado pelo contexto político-institucional do Estado Novo. Em 1948, a Lei que criou o Fundo de Apoio ao Cinema (Lei nº 2027, de 7 de dezembro) não só impôs taxas sobre a importação e exibição de filmes e a sua subordinação a exame prévio, ou censura, como definiu condições específicas de apoio à produção cinematográfica nacional que estabeleciam o condicionamento dessa produção ao projeto ideológico do regime. Só já no período final de vigência do regime, em 1971, e sob pressão do movimento de realizadores aglutinado na cooperativa *Centro Português de Cinema* e da Fundação Calouste Gulbenkian, se estabeleceu um novo quadro regulamentar (Lei nº 7/71, de 7 de dezembro) que viria a enquadrar a atividade cinematográfica nacional até aos anos de 1990. Neste novo quadro, a produção cinematográfica nacional passou a ser apoiada diretamente pelo Estado, através de um regime de subsídios cujo financiamento provinha da aplicação de uma taxa adicional de 15% sobre o bilhete dos cinemas. Neste contexto, e mesmo já depois da instauração da democracia, em meados da década de 1970, a produção cinematográfica portuguesa nunca se constituiu como uma verdadeira produção industrial, mas como uma produção artesanal de orientação eminentemente artística e não comercial. Como Jacques Lemière bem aponta, a pequena dimensão do mercado nacional, as dificuldades de penetração no potencial grande mercado brasileiro e a instabilidade político-social dos países africanos de influência lusófona, um ambiente televisivo caraterizado pela existência de apenas dois canais públicos, uma rede de exibição em declínio, são alguns dos fatores que explicam o não desenvolvimento de uma indústria cinematográfica em Portugal, pelo menos até ao início da década de 1990 (Lemière, 2006).

A partir de então, a integração na então Comunidade Europeia, a abertura do setor televisivo à iniciativa privada, a necessidade de incorporar as novas formas de produção audiovisual e a pressão dos distribuidores para a alteração da taxa adicional criaram um ambiente favorável à alteração legislativa e ao modelo de intervenção do Estado, numa altura em que a orientação política nacional e internacional era de tonalidade liberalizante. Nos anos de 1990, foram definidas várias alterações à legislação sobre o apoio do Estado ao cinema, ao audiovisual e, mais tarde, ao multimédia, tendo sido desmantelado o sistema de financiamento apoiado na taxa adicional sobre os bilhetes e instaurado um novo regime que passou a assentar numa taxa sobre as receitas da publicidade exibida nos cinemas e nas televisões. Uma orientação que traduz nacionalmente as orientações da política europeia para o setor, nomeadamente, o desenvolvimento do programa MEDIA, desde 1991.[16]

Neste contexto, a produção cinematográfica nacional passou a confrontar-se com a concorrência de outros modos de produção audiovisual, orientando-se para uma lógica industrial, de que é sintomático o aparecimento de empresas de produção e de produtores cinematográficos nacionais. A reorientação da política de intervenção do Estado não alterou, contudo, uma das principais condicionantes ao desenvolvimento de uma verdadeira indústria cinematográfica: a diminuta dimensão do mercado interno, acentuada por uma reduzida atração dos espectadores portugueses pelos filmes nacionais, cujo perfil é particularmente distintivo (Freire, 2009).

Os espectadores multimédia do século XXI

A expansão dos conjuntos de mini-salas voltou a tornar atrativo ir ao cinema. Em relação ao México, quando se olham as estatísticas recentes (ver Gráfico 5), a recuperação parece inquestionável.

Gráfico 5

Evolução dos públicos de cinema no México (milhões), 1984-2010

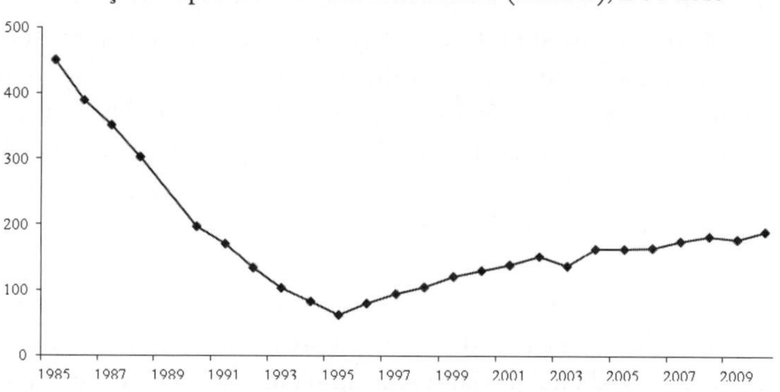

Fonte: Câmara Nacional da Indústria do Cinema e do Videograma (CANACINE).

Nos últimos cinco anos do século XX e nos primeiros cinco do século XXI, o cinema reposicionou-se como uma das atividades preferidas de diversos setores do México. Assim, identificado na lista das atividades eleitas para

[16] Programa instituído por decisão do Conselho Europeu 90/685/CE, publicada no Jornal Oficial das Comunidades Europeias L 380/37, de dezembro de 1990.

a ocupação do tempo livre, os entrevistados em 2003 pela *Encuesta Nacional de Prácticas y Consumos Culturales* atribuiram ao cinema o quinto lugar (17%), depois da opção relativa à reunião com os amigos e familiares (56%), à prática de um desporto (28%), passear no campo (24%) ou ir às compras (21,3%). Isso fez com que três quartos dos mexicanos declarassem ter ido ao cinema pelo menos uma vez no último ano (um valor mais alto quando comparado com o das livrarias, museus, bibliotecas, teatros ou centros culturais). Sabemos que as salas recrutam os seus adeptos preferencialmente entre os jovens. A população do grupo etário entre os 15 e os 30 anos é a que tem o maior peso entre a assistência (acima dos 82%), e a de 31 a 45 anos o menor, ainda que esteja acima da média nacional (77%). Os que foram consultados na *Encuesta Nacional de Juventud 2005* mencionam o cinema como a segunda atividade preferida para se divertirem fora de casa (33%), valor apenas superado pela opção de reunião com os amigos (41%). A nível internacional, o número de espectadores de cinema no México é, de facto, o maior da América Latina e equivale quase ao total do dos países do MERCOSUR (Argentina, Bolívia, Brasil, Chile, Paraguai e Uruguai) (Getino, 2007: 228).

Os públicos voltaram às salas. Contudo, quando relacionamos o crescimento dos espectadores com o da população, percebemos que a recuperação é incipiente e encontra-se muito longe da frequência da assistência cinematográfica conseguida em meados do século XX, quando ir ao cinema era parte de uma rotina de todos os setores sociais.

A frequência de ida ao cinema nas salas de outras épocas é uma realidade irrecuperável porque continuam a reorganizar-se os consumos culturais. Na vida quotidiana dos espectadores multimédia do novo século, *ir ao cinema* compete não apenas com a televisão, com os equipamentos de DVD e os videojogos, mas também crescentemente com o computador e a internet, cujo uso dá forma ao que Ramón Gubern chama de "sociedade dos cinco ecrãs".[17]

Em 2010, em cada 10 pessoas, 7 declaravam ver filmes na televisão, 6 em salas de cinema e 2,6 na internet.[18] Ver um filme em casa tornou-se também cada vez mais barato em consequência da proliferação de filmes *pirata*: nove

[17] Ver em http://www.etcetera.com.mx/pag37-42ane87.asp. (Consultado em 23 de fevereiro de 2009).

[18] Em 2010, 94% da população contava com televisão nos seus lares, 72% com um equipamento de DVD, 31% com televisão paga e 22% com internet (IMCINE, 2011: 8 e 119).

em cada dez DVD's vendidos no México são de origem ilícita.[19] Não se pode identificar, portanto, uma relação excludente entre maior consumo doméstico de cinema e assistência de filmes nas salas, como, aliás, também não acontece no campo musical, no qual continuam a bater-se recordes de assistência a concertos musicais ao mesmo tempo que cresce a descarga legal e ilegal de músicas através da internet, assim como a compra de discos *pirata*.[20]

O desenvolvimento da internet veio dar continuidade e aprofundar a reorganização dos circuitos audiovisuais. Já desde os inícios do século XX, metade dos internautas da Cidade do México assegurava que tinha deixado de ver televisão em troca de um monitor que oferece maior interatividade. Uma terceira parte reconhecia também ter diminuído as suas saídas para fora de casa em troca de ficar frente ao ecrã do computador. Com a proliferação de centros comerciais de todo o tipo diminuiu a distância geográfica às salas de cinema, mas não a económica. Certamente que há distintas barreiras simbólicas à entrada num centro comercial de uma zona residencial de luxo ou em outro de uma zona popular. No entanto, em ambos os casos os preços ditam, em última instância, quem pode ou não marcar presença. Dadas todas estas limitações, cabe reconhecer que o mercado da exibição popular está, todavia, novamente ou ainda por desenvolver.

Em Portugal, não existem estudos sistemáticos e regulares sobre os consumos culturais dos portugueses, mas tão só trabalhos parcelares que procuram retratar práticas particulares, como as da leitura, ou então, estudos sobre populações concretas: os jovens, os estudantes, os residentes em algumas cidades. A insuficiência de dados não nos permite analisar com rigor a evolução dos diferentes tipos de consumos culturais e, portanto, também os consumos de cinema. Os dados existentes são de muito difícil comparação na medida em que resultam de dispositivos de recolha de informação diversos e de indicadores distintos. Assim, no que diz respeito ao cinema, os dados publicados em 1997, a respeito do *Inquérito aos Hábitos de Leitura dos Portugueses* (Freitas, Casanova e Alves, 1997), indicavam que cerca de 50% dos portugueses declaravam não ir ao cinema. Em 2007, um estudo semelhante revelava que essa proporção baixara para 41% (Santos *et al.*, 2007).

[19] Associação Protetora do Cinema e Música: http://www.apcm.org.mx/pirateria.php?item=menuapcm&contenido=conse.

[20] A principal empresa de espetáculos musicais no México, Ocesa, registou um novo recorde de assistência em 2010, de cerca de 2 milhões e 390 mil pessoas. Ver http://www.jornada.unam.mx/2010/12/24/espectaculos/a09n1esp.

São dados que revelam uma tendência de crescimento dos consumidores de cinema que podemos contextualizar olhando para as estatísticas oficiais sobre o número de espectadores nas salas de cinema.

Esses dados mostram-nos como, na segunda metade da década de 1990, o cinema conheceu um movimento de recuperação do número de espectadores que, desde finais da década de 1970, tinha vindo a decair sucessivamente (ver Gráfico 6). Essa recuperação foi significativa, embora, na primeira década do século XXI, o movimento se tenha invertido, mostrando de novo uma tendência de redução daqueles que assistem a filmes nas salas de exibição.

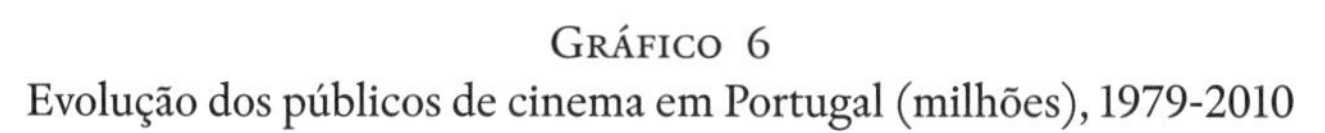

GRÁFICO 6
Evolução dos públicos de cinema em Portugal (milhões), 1979-2010

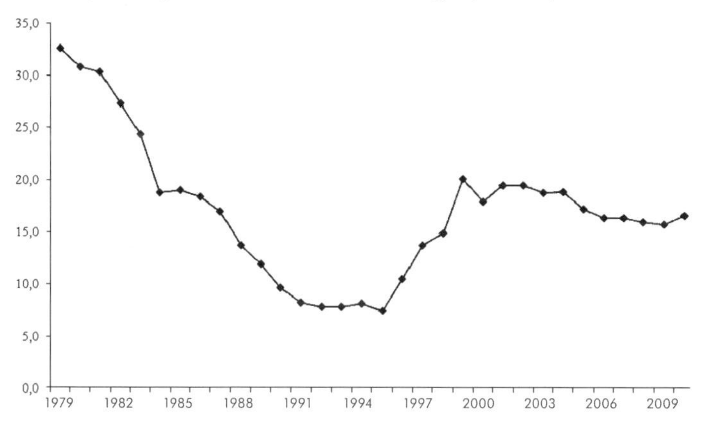

Fonte: Estatísticas da Cultura, Desporto e Recreio, INE (até 2003); ICA, desde 2004.

As oscilações dos públicos das salas de cinema refletem transformações da indústria do cinema em Portugal, nomeadamente, dos setores da exibição e da distribuição, marcados por uma forte concentração empresarial e geográfica, assim como transformações nos consumos culturais, nomeadamente, nos consumos cinematográficos dos portugueses. De facto, e de acordo com os dados do inquérito *Sociedade em Rede*, promovido pelo Obercom, em 2010, a plataforma mais popular de visualização do cinema é, efetivamente, a televisão (indicada por 77,3% dos inquiridos), seguida do DVD (indicado por 35,8% dos inquiridos).[21] Só depois surgem as salas do

[21] Estes dados referem-se aos 12 meses anteriores à aplicação do inquérito, que se realizou em maio de 2010.

circuito comercial de exibição de cinema, indicadas por 35,1% dos inquiridos e as salas do circuito alternativo de exibição (cineclubes, festivais de cinema...), indicadas por 12,1%. Os dados deste estudo revelam, contudo, que, para além da TV e do DVD, a visualização de filmes em grande ecrã se confronta cada vez mais com a concorrência de novas plataformas de visualização, como sejam o computador ou o vídeo-on-demand (Obercom, 2011). Assim, o consumo doméstico de cinema, em múltiplas plataformas, ultrapassa largamente o consumo de cinema efetuado através de salas de exibição mas, de facto, não o elimina.

Por outro lado, o mesmo estudo indica como, consideradas todas as plataformas de visualização de cinema, apenas 12,2% dos inquiridos declararam ter assistido a filmes de produção nacional. E, mais uma vez, a televisão foi o dispositivo de visionamento mais indicado (8,7%), seguida das salas de cinema do circuito comercial, apontadas por 3,2% dos inquiridos. Dados que corroboram a difícil relação dos portugueses com o cinema de produção nacional, seja em consequência da sua já longa familiarização com a cinematografia norte-americana, do ainda mais longo desentendimento entre o cinema de produção nacional e a televisão portuguesa, que remonta ao período do monopólio dos canais públicos, seja em resultado do perfil idiossincrático de grande parte da produção nacional, orientada para o modelo do cinema de autor, muito apreciado pela crítica, pelas instâncias europeias de consagração e por um público de cinéfilos, mas pouco amado pela grande maioria dos consumidores de cinema.

Conclusões

A comparação das tendências de exibição e de consumo de cinema em Portugal e no México permite-nos, por um lado, colocar em evidência algumas diferenças, que se relacionam com as especificidades associadas à história social, política e económica de cada país e, por outro, similitudes que se associam aos processos de transnacionalização da indústria cinematográfica, que afetam tanto a Europa como toda a América, senão mesmo o globo.

As principais diferenças remetem para a história da implantação do cinema como atividade cultural e de lazer em ambos os países e, ainda, para a própria expressão da indústria cinematográfica de cada país. No México, o cinema foi, sobretudo entre as décadas de 1940 e 1960, uma atividade popular, que convocava muitos espectadores para as suas salas e com uma frequência elevada. Em Portugal, a maior popularidade do cinema parece ter acontecido em meados da década de 1970, após a queda do regime autoritário, mas rapidamente se desfez face a múltiplos constrangimentos económicos e à popularidade da televisão. A este facto, acrescenta-se a diferença entre a importância da indústria cinematográfica em cada país. O México sempre se afirmou como um importante produtor de cinema, com capacidade de exportação não apenas para os seus vizinhos da América Latina, mas também para as zonas de influência da população de origem latina, nomeadamente de expressão espanhola. O mesmo não acontece em Portugal. A produção cinematográfica foi sempre incipiente, primeiro fortemente condicionada pelo regime político e, depois, pela afirmação de uma produção alternativa, que se autodesignava de artesanal e de autoria, e que nunca conseguiu orientar-se para o mercado, dependendo sistematicamente dos sempre escassos apoios estatais. Só na transição para o século XXI surgiram algumas empresas produtoras, orientadas para o mercado, mas ainda assim, muito dependentes dos apoios financeiros do Estado. O mercado de exportação quase nunca existiu e, só após a integração na União Europeia, a cinematografia portuguesa encontrou canais de coprodução e distribuição no espaço europeu.

A recuperação da exibição e da assistência do cinema depois da década de 1990 aconteceu em ambos os países, correspondendo a movimentos similares de reorganização da indústria cinematográfica, agora com um caráter claramente transnacional. Nos dois países se observa uma reestruturação da exibição de cinema, caraterizada pela diminuição do número das grandes salas individuais, muitas vezes deixadas ao abandono nas cidades, como, aliás, bem realçam Carlos Fortuna e Cristina Meneguello em outro texto deste mesmo livro (Fortuna e Meneguello, 2012), pela imposição do modelo dos *multiplex* e pela concentração geográfica dessas infraestruturas de exibição, claramente favorável às grandes cidades e penalizadora das mais pequenas. Em ambos os países há elevadas proporções de território sem salas de cinema, adicionando-se às barreiras simbólicas inerentes ao consumo cultural, a distância física ao cinema de uma parte das populações mais afastadas dos grandes centros. Em ambos os países, se observa também uma concentração empresarial que afeta a exibição e a distribuição e que contribui fortemente para a produção da forte hegemonia do repertório cinematográfico proveniente de Hollywood.

Ainda assim, partilhando tendências de evolução da distribuição e exibição cinematográfica, existem pequenas diferenças a assinalar. Em ambos os países, a reestruturação da exibição contribuiu para uma recuperação de públicos do cinema. No entanto, enquanto em Portugal os espectadores de cinema aumentaram a partir de 1998, mas diminuíram a partir dos primeiros anos do século XXI, no México a recuperação foi continuada (embora não por parte de todos os setores sociais). Esta diferença pode estar associada, por um lado, à brutal disparidade entre a dimensão das populações dos dois países, que favorece claramente o México. Neste país, o volume de potenciais públicos da exibição de cinema em sala é exponencialmente maior do que em Portugal, e um dos maiores da América Latina, proporcionando possibilidades de crescimento desta atividade que puderam continuar a ser exploradas de forma relativamente sustentada. Por outro lado, pode associar-se a essa diferença uma outra, relativa à velocidade com que a sociedade da informação, nomeadamente a internet de banda larga, tem vindo a penetrar em ambos os países. Neste aspeto, é possível que Portugal esteja numa fase de infraestruturação mais avançada, proporcionando uma antecipada aceleração da reorganização dos consumos culturais por contraposição ao México.

De facto, em ambos os países, como provavelmente em quase todo o mundo, está em marcha uma reconfiguração dos processos de consumo e prática culturais. No que diz respeito ao cinema, ela traduz-se num crescente visionamento de filmes no espaço doméstico (através da televisão, DVD e internet e também dos circuitos da pirataria do DVD) e no decréscimo da assistência a películas em salas de cinema. Contudo, ir ao cinema no México continua a ser uma prática cultural relevante, sobretudo para os jovens urbanos. E, em Portugal, a assistência de cinema em sala continua a coexistir com outras formas de visionamento de filmes. Não se pode identificar, então, uma relação excludente entre maior consumo doméstico de películas e a assistência nas salas, como, aliás, tão pouco ocorre no campo musical (Abreu, 2000 e 2004).

A reformulação dos modos de relação dos consumidores com os novos e os velhos bens e serviços culturais é, de facto, um dado constante desde a autonomização dos mercados e dos campos culturais, no século XIX. Encontra-se associada às também incessantes transformações nas modalidades de criação, produção e distribuição dos bens e dos serviços culturais, ambas estimuladas por mudanças históricas mais amplas, de caráter político-social, económico, tecnológico ou estético-cultural (Abreu, 2010). Hoje, elas assumem uma particular visibilidade graças à recente e acelerada transformação dos dispositivos técnico-humanos de distribuição, comercialização e acesso a bens e serviços culturais e à inovação no domínio da produção, proporcionada pela introdução de novos meios e linguagens técnicas e artísticas. A desmaterialização que atravessa todos esses processos tem o seu correlato no domínio dos consumos culturais e afeta não só a conceção da esfera cultural pública, como também a sua relação com o espaço público, nomeadamente o espaço público das cidades, tradicionalmente concebido como o espaço «natural» da cultura e das artes.

Essas são mais do que fortes razões para continuarmos a estudar estes processos, de que o cinema é um caso exemplar, nomeadamente com recurso a estudos comparativos que permitam avaliar as tendências hegemónicas que se desenham internacionalmente, as especificidades associadas às suas reconfigurações locais, particularmente as que se cruzam com as dinâmicas urbanas, bem como os fatores que atuam em ambas as escalas.

Referências Bibliográficas

ABREU, Paula (2000), "Práticas e consumos de música(s): Ilustrações sobre alguns novos contextos da prática cultural". *Revista Crítica de Ciências Sociais*, 56, 123-147.

ABREU, Paula (2004), "Ouvir, comprar, participar... acerca da reciprocidade cumulativa das práticas musicais", in OAC, *Públicos da Cultura. Actas do encontro organizado pelo Observatório das Actividades Culturais no Instituto de Ciências Sociais da Universidade de Lisboa*. Lisboa: Observatório das Actividades Culturais, 77-92.

ABREU, Paula (2010), *A música entre a arte, a indústria e o mercado*. Dissertação de doutoramento. Coimbra: Universidade de Coimbra. (http://webopac.sib.uc.pt/search~S21*por?/aAbreu%2C+Paula/aabreu+paula/1%2C1%2C7%2CX/1856&FF=aabreu+paula+1967&4%2C%2C7%2C1%2C0/indexsort=).

ASOCIACIÓN MEXICANA DE PRODUCTORES INDEPENDIENTES, A.C. (2002), *La industria cinematográfica mexicana: Evolución reciente*. México. (Mimeo).

BAPTISTA, Tiago (2003), *Tipicamente português. O cinema ficcional mudo em Portugal no início dos anos vinte*. Lisboa: Faculdade de Ciências Sociais e Humanas da Universidade Nova de Lisboa. Dissertação de mestrado. Disponível em http://dited.bn.pt/29956/index.html?m. (Consultado em junho de 2009).

CACHINHO, Herculano *et. al.* (2000), *Centros comerciais em Portugal. Conceitos, tipologias e dinâmicas de evolução*. Lisboa: Observatório do Comércio.

COELHO, Eduardo Prado (1983), *Vinte anos de cinema português (1962-1982)*. Lisboa: Ministério da Educação e Cultura.

COSTA, Alves (1979), *Breve história do cinema português (1896-1962)*. Lisboa: Ministério da Educação e da Investigação Científica – Secretaria de Estado da Investigação Científica.

COSTA, João Bénard da (1991), *Histórias do cinema*. Lisboa: Imprensa Nacional/Casa da Moeda.

CRUZ, José Matos (1989), *Prontuário do cinema português 1896-1989*. Lisboa: Cinemateca Portuguesa.

DE LA VEGA, Eduardo e SÁNCHEZ RUÍZ, Enrique (1994), "Evolución y estado atual de la investigación sobre el cine mexicano", in DE LA VEGA, Eduardo e SÁNCHEZ RUÍZ, Enrique, *Bye, bye Lumière... Investigación sobre cine en México*. Guadalajara: Universidad de Guadalajara, 11-26.

DESSY, Orietta e GAMBARO, Marco (2009), "Demand for movies in Europe and the effects of multiplex diffusion: A panel approach". *Working Papers*, nº 2009-03, Università Degli Studi di Milano.

ELIZONDO, Jorge (1991), "La exhibición cinematográfica. Retrospetiva y futuro". *Pantalla*, nº 15. México: UNAM - Dirección General de Atividades Cinematográficas de la Coordinación de Difusión Cultural, 3-36.

FERNÁNDEZ, Joaquín (1996), "Exhibición cinematográfica, lo que el viento regresó". *Expansión*, 731, 32-48.

FERREIRA, Claudino; GOMES, Carina e CASALEIRO, Paula (2011), *Atlas cultural da Região Centro*. Coimbra: Ministério da Cultura – Direção Regional de Cultura do Centro.

FLICHY, Patrice (1993), *Una historia de la comunicación moderna*. México: Ediciones G. Gili, S.A. de C.V., 210-211.

FOCUS (2010), *Focus 2010. World Film Market Trends*. Disponível em http://www.obs.coe.int/oea_publ/market/focus-bis.html. (Consultado em fevereiro de 2012).

FORTUNA, Carlos e MENEGUELLO, Cristina (2012), "Escombros da cultura: o Cine-Éden e o Teatro Sousa Bastos", in FORTUNA, Carlos e LEITE, Rogério P. (orgs), *Diálogos Urbanos: Territórios, culturas, patrimónios*. Coimbra: Almedina, 233-258.

FORTUNA, Carlos, FERREIRA, Claudino e ABREU, Paula (1999), "O espaço público urbano e cultura em Portugal", *Revista Crítica de Ciências Sociais*, 52/53, 85-117.

FREIRE, Susana A. (2009), "As Práticas de Recepção Cultural e os Públicos de Cinema Português". *Observatorio (OBS*) Journal*, 8, 40-76. Disponível em http://obs.obercom.pt/index.php/obs/article/viewFile/207/236. (Consultado em fevereiro de 2012)

FREITAS, Eduardo de; CASANOVA, Luís e ALVES, Nuno Almeida (1997), *Hábitos de leitura. Um inquérito à população portuguesa*. Lisboa: Publicações D. Quixote.

GARCÍA CANCLINI, Néstor (1999), *La globalización imaginada*. México: Paidós.

GARCÍA CANCLINI, Néstor e ROSAS MANTECÓN, Ana (2005), "Políticas culturales y consumo cultural urbano", in GARCÍA CANCLINI, Néstor (org.), *La antropología urbana en México*. México: Consejo Nacional para la Cultura y las Artes, Universidad Autónoma Metropolitana y Fondo de Cultura Económica, 168-195.

GETINO, Octavio (2007), *Cine Iberoamericano. Los desafíos del nuevo siglo*. Buenos Aires: Instituto Nacional de Cine y Artes Audiovisuales / CICCUS.

GÓMEZ VARGAS, Héctor (2000), "Luces en la oscuridad. La investigación sobre cine en México". *Estudios sobre las Culturas Contemporáneas*, vol. VI, 12, 9-52.

HOLT, Jennifer (2002), "In deregulation we trust: The synergy of politics and industry in Reagan-Era Hollywood". *Film Quarterly*, vol. 55, nº 2, 22-29.

HUBBARD, Phil (2002), "Screen-shifting: consumption, "riskless risks" and the changing geographies of cinema", *Environment and Planning A*, vol. 34, 1239-1258.

LEMIÈRE, Jacques (2006), "«Um centro na margem»: o caso do cinema português", *Análise Social*, XLI, 189, 731-765.

LOSA, Leonor (2009), *«Nós humanizámos a indústria». Reconfiguração da produção fonográfica e musical em Portugal na década de 60*. Lisboa: Faculdade de Ciências Sociais e Humanas da Universidade Nova de Lisboa. Dissertação de mestrado.

MARSHALL, N. e WOOD, P. (1995), *Services and space: Key aspects of urban and regional development*. Essex: Longman.

Mateus & Associados (2010), *O sector cultural e criativo em Portugal. Relatório final.* Lisboa: Ministério da Cultura/Mateus & Associados. Disponível em http://www.gpeari.pt/. (Consultado em fevereiro de 2010).

Media Salles (1994), *100 years of cinema exhibition in Europe.* Disponível em http://www.mediasalles.it/ybkcent/ybk95_hi.htm. (Consultado em fevereiro de 2012).

Miquel, Ángel (1998), "Reseña bibliográfica de la historia reciente del cine en México", in Burton-Carbajal, Julianne *et al.* (orgs.), *Horizontes del segundo siglo. Investigación y pedagogía del cine mexicano, latinoamericano y chicano.* México: Universidad de Guadalajara/IMCINE, 28-38.

Miquel, Ángel (2001), "Cine mexicano y regiones: Panorama bibliográfico (1980--1999)", in De la Vega, Eduardo (org.), *Microhistorias del cine en México.* México: Universidad de Guadalajara, Universidad Nacional Autónoma de México, Instituto Mexicano de Cinematografía, Cineteca Nacional e Instituto Mora, 401-414.

Neves, José Soares (1998), *Os profissionais do disco. Um estudo da indústria fonográfica em Portugal.* Lisboa: Observatório das Actividades Culturais.

Obercom (2007), *Cinema em ecrãs privados, múltiplos e personalizados. Transformações nos consumos cinematográficos.* Lisboa: Obercom. Acessível em http://www.obercom.pt/content/89.cp3. (Consultado em janeiro de 2008).

Obercom (2009), *O cinema europeu nas redes P2P. Os utilizadores como distribuidores.* Lisboa: Obercom. Acessível em http://www.obercom.pt/content/89.cp3. (Consultado em dezembro de 2009).

Obercom (2011), *Cinema em múltiplos ecrãs.* Lisboa: Obercom. Acessível em http://www.obercom.pt/content/117.cp3. (Consultado em novembro de 2011).

Ochoa, Cuauhtémoc (1998), *Las salas cinematográficas en la ciudad de México en tiempos de cambio 1982-1997.* México: UAM-Azcapotzalco. Tese de mestrado.

Peixoto da Silva, Susana (2010), *Arquitectura de cine teatros: Evolução e registo [1927-1959] Equipamentos de cultura e lazer em Portugal no Estado Novo.* Coimbra: Almedina.

Pina, Luís de (1977), *A aventura do cinema português.* Lisboa: Editorial Vega.

Pina, Luís de (1987), *História do cinema português.* Lisboa: Publicações Europa-América.

Ramos do Ó, Jorge (1999), *Os anos de Ferro. O dispositivo cultural durante a "política do Espírito" 1933-1949. Ideologia, instituições, agentes e práticas.* Lisboa: Editorial Estampa.

Roncagliolo, Rafael (1996), "La integración audiovisual en América Latina: estados, empresas y productores independientes", in García Canclini, Néstor (org.), *Culturas en globalización. América Latina-Europa-Estados Unidos: libre comercio e integración.* Caracas: Seminario de Estudios de la Cultura (Conaculta)/Clacso/Nueva Sociedad, 41-54.

Rosas Mantecón, Ana (1995), "Una mirada antropológica al público de cine". *El Cotidiano,* 68, 48-52.

Sánchez Ruíz, Enrique (1998a), "El cine mexicano y la globalización: Contracción, concentración e intercambio desigual", in Burton-Carbajal, Julianne; San Martin, Patricia Torres y Miquel Ángel (orgs.), *Horizontes del segundo siglo. Investigación y pedagogía del cine mexicano, latinoamericano y chicano*. México: Universidad de Guadalajara/Instituto Mexicano de Cinematografía, 101-133.

Sánchez Ruíz, Enrique (2001), "Preferencias y ofertas cinematográficas en México". *Revista Mexicana de Comunicación*, 72, 46-49.

Santos, Joaquim Teixeira (2011), *O cinema no «entroncamento» do «progresso». Contributo para a história do espetáculo cinematográfico em Portugal*. Coimbra: Universidade de Coimbra. Tese de doutoramento. Disponível em https://estudogeral.sib.uc.pt/handle/10316/18244. (Consultado em janeiro de 2012).

Santos, Maria de Lourdes Lima dos *et. al.* (2007), *A leitura em Portugal*. Lisboa: Gabinete de Estatística e Planeamento da Educação (GEPE).

Silva, Augusto Santos *et. al.* (2001), "A dinâmica cultural das cidades médias: uma sondagem do lado da oferta", in Fortuna, Carlos e Silva, Augusto Santos (orgs.), *Projecto e circunstância. Culturas urbanas em Portugal*. Porto: Edições Afrontamento, 65-107.

Thompson, John B. (1992), *Ideología y cultura moderna. Teoría crítica social en la era de la comunicación de masas*. México: UAM-Xochimilco.

Ugalde, Víctor (1998), "Panorama del cine en México: Cifras y propuestas". *Estudios cinematográficos*, 14, 45-59.

Outras fontes

Cámara Nacional de la Industria del Cine y del Videograma. Disponível em http://canacine.org.mx.

Consejo Nacional para la Cultura y las Artes. Disponível em http://conaculta.gob.mx.

ICA, *Resultados e Estatísticas*. Disponível em http://www.ica-ip.pt/pagina.aspx?pagina=198.

ICA, *Anuário Estatístico* 2008, 2009 e 2010. Disponível em http://www.ica-ip.pt/pagina.aspx?pagina=199.

INE, *Estatísticas da Cultura e do Lazer*, entre 1979 e 2007. Disponível em http://www.ine.pt/xportal/xmain?xpid=INE&xpgid=ine_publicacoes.

Instituto Mexicano de Cinematografía. Disponível em http://www.imcine.gob.mx/.

Instituto Nacional de Estadística Geografía e Informática. Disponível em http://www.inegi.org.mx/.

ESCOMBROS DA CULTURA: O CINE-ÉDEN E O TEATRO SOUSA BASTOS

Carlos Fortuna* e *Cristina Meneguello

Introdução

Enquanto pessoas e enquanto académicos, os autores deste texto admitem ser admiradores do significado de edifícios em ruínas e das ruínas em geral. Estamos convencidos que essa admiração seja partilhada por muitos outros sujeitos, porquanto a sua raiz se encontra no reconhecimento da ambiguidade das ruínas que nos confortam e surpreendem ao mesmo tempo. Quaisquer que sejam, das mais imponentes às mais singelas, as ruínas são traços de uma história social suspensa. Constituem símbolos e marcas físicas da mudança das nossas sociedades ao longo do tempo; testemunham em pedra um passado que não pode ser mais visitado ou compreendido como um todo.

Não raramente, as ruínas são testemunhos esteticizados do passado, objetos de eloquentes e românticas narrativas literárias, registos fílmicos ou vídeos. O seu fascínio leva à constituição de clubes de fãs, do mesmo modo que está na base de movimentos intelectuais, artísticos e culturais. Em alguns casos não se interrogam as causas das ruínas que se festejam, ou os seus efeitos sociais e simbólicos sobre os lugares onde se situam e, menos ainda, as pessoas cujas vidas lhe estão ou estiveram diretamente associadas. Outras situações, ao contrário, fazem da ruína fonte da mais profunda heurística da condição humana e social. Vale aqui recordar Georg Simmel (1858-1918) e o modo como o intelectual berlinense colocou a ruína no centro da relação tensa existente entre a natureza e o espírito (Simmel, 1959). Mas também Walter Benjamin (1892-1949), para quem o processo de constante construção das ruínas sinaliza o estado inacabado da moderna sociedade ocidental e, em situações particulares, é sinal de que as cidades não morrem, antes se renovam numa estranha e "porosa" simbiose do novo com o decadente (Benjamin e Lacis, 1978; Gnisci, 2003).

Contra a força dos seus inimigos – humanos e naturais – as cidades, mesmo se profundamente abaladas, resistem. Palmira, Persépolis ou Tebes, no limite, persistem enquanto ruína ou fragmento de um modo de vida e continuam presentes na literatura e no imaginário coletivo, como lugares turísticos ou de memória e veneração. Por vezes, estas cidades antigas que as ruínas evocam não vão além de simples mitificação e, enquanto tal, ocupam lugar de vulto na representação de um futuro urbano interrompido – por isso utópico – convertido no seu inglório presente.[1] Como um aviso sombrio e moral de que ao apogeu segue a decadência, as ruínas de grandes impérios ou as recentes ruínas da industrialização pontuam as cidades, incómodas. A ideia de tempo suspenso que os escombros da cidade sugerem, converte a ruína na possibilidade de existência e de transformação. A sua natureza insinua-se ao nosso olhar como um possível devir ou, diríamos a parafrasear o poeta Alberto Caeiro/Fernando Pessoa, a recompensa da não existência é estar sempre presente (Pessoa/Caeiro, 2001).[2]

Inspirados por esta ideia desta "presença da ausência" propomos um olhar sobre o caso das ruínas da cultura, destacando duas situações singulares: o Cine-Éden, na cidade de Espírito Santo do Pinhal, estado de São Paulo, e do Teatro Sousa Bastos no centro da cidade de Coimbra. Trata-se de equipamentos culturais que pontuaram estas cidades e que revelam hoje a história interrompida de um trajeto cultural marcante da sua condição urbana ao longo do século XX. Procuramos revelar não apenas ao relevo que ambas as situações tiveram nos cenários culturais daquelas cidades, mas sobretudo temos intenção de refletir sobre as causas sociais de sua decadência, buscando refletir sobre o modo como as políticas culturais municipais se relacionam às condições da prática cultural. No limite, podem conduzir à ruína e ao desaparecimento de equipamentos culturais que soçobram perante as intempestivas mudanças que desafiam a cultura nos nossos dias.

Temos em consideração algumas referências problematizadoras do lugar da ruína na cultura contemporânea. Esse é, aliás, um tema que tem captado numerosos contributos analíticos recentes que destacam principalmente a dimensão estética e espacial dos escombros de antigas unidades indus-

[1] A abundância retórica e imagética produzida acerca das "ruínas de Detroit" é um exemplo eloquente desta representação do que foi um irrealizado, porém promissor, futuro de uma extremamente dinâmica cidade, atraiçoada pela decrepitude da desindustrialização. Veja-se a este propósito o texto profusamente ilustrado de Austin e Doerr (2010) que é um dos trabalhos iconográficos do que hoje surge mencionado como "*detroitismo*", isto é, a exploração sem limites, por vezes *voyeurista*, das imagens de decadência e do estado de ruína de um número assinalável de edifícios industriais de Detroit da primeira metade do século XX.

[2] Fernando Pessoa/Alberto Caeiro, *Site de Poesias Coligidas de Fernando Pessoa* (http://www.fpessoa.com.ar/heteronimos.asp?Heteronimo=alberto_caeiro. (Consultado em novembro de 2011).

triais e de inesperadas vivências e usos sociais que neles têm lugar (Edensor, 2005). Todavia, os dois casos estudados não são compagináveis com as narrativas empolgantes de lugares abandonados e decadentes em resultado da desindustrialização que recebem hoje grande atenção no meio intelectual. Na verdade, no momento em que escrevemos, o Cine-Éden foi arrasado fisicamente e o Teatro Sousa Bastos é uma ruína urbana que clama por intervenção que, como sucedeu com o seu congénere brasileiro, deverá passar pela demolição e posterior adaptação a outras finalidades e usos, só marginalmente associados à prática artística e cultural. Não se trata, portanto, nem das "clássicas" e românticas ruínas que sinalizam outras civilizações (Fortuna, 1997; Lacroix, 2007; Meneguello, 2008; Woodward, 2002), como tão-pouco tipificam situações semelhantes à moderna ruína urbana de larga escala que assinala a decadência e a recuperação das cidades (Vale e Campanella, 2005). O Cine-Éden e o Teatro Sousa Bastos são casos pontuais de abandono de equipamentos que tiveram no século XX tempos áureos nos cenários culturais locais de Espírito Santo de Pinhal e de Coimbra, respetivamente. Com origens temporais e percursos *biográficos* diferenciados, no final da sua existência ambos os edifícios sucumbiram perante a avassaladora mudança ocorrida nos novos circuitos de distribuição e na organização espacial típica das anteriores modalidades de consumo cinematográfico e teatral que traçaram o fim incontornável dos pequenos "cinemas de rua",[3] teatros e cine-teatros independentes.[4]

A construção dos escombros da cultura

No ano de 1928, o poeta Carlos Drummond de Andrade comentou em "O fim das coisas" o encerramento do Cine Odeon, na Rua da Bahia, na cidade de Belo Horizonte, então jovem capital de Minas Gerais:

[3] Usamos a expressão "cinemas de rua" para significar, com as linguagens atuais, aqueles equipamentos que, sendo simplesmente cinemas, passaram a ser designados no Brasil de "cinemas de rua" como forma de os diferenciar das salas de cinemas integradas nos *malls* e *shopping centers*.

[4] Essa é a impressão recolhida por Jochen Dietrich, fotógrafo responsável pela exposição fotográfica "Cine-Teatros em Portugal" que afirma: "fotografei mais de 90 Cine-Teatros em todo o país. Vi igrejas que foram transformadas em salas de projeção, e cinemas que se transformaram em locais de culto; encontrei Cine-Teatros perfeitamente decrépitos e outros restaurados com cuidado e muito dinheiro investido.... Apenas 60 anos (ou menos) após a sua edificação, muitos dos cinemas tornaram-se velhos, decrépitos e na maior parte abandonados..." (*apud* Peixoto da Silva, 2010: 11).

Fechado o Cinema Odeon, na Rua da Bahia.
Fechado para sempre.
Não é possível, minha mocidade
fecha com ele um pouco.
Não amadureci ainda bastante
para aceitar a morte das coisas
que minhas coisas são, sendo de outrem,
e até aplaudi-la, quando for o caso.
(Amadurecerei um dia?)
Não aceito, por enquanto, o Cinema Glória,
maior, mais americano, mais isso-e-aquilo.
Quero é o derrotado Cinema Odeon.
(...)

O que o poeta lamentava era a substituição dos pequenos cinemas pelas grandes salas, fomentadas pelo circuito de exibição instaurado pelas companhias cinematográficas norte-americanas, processo que mais tarde se intensificaria no período da Guerra Fria e culminaria com salas de cinema de grande porte nas principais cidades brasileiras. Estes palácios do cinema concentraram para muitas gerações pré-televisão o lazer urbano e as possibilidades de sociabilidade e encontro, de ver e dar-se a ver, que ficaram indelevelmente associadas aos espaços de exibição (Meneguello, 1996).

Foram estas mesmas salas de exibição cinematográfica como os espaços de representação teatral que entraram em estado de decadência a partir da década de 1970, sendo transformadas em cines-porno ou teatros-porno para *shows* ao vivo, em salões de igrejas, lojas com grandes armazéns ou foram simplesmente demolidas para dar espaço a outros equipamentos e outros usos urbanos. As poucas salas que restaram nos centros ou nos bairros das cidades, em contraposição às dos *shopping-centers*, acabaram por se definir como uma alternativa popular ao circuito comercial hegemónico, tanto no tocante à exibição de filmes, como no que respeita as práticas do cine-clubismo, ou mesmo por promoverem o visionamento, já com algum atraso e por estadias mais longas, dos filmes *blockbuster* que já tinham sido retirados das salas dos centros comerciais.

Tendência semelhante se fez notar nas salas de teatro. Em muitos casos, a sua decadência e abandono foram adiados por algum tempo através da sua reconversão total ou parcial em salas de cinema, à medida que a moda do animatógrafo e do cinematógrafo se foi difundido a partir dos finais do séc. XIX até se tornar o novo gosto de entretenimento urbano (Brito, 1982). Primeiramente e de forma tímida, muitas foram as salas de teatro que passaram a permitir a exibição de cinema, tentando resistir, desse modo, ao ímpeto do novíssimo meio cultural. Apesar deste hibridismo,[5] em que o mesmo espaço ora servia de sala de teatro ora de cinema, num grande número de situações verificou-se a conversão total da sala de teatro em sala de exibição fílmica, o que mostra como foi imparável a multiplicação de salas de cinema e do número de frequentadores, para desgraça do decadente teatro (França, 1992: 107).

A migração recente dos equipamentos de cultura – teatro ou cinema – para o interior de *shoppings* e *malls*, assim, corresponde a uma nova fase da retração das salas de cinema e teatro, com a agravante de acentuar o esvaziamento dos centros urbanos e o estrangulamento de boa parte das suas funções de sociabilidade e encontro. Do centro antigo, resistem apenas alguns núcleos de vida prática e pública (cartórios, órgãos de governo ou de administração local), assim como sobrevivem algum comércio mais popular, algumas grandes lojas sem identidade definida ou algumas lojas tradicionais e antigos *magazins* e restaurantes, tal como enclaves culturais que lentamente se desfazem.

Da vida pública que se desenrola nos centros históricos das cidades são poucas as iniciativas culturais que ganham hoje projeção e destaque, excetuados os sinais decorrentes da sua desvitalização. Recentemente as páginas dos jornais paulistanos trouxeram à luz e deram grande destaque aos impasses ao redor do fechamento do Cine Belas Artes. Cinema da região central que funcionou por 68 anos, o Belas Artes parece ter cativado um pequeno público fiel ao qual se somou um público neófito, ainda não fiel mas com desejo de fidelidade suficiente para criar uma série de mobilizações reais e virtuais que culminaram na abertura do processo do reconhecimento do seu valor patrimonial. De modo semelhante, também a imprensa em Coimbra deu grande relevo ao desaparecimento do Teatro Avenida ou do Tivoli, salas de marcada feição cultural de Coimbra que cederam perante a investida dos

[5] Em Portugal, durante o regime salazarista, instituiu-se mesmo a prática de criação de cineteatros, promovendo a articulação no mesmo espaço de ambos os tipos de espetáculo (Peixoto da Silva, 2010).

"modernos complexos" comerciais. O mesmo sucederia com a "falência" do Teatro Sousa Bastos, que passou por peripécias diversas até ao seu encerramento nos meados dos 1970s e posterior venda do edifício para uso privado.

Nem a sala de cinema nem o teatro de que queremos falar existem mais. Ou melhor, existem, mas em estado decrépito de ruína, ou escombro resultante de demolição. São vestígios apenas de tempos e de formas de expressão cultural que sucumbiram perante o imparável desafio das modernas tecnologias ou modos urbanos de experimentação cultural. O cinema e o teatro que queremos abordar aqui existem hoje apenas como passado.

O Cine-Éden situava-se na pequena cidade de Espírito Santo do Pinhal[6] – quase divisa com Minas Gerais – e foi inaugurado em 1913 e demolido em 2010. Sobre os seus escombros, em 28 de janeiro de 2011, um estudante de arquitetura organizou uma sessão de *despedida,*[7] levando centenas de pessoas a assistir, ao ar livre, os filmes *Tristeza do Jeca* de Mazzaropi (1961, dir.

FIGURA 1. Montagem da "saideira" do Cine-Éden

Fotografia de Cristina Meneguello, 2011

[6] Segundo os dados do IBGE, Espírito Santo do Pinhal contava, em 2010, com 41 mil habitantes, o que a carateriza como cidade de pequeno porte para os padrões do estado de São Paulo.

[7] Frederico Vergueiro Costa foi o idealizador e produtor deste evento – "Saideira do Éden" – para o que contou com a colaboração de Simone Yunes. Para mais detalhes, ver Costa (2011).

Figura 2. Fachada em ruína do Teatro Sousa Bastos

Fotografia de Carlos Fortuna, 2011

de Milton Amaral), *Quanto mais Quente Melhor* (*Some Like it Hot*, 1959, dir. de Billy Wilder) com Marilyn Monroe e as cenas da demolição do *Cinema Paradiso* (1988, dir. Giuseppe Tornatore), significativamente passadas do fim para o princípio.

Originalmente, o Cine-Éden era um teatro com lotação de 900 pessoas inaugurado em 6 de junho de 1913, com plateia, frisas no formato de ferradura e uma fachada adornada por uma lira no alto do frontão. No final da década de quarenta, passou por uma reforma profunda, que o adaptou à função de cinema: deixou de ter as frisas e passou a contar somente com os assentos da plateia, sendo a fachada modificada para aproximar-se do padrão comercial de cinema americano. Nesta reforma, ganhou um átrio marcado por duas colunas arredondadas sob uma marquise que avançava sobre o passeio público, demarcando o acesso central e uma bilheteria lateral. Nesta transformação, o antigo palco tornou-se o local da projeção.

A última exibição de filmes no Cine-Éden ocorreu em 1992, com a película *The Doors* (dir. de Oliver Stone, 1991). Em dezembro de 2010 o edifício foi demolido. As etapas da demolição foram dando acesso a formas arquitetónicas antes ocultas, algumas alteradas pela instalação das lojas que o edifício passou a acomodar entre o fechamento como sala de cinema e a demolição final. O espaço vazio deixado acentuou a dimensão do outrora existente edifício. Restou o antigo palco, transformado agora em grande pórtico, deixando perceber "as paredes curvas nas laterais próximas às coxias, bases sólidas com banheiros em cada lado e uma grande dupla de vigas atravessadas e ornadas com modenaturas" (Costa, 2010). Mantido por razões técnicas e de segurança, o palco sobreviveu e, na visão do organizador do evento *Adeus Cine-Éden*, acabou por ser o elemento que manteve tão intensamente a essência do lugar (*idem*).

Figura 3. Cine-Éden: Antigo palco, emoldurando a tela improvisada

Fotografia de Cristina Meneguello, 2011

No dia da *despedida* do Cine-Éden, os organizadores conseguiram vencer algumas burocracias e resistências típicas das cidades pequenas. Posicionaram singelas cadeiras de plástico no mesmo sentido da velha plateia e improvisaram uma tela de projeção emoldurada pelo palco remanescente ao fundo. Pipoqueiro, um altar de tijolos com películas 35mm sobre ele, antigos cartazes de cinema, um pedaço de tapete vermelho e luzes completaram a ambiência. "A noite passou como um sonho (...) uma noite festiva toda para a tristeza, uma festa da tristeza, como um Samba", relatou Frederico Vergueiro da Costa no seu *Adeus Cine-Teatro* (*idem*).

O espaço em que se localiza o que resta hoje do Teatro Sousa Bastos tem um longo e peculiar trajeto histórico na cidade de Coimbra. Hoje ruína, o Teatro Sousa Bastos situa-se na velha "Alta" da cidade onde inicialmente se erguera sobre o que antes fora a Igreja de S. Cristóvão, datada do séc. XII, o "Teatro D. Luís", na parte final da Monarquia portuguesa, em dezembro de 1861.[8] Até esta data mantivera a designação de S. Cristóvão, como sinal simbólico do compromisso com a designação da igreja que o antecedera. De acordo com Andrea Gaspar, o novo Teatro D. Luís assinalou a transição do teatro amador para o teatro profissional e representou um espaço de mediação política na rivalidade e conflito existentes entre a "Alta" e a "Baixa" de Coimbra, desafiando a fratura sociocultural entre estudantes e "futricas" (Gaspar, 2005: 69-70). Anos sucessivos de uso sem manutenção degradaram o Teatro que, em 1898, apresentava risco de desabamento da parede lateral, o que haveria de conduzir à sua demolição e posterior reconstrução nos princípios do século XX (Bastos, 1994; Gambini, 1999).

Em 1913, após uma demorada reconstrução, viria a dar lugar ao Teatro Sousa Bastos, já em plena República,[9] em consonância com o ambiente de pressão política de individualidades influentes da época que pugnavam pelo reforço da atividade teatral e a instalação de novos teatros (Peixoto da Silva, 2010: 58). A designação de Teatro Sousa Bastos foi anunciada em março desse ano, antes ainda da sua reabertura, como homenagem do novo proprietário (Manuel Bastos Esteves) a seu tio, o conhecido dramaturgo António Sousa Bastos (1844-1911).[10]

O "novo" Teatro viria a ser inaugurado a 15 de junho de 1914, com atuação da Companhia de Teatro Avenida, de Lisboa em que se destacava a presença

[8] É curioso notar que a autorização régia que permitiu a reconversão de uma antiga igreja em espaço teatral não era inédita em Portugal, onde existiam outros casos de conversão de patrimónios da Igreja para funções culturais laicas, nomeadamente para a sua adaptação a salas de teatro (Gambini, 1999).

[9] A frontaria do Teatro apresentava a inscrição romana MCMX (1910), em sinal de homenagem ao regime republicano, fundado naquela data.

[10] António de Sousa Bastos foi jornalista, dramaturgo e empresário do teatro em Portugal e no Brasil. Compôs numerosos dramas românticos, comédias e operetas, assim como dirigiu jornais e revistas. A sua obra principal foi o *Dicionário de Teatro Português*, surgido em 1908 e reeditado em 1994 (Coimbra, Minerva), tendo também sido autor de *Coisas de Teatro* (1895), *Carteira do Artista* (1898) e *Recordações de Teatro* (edição póstuma de 1947).
Neste parágrafo e nos seguintes usamos livremente a rica informação contida nos trabalhos de Lígia Inês Gambini (1999) e de Andrea Catarina Marques Gaspar (2005).

da atriz Palmira Bastos, esposa de António Sousa Bastos, que mais tarde se tornaria figura nacional de primeiro plano nas artes cénicas. Era um teatro elegante – com o " interior... pintado em branco e dourado, enquanto o exterior, com decorações artísticas, era pintado cor-de-rosa..." – que começou por atrair um público seleto, contrastante com a clientela do "teatro-circo" dos finais do século, onde eram comuns os espetáculos acrobáticos, equestres e cómicos. O Sousa Bastos apresentava um cartaz diverso que incluiu matinés-concerto – com artistas de renome como a cantora lírica espanhola Emiliana Salgado que ali interpretou trechos de "Carmen" e de "O Barbeiro de Sevilha", ou o músico José Viana da Mota, que viria a consagrar-se como um dos mais ilustres pianistas portugueses de sempre (Gambini, 1999; Gaspar, 2005).

Pouco tempo após a sua inauguração, em 1918, este "teatro da moda", com sérias dificuldades de gestão endividada, foi tornado extensão do Teatro Avenida, com que antes competia na captação do público de Coimbra. A partir de então, o Sousa Bastos, sujeito às mudanças da economia e da cultura da época, passou a apresentar uma programação escassa e irregular, albergando sessões de propaganda ocasionais, como a sessão dos Anarquistas Rebeldes em 5 de outubro de 1924, e viria a perder, gradualmente, a sua função de sala de espetáculos para ser convertido em espaço dedicado a sessões de beneficência organizadas pelas elites locais e, depois, por organizações operárias (Gaspar, 2005: 72). Na parte final da década de 20, tornou-se sede de organizações político-religiosas (Escuteiros, Recreatório Ozanan e União Operária Católica), onde chegou a discursar o então lente de Direito, António Salazar. Em 1930, encontrava-se já cedido à empresa *Coimbra Films* (sic), proprietária do "imóvel, mobiliário e demais pertenças", que ali exibiu o filme português "Capas Negras", assinalando desse modo o retorno do Teatro Sousa Bastos à condição única de sala de cinema (*idem*).

No pós-guerra, em 1946, o Teatro Sousa Bastos sofreria uma nova e profunda remodulação com a substituição das duas ordens de camarotes e galeria por plateia, frisas, camarotes e balcão, segundo projeto do arquiteto austríaco Willy Braun. A intervenção altera também a estética exterior, que adota o estilo modernista e faz desaparecer alguns elementos decorativos, assim como modifica a divisão dos vãos, numa tentativa de atualização formal. Da remodelação, que teve em vista vocacionar o teatro para a exibição cinematográfica, resultou uma redução substancial da lotação de cerca de 1200 lugares para aproximadamente metade (Peixoto da Silva, 2010: 102).

Após 1974, quando se instala o regime democrático no país, o Teatro Sousa Bastos passou a preencher a sua programação com a exibição de filmes de baixa qualidade, *western*, indianos e pornográficos. Seria a nova e derradeira fase do atribulado percurso do Sousa Bastos. Conduziria à sua decadência e a um movimento de resistência à sua anunciada decrepitude e, com ela, ao agravamento da situação de paralisia e abandono que carateriza a "Alta" da cidade nas últimas três décadas.

Viagem sem regresso?

Um século passou desde que o Cine-Éden foi inaugurado e o Sousa Bastos foi remodelado e assumiu essa designação. Foram cem anos que assistiram ao fulgor inusitado do cinema enquanto prática cultural urbana que sinalizava o advento da modernidade. Perante esta investida do cinema, o teatro tentou reagir e, na maior parte das vezes, não foi além de se adaptar à estratégia da nova moda cultural. O Cine-Éden e o Teatro Sousa Bastos foram exemplos de espaços que cedo se viram forçados a compromissos estratégicos traduzidos quer na instalação de máquinas de projetar quer na adequação arquitetónica e funcional dos espaços. Era o custo da adequação ao novo espetáculo e de simultânea manutenção do antigo.

Na viragem do século, os tempos culturais das cidades eram mais marcados pela agenda social em redor da magia do cinema. Em Portugal e no Brasil, *ir ao cinema* traduzia-se, nas primeiras décadas do século, numa forte ritualização do quotidiano urbano para a qual as pessoas não apenas trajavam a preceito, mas, seguindo a cadência da projeção fílmica e os seus intervalos, encontravam-se e comunicavam, viam e eram vistas e partilhavam, assim, um mundo de fantasia quase mítica e universal.

A voragem dos tempos que conduziu à retração do teatro (dos seus públicos e dos seus espaços) nas primeiras décadas do século, por ironia, provocou, a partir dos anos 1970, também um assinalável efeito de erosão nas antigas formas de ir ao cinema. A lógica comercial de distribuição e a novidade dos *shopping centers*, dotados de numerosas salas de cinema, provocaram uma acelerada erosão das antigas práticas de consumo cultural. A elas veio juntar-se o desenvolvimento das tecnologias de visionamento, que reduziram de forma drástica a dependência espacio-temporal imposta pela convencional "ida ao cinema". O campo das possibilidades de acesso a conteúdos cinematográficos ampliou-se como nunca com o surgimento dos *browsers*, *downloads*, *streamings*, *video-on-demand* e *pay-per-view* (Cheta, 2007: 5). Com as implicações brutais que têm sobre o espectador e os mecanismos de receção e consumo de imagem, as novas ferramentas tecnológicas e interativas acabaram por fazer surgir o "utilizador" como agente central do moderno consumo de imagens (*idem*) e, com ele, marcaram indelevelmente o destino sombrio de muitas salas de cinema, teatros e cine-teatros. O cenário abateu-se principalmente em cidades de pequeno porte, como Coimbra ou Espírito Santo do Pinhal, já que em aglomerados urbanos de maior escala aquelas salas, agora chamadas de "cinema de rua" no Brasil, parecem estar a resistir à sua eliminação e ser mesmo objeto de algum revivalismo, devido ao envolvimento de grupos independentes, associações cinéfilas e teatrais. O crescimento do cinema independente internacional, os investimentos no cinema brasileiro e a lenta abertura do mercado a cinemas nacionais antes praticamente desconhecidos – como o cinema iraniano por exemplo – impulsionaram uma frequência que, outrora bastante popular para os filmes hollywoodianos, ressignifica-se como uma audiência bem-informada, ligada aos meios académicos.[11]

O trajeto mais recente do Sousa Bastos e do Cine-Éden são ilustrativos do dramático desfecho que acabamos de referir.

O estado de abandono e ruína a que o Sousa Bastos foi sendo votado deu origem a diversas manifestações sociais de contestação e debate, envolvendo diversos agentes, decisores políticos e organizações locais de Coimbra. Mais do que colocar a ênfase na dimensão física do edifício em ruína e pugnar pela sua reabilitação, o discurso produzido pela mobilização local em defesa do velho Teatro fez destacar a sua relevância no plano mais amplo das políticas públicas para a cultura local. Emblema de uma "Alta" decadente, o Sousa Bastos foi tornado, no plano discursivo, instrumento de revitalização urbana daquela parte da cidade entregue à negligência e a incúria das autoridades locais, acusadas de deixar arruinar a cultura local no seu todo.

Um movimento social de grande dinamismo – Movimento Sousa Bastos Vivo –, criado em 2001, deu sequência a diversas reivindicações que foram sendo desenhadas colocando o Teatro Sousa Bastos como património cultural a preservar e fazendo dele o motor da regeneração urbana e cultural da

[11] Além disso, a chamada "Medida Provisória 545", publicada em 30 de setembro de 2011 no *Diário Oficial da União*, instituiu nacionalmente o programa "Cinema Perto de Você". A iniciativa prevê a concessão de créditos para financiar salas de cinema pelo país, por meio da redução de impostos para a instalação desses espaços com "um custo de implantação 30% menor para qualquer sala".

cidade. Simbolicamente, e à semelhança da festa de *despedida* do Cine-Éden referida acima, o Movimento Sousa Bastos Vivo promoveu um desfile performativo noturno pelas principais artérias da cidade (Praça da República, Avenida Sá da Bandeira, Jardim da Manga, Arco de Almedina, Escadas do Quebra-Costas, Sé Velha e Teatro Sousa Bastos) (figura 4).

Com o CITAC (Círculo de Iniciação Teatral da Academia de Coimbra) a "comandar as hostes", o desfile envolveu malabares, música, teatro e capoeira numa ação pública de denúncia da política cultural perdulária do município que, argumentava-se, impedia o Sousa Bastos de permanecer ao serviço da cultura e antes o cedia a projetos privados de investimento imobiliário. A denúncia dirigida ao município era contundente e denunciava o facto de "a política da nossa autarquia, em termos culturais, ser nula" (*Diário de Coimbra*, 14-7-2001). Ao desfile noturno seguir-se-iam outras iniciativas de sensibilização pública, uma das quais associou idosos do Centro de Dia 25 de Abril e crianças da Casa de Infância Elísio de Moura e envolveu ateliês de música, dança, artes plásticas e expressão dramática (*Diário de Coimbra*, 24-11-2001) e uma vigília de uma semana junto ao velho edifício em ruínas (*Diário de Coimbra*, 4-12-2001), com a qual se procurou obter um compromisso com o futuro do Sousa Bastos por parte dos partidos concorrentes às eleições municipais de 16 de dezembro de 2001.

FIGURA 4. "Sousa Bastos Vivo", manifestação nas ruas de Coimbra (julho de 2001)

Fotografia cedida pelo *Diário de Coimbra*

Dez anos decorridos sobre estes factos, conhecido que é o atual estado de abandono e ruína do velho edifício, e tendo em conta o esforço necessário para injetar na "Alta" de Coimbra mecanismos de reabilitação sociocultural, podemos usar a linguagem metafórica e afirmar que estas ações de rua, pese embora a justeza do seu móbil, funcionaram como exercício de um luto *ante mortem* que celebrava o fim do Sousa Bastos.

Se o movimento de apoio à recuperação do Teatro Sousa Bastos fez destacar o interesse dos seus promotores no potencial sociocultural que a reativação do velho teatro poderia representar para a cidade no seu todo e as atividades culturais em particular (*Diário de Coimbra*, 24-11-2001), no caso da *despedida* do Cine-Éden foi nítida a reutilização da fórmula da nostalgia, dos "anos que não voltam mais". Aqui não havia presságio algum e a "Saideira do Éden" foi de facto uma manifestação coletiva de luto *post mortem*.

Em ambos os casos surgiram registos e opiniões dos mais diversos participantes nestas ações que bem assinalam o sentido de cada uma. Assim, o destaque dado às opiniões dos que se *despediram* do Cine-Éden em 28 de janeiro de 2011 punha a ênfase nos momentos de felicidade passados no saudoso cine-teatro, reduzido a um amontoado de escombros:

> Estou muito emocionada de estar aqui. Fui uma das primeiras a chegar, não queria perder a oportunidade de ver de novo um filme aqui. Lembro que vinha no cinema com meu namorado que depois se tornou marido. Hoje, vim acompanhada da minha filha e da minha neta para relembrar bons momentos que vivi.
>
> (Maria Elvidia da Silva, 54 anos)

> Eu era um frequentador assíduo desde criança. Nunca vou esquecer dos filmes que assisti. Não lembro o nome deles, mas lembro que adorei ver um filme que se passava na África e outro que contava a história de índios. Eu era bem criança e nunca me esqueci das imagens. A pipoca também era uma delícia.
>
> (José Colletti, 86 anos)

> Eu me recordo dos filmes do Mazzaropi e de filmes italianos, eu adorava assistir. Aqui tinha também uns camarotes lindos, herança da fase que foi teatro.
>
> (Maria Helena Vergueiro Costa, 84 anos, neta do fundador do teatro).[12]

[12] Todas as referências são retiradas de "Evento relembra bons tempos do extinto Cine-Éden". *O Correio Popular* (Campinas), 01/02/2011.

No caso de Coimbra, a ação de rua buscava a mobilização da cidade para a penúria da questão cultural em geral, simbolizada pela degradação do Teatro Sousa Bastos.[13]

> Saímos para a rua porque [na cidade] não há espaços para executar estas atividades culturais e artísticas.
>
> (Luísa Sousa, participante no evento. *Diário de Coimbra,* 14/7/2001)

> Com esta iniciativa pretendemos demonstrar o potencial que este projeto sociocultural possui, no que à sua vertente de interação com a terceira idade e a infância se refere.
>
> (*Diário de Coimbra,* 24-11-2001)

> Com a intenção de fomentar pelo menos uma tomada de posição que "vincule" as candidaturas [às eleições autárquicas de 16-12-2001] e que depois venha a estar na origem de uma solução por parte do executivo municipal.
>
> (*Diário As Beiras,* 10-12-2001)

A reação ao quase total desaparecimento destes locais de cultura nas cidades, apesar do interesse que a sua recuperação e renascimento possam suscitar em setores técnicos e profissionais (ACARTE, 1992), não se limita à busca de soluções contra a sua decadência física, a ruína e, no limite, a demolição dos edifícios. Na verdade, o seu definhar está inscrito na lógica dominante do consumo e da política de mercadorização da cultura. Estas arrastam consigo uma nova espacialização da cultura, traduzida no surgimento das salas de cinema e de teatro no interior dos modernos centros comerciais, o que, como é conhecido, tem como reverso a marginalização das salas independentes dos velhos cinemas, teatros e cine-teatros nos núcleos urbanos antigos das cidades.

O sentido desta marginalização não se restringe à limitada utilização dos lugares tradicionais e o fim da *ida ao cinema* localizado na rua ou na praça. Essa marginalidade inscreve-se na própria ideia de desvitalização da "rua" ou da "praça", que perdem, de par com o que sucede ao cinema e ao teatro, o seu estatuto de cenário histórico de dinâmicas interações urbanas (Frehse, 2005) e se desvitalizam e morrem gradualmente. O recente encerramento de salas de cinema (o Tivoli e o Avenida, no caso de Coimbra, o Cine Belas Artes em São Paulo, já referido, ou, evidentemente, o Cine-Éden e o Sousa

[13] Todas as referências são extraídas de Gaspar (2005).

Bastos que estamos a tratar) segue a par da negligência e afastamento social da rua por parte da generalidade dos programas e políticas culturais municipais, que deste modo, se revelam cúmplices do sucesso dos modernos lugares especializados de consumo de teatro e cinema que são os *shoppings*. Além disso, as novas lógicas dos lotes urbanos, em que a possibilidade do lazer se avalia também pelo nível percecionado de conforto e bem-estar dos seus usuários, não se compadecem com usos pouco lucrativos dos espaços públicos, (Fortuna, 2011). O esvaziamento de muitos espaços públicos urbanos, nomeadamente as ruas e praças dos centros históricos de cidades pequenas, lugares privilegiados de localização das salas de cinema e teatro, além das proverbiais dificuldades em estacionar, gera sentimentos de insegurança que alimentam o abandono dos públicos e, *par cause*, a falência daquelas salas.[14] A falência e o desaparecimento dos cinemas de rua *matam* a própria rua, o que não deixa de tornar paradoxal o facto de o movimento e a vida que o cinema gera na cidade terem agora extravasado de tal maneira a rua que foi usurpado e domesticado pela lógica lucrativa dos *shoppings*, fazendo parte da animação e bulício que carateriza o ambiente dos espaços privados que agora os acolhem (Bonduki, 2011).

Desertos de cultura

Sem dúvida, o desaparecimento dos cinemas "de rua" faz parte do processo de desertificação dos centros das cidades que acabamos de referir. Paradoxalmente, o número de salas nos *shoppings* tem vindo a aumentar e, apesar das suas lotações sempre menores, o número crescente de sessões por sala assegura o aumento global do número de espectadores.

O que nos leva a uma outra pergunta: podem ainda os cinemas ser chamados de "equipamento de lazer" ou de diversão urbana? Vejamos o caso do Brasil. No Brasil, segundo os dados da Agência Nacional do Cinema (ANCINE), as pouco mais de 2.000 salas de exibição estão concentradas em 8% dos municípios do país. Estes dados são de 2008 para 2009, assim como os dados do fechamento de salas de rua. Em Belo Horizonte, das suas 74 salas, em um ano ficaram 55; São Paulo fechou 67 salas na rua (restando 135); no Rio, houve diminuição de salas em *shoppings* e de rua, caíram de 92 para 50.

[14] Recentemente, em reportagem, Ricardo Difini, presidente da Federação Nacional das Empresas Exibidoras Cinematográficas (FENEEC), classificou os cinemas de rua como "negócio em extinção" no Brasil.

Em Portugal, de acordo com Paula Abreu, a situação apresenta tendências semelhantes porquanto o ritmo de encerramento de recintos "de rua" foi avassalador entre 1979 e 1993, período em que fecharam mais de metade das salas, contrastando com o surgimento e a concentração de novas salas e o correspondente aumento do número de ecrãs e de sessões nos centros comerciais (Abreu, 2010). Informação recente fornecida pelo Instituto do Cinema e do Audiovisual (ICA) regista, para o ano de 2010, um total de 167 recintos dedicados ao cinema em todo o país, a que correspondem 564 ecrãs, uma lotação agregada de 109.349 lugares e uma taxa nacional média de ocupação de 12,7% (ICA, 2011). Apesar da precariedade da informação decorrente de contínuos ajustamentos das nomenclaturas estatísticas utilizadas, é possível calcular que estas salas de cinema correspondem a cerca de 45% do total dos recintos culturais disponíveis no país, incluindo auditórios, teatros, cine-teatros, salas polivalentes e multiusos.

De outro lado, importa salientar a situação precária de conservação de muitos destes recintos. Para nos referirmos apenas aos cine-teatros, no conjunto do país contam-se, sob essa designação, 67 salas, sendo vasto o número de situações de edifícios devolutos, em ruína, ou quase-ruína, disseminadas por todo o país, principalmente pelas pequenas cidades, resultantes do encerramento da atividade ou motivadas por desastre natural.[15]

Os dados do recenseamento da Agência Nacional de Cinema do Brasil de 2010 indicam que ao fim do ano de 2010, o Brasil mantinha 2.206 salas, distribuídas em 662 cinemas operados por aproximadamente 415 empresas exibidoras (ANCINE, 2010a: 35).

Um outro fator, particularmente sensível no Brasil, onde o recurso aos mecanismos de proteção dos imóveis por via do reconhecimento do seu valor patrimonial é mais acentuado, é a fragilidade dos instrumentos legais para conter os movimentos de transformação urbana. Em outubro de 2011,

[15] Além da situação do Teatro Sousa Bastos, são exemplos atuais desta precariedade e abandono os Cine-Teatros de Alcácer do Sal (1952), de Ovar (1944), de Alpiarça (1948), de Mangualde (1950), da Guarda (1953), e também os Cine-Teatros Avenida, no Luso (1929), Capitólio, em Lisboa (1931), Jordão, em Guimarães (1938), Rosa Damasceno, em Santarém (1938), Narciso Ferreira, em Riba de Ave (1944), Portela, em Sintra (1945), Avenida, em Peso da Régua (1951), Avenida, em Idanha-a-Nova (1953), Gardunha, no Fundão (1958), Paris, em Lisboa (1931), Central Eborense, em Évora (1945), Aveiras, na Azambuja (1955), e os Teatros da Pampilhosa (1908), Salvador Marques, em Alhandra (1905). O S. Jorge, em Anadia (1948), foi demolido em 2009 (Peixoto da Silva, 2010).

o historiador da arte Francisco Alambert foi encarregado, como membro do Conselho de Defesa do Património Histórico, Arqueológico, Artístico e Turístico do Estado de São Paulo (Condephaat), de elaborar um parecer para determinar a abertura ou não de um estudo de tombamento para o Cine Belas-Artes de São Paulo. No momento, motivada pelo recente encerramento das atividades, instalara-se uma forte comoção entre amigos e frequentadores daquela sala, acompanhada de perto pelos meios de comunicação social. A essa emoção juntavam-se, por um lado, o facto de o Belas-Artes não ter sido tombado pelo órgão de preservação municipal da cidade de São Paulo (Conpresp) – que considerou anticonstitucional o tombamento apenas do "uso" social e não do prédio em si – e também a ameaça de demolição iminente do prédio, da autoria do arquiteto Giancarlo Palanti (Coelho Sanches, 2011). Sob este ambiente social e perante um edifício dedicado ao cinema mas considerado sem qualidades arquitetónicas excecionais, o que pode fazer a sociedade organizada ou o órgão de património se, simplesmente, o proprietário não pretende continuar a exibir mais filmes? Existem meios legais relativos ao património que possam garantir que o uso anterior seja mantido em virtude da perceção de que a exibição de filmes de arte constitui um bem comum?

No caso vertente, o autor do parecer conclamou por uma interpretação ousada do tombamento do bem, "como uma forma de exibir e de conceber a cultura cinematográfica no plano da vida cultural urbana". Instou os paulistas a repetirem o gesto da cidade do Rio de Janeiro que, em 2 de outubro de 2008, declarou como "património cultural carioca" o mítico Cine Paissandú – local privado, situado no bairro do Flamengo – que, a partir dos anos 1960, mobilizou os "jovens cinéfilos e intelectuais que formaram a chamada 'Geração Paissandú'" e passou então a ser considerado sujeito pleno da "memória intangível da cultura carioca".[16]

Após tensos debates, o Conselho não aprovou o estudo de tombamento. Não havia clareza sobre o que exatamente se estava a estudar como património; e, mesmo que identificado como património intangível ou como registo de práticas sociais (o que seria em si um novo processo), este seria o registo de práticas extintas: continuava a não haver mecanismos que tornassem compulsória a exibição de filmes de arte.

[16] Arquivos Condephaat. "Parecer do Conselheiro Francisco Alambert", outubro de 2011. Dossiê Preliminar 63.457/2011. Ata Extraordinária de 03/10/2011.d

Não obstante, na esteira da mobilização em torno do Cine Belas Artes, observa-se um crescimento em teses e livros recentes (geralmente financiados pelos próprios autores) sobre antigas salas de cinema ou a sociabilidade do "ir ao cinema" (Ferraz, 2009) ou o surgimento de grupos e associações que procuram localizar cinemas ainda existentes. Há *blogs* como "Cinemas de Rua: Sua cidade ainda tem?", em que vários internautas enviam fotos e comentários sobre cinemas sobreviventes (e em funcionamento) existentes em suas cidades.[17] Em Portugal, há também um número de trabalhos académicos dedicados à cena cinematográfica e teatral em retração. A tonalidade da narrativa é, neste caso, de natureza mais saudosista e nostálgica do que reivindicativa e orientada para o revivalismo da situação em termos urbanos e culturais.[18]

Em 2001 o IBGE – Instituto Brasileiro de Geografia e Estatística – lançou o Perfil dos Municípios Brasileiros e a imprensa rapidamente apontou que "92% das cidades não têm cinema". Os dados são só parcialmente confiáveis em virtude de o Instituto ter perdido os agentes necessários para a coleta de dados dos municípios e serem estes últimos que autoadministram os formulários. Neste caso, dos 645 municípios do Estado de São Paulo, dois não preencheram o formulário no quesito sobre a existência ou não de salas exibidoras, sendo que outros 215 deram como informação um sintético "ignorado" (30% do universo de municípios paulistas) (Souza, 2001).[19]

Segundo José Inácio dc Melo Souza,

> se 215 municípios não sabem o significado para "cinema", ou então o desdenham como objeto de prazer, outros 316 declararam "zero" para tal tipo de "equipamento cultural", terminologia empregada pelos estatísticos do

[17] http://www.skyscrapercity.com/showthread.php?t=646535. "Cinemas de rua sua cidade ainda tem?" (Consultado em janeiro de 2012). (*Blog* não atualizado).
Por sua vez, as notícias com cinemas que fecham as portas são constantes. O Gemini, na avenida Paulista, com dívida de 500 mil reais, foi arrematado por quase 3 milhões (Diário de São Paulo, 29/04/2010); bem mais recentemente, o enorme Alvorada – 1168 lugares – situado na pequena cidade de Leme, no interior de São Paulo, também encerrou as atividades (Reportagem da Eptv – Emissora afiliada da Rede Globo – 31/03/2011).

[18] No caso particular do Teatro Sousa Bastos, além de outros estudos, merecem referência particular os trabalhos que temos vindo a usar e que desenvolvem estudos académicos aprofundados sobre a realidade socioantropológica, histórica e artística daquele teatro (Gaspar, 2005; Gambini, 1999).

[19] José Inácio de Melo Souza refere-se ao *Perfil dos municípios brasileiros: pesquisa de informações básicas municipais 1999*, do IBGE (Rio de Janeiro, 2001).

governo. Somando-se "ignorado" com "zero" chegamos ao número de 112 municípios paulistas "com cinema.

(Sousa, *idem*)

Por sua vez, todos os municípios com mais de 500 mil habitantes possuem um equipamento cultural chamado "*shopping-center*". Em 1983, 273 municípios declararam possuir cinemas, sendo que em 1990, o número baixou para 150. Em 1983 tínhamos 544 salas abertas (127 só na capital), quando em 1990 o número tinha caído para 254 (a capital não foi pesquisada).[20] Atualmente, em termos mundiais, o Brasil ocupa a 60ª posição na *ratio* habitantes/sala (ANCINE, 2010b). O censo de 2010 confirmou os dados da década anterior: apenas 7% dos municípios possuem salas de cinema. O dado é atribuído a fatores como o alto número de municípios com menos de 50 mil habitantes (89% do total) e a baixa frequência nas salas das pequenas cidades, o que as torna economicamente inviáveis. Acresce a enorme dificuldade que estas cidades de pequeno porte têm para poder disputar os rolos de 35mm com os exibidores dos grandes centros urbanos. As cópias ilegais de filmes vendidas na rua ou "baixadas" da internet conduzem, segundo o relatório da ANCINE, ao fechamento das tradicionais salas de cinema das cidades pequenas que "acabam por se transformar em igrejas, lojas ou agências bancarias" (ANCINE, 2010a: 41).

Regressando à questão de saber se podemos tratar os cinemas como "equipamento de lazer" e de diversão urbana, a nossa resposta se encaminha para considerar que o fenómeno novo a observar não é o fechamento de salas de cinema, mas a sensibilidade social para com ele. No Brasil, o tombamento e a patrimonialização dos edifícios – mesmo apesar da natureza frágil e limitada dos instrumentos legais e da sua reconhecidamente imprecisa metodologia – têm constituído a resposta única para a infinidade de danos sociais e espaciais urbanos decorrentes da sua falência. Nem sempre é a solução adequada, como demonstra a demolição do cine Éden, que

[20] Estes números contrastam vivamente com os obtidos no final da década de 50. Em 1959, a pesquisa independente de José Renato Roux contou 400 cidades em São Paulo com salas de exibição, somando 886 cinemas (Ferreira, 1960, *apud* Souza, 2001). Tampouco se pode esquecer que, nas décadas de 1940 e 50, fábricas, salões paroquiais e auditórios de rádios tinham os seus próprios cinemas, em bitola de 35 mm ou de 16 mm. Em 1916, quando a fronteira agrícola paulista estava ainda aberta, 67 cidades ao longo das ferrovias Mogiana, Paulista ou Araraquarense possuíam cinemas com uma oferta de 50.853 lugares (*Anuário Estatístico de São Paulo, 1916*, citado em Souza, 2001).

acabou por limitar os seus cúmplices admiradores a um significativo ritual urbano de despedida (Goyena, 2010). Em Portugal, o caso do Teatro Sousa Bastos – a que podemos juntar também as demolições dos outros dois teatros de Coimbra (Tivoli e Avenida) – revela que o recurso ao tombamento e à salvaguarda formal não são vistos como expediente eficaz para suster a degradação e o desaparecimento dos espaços culturais urbanos.[21]

FIGURA 5. Teatro Sousa Bastos: Inscrição na parede frontal

Fotografia de Carlos Fortuna, 2011

No caso do Teatro Sousa Bastos, a tentativa de suster a sua ruína conta-se através das peripécias – minuciosamente analisadas por Andrea Gaspar (2005) – por que passou desde 1982, quando foi entregue à gestão da jovem cooperativa artística Bonifrates. Foi breve a instalação da cooperativa naquele espaço, sobretudo devida à sua incapacidade para evitar o estado de contínua degradação física do edifício.

A politização do dossiê Sousa Bastos foi levada a cabo pelo Movimento "Salvem o Sousa Bastos", constituído em 1996, e o seu "herdeiro"

[21] Na lista dos cinemas históricos em riscos de desaparecimento em Portugal encontra-se agora o cinema Batalha, inaugurado em 1947 na cidade do Porto, que, apesar de ser um imóvel classificado de interesse municipal, aguarda a sua eventual (re)classificação como património nacional enquanto, encerrado desde 2010, começa a exibir marcas de degradação física (*Público*, 5/2/2012).

"Movimento Sousa Bastos Vivo", de 2001. O recurso à patrimonialização do edifício, como proposta dirigida ao IPPAR – Instituto Português do Património Arquitetónico[22] – foi uma ação lateral no conjunto da estratégia de tentativa de redinamização da "Alta" de Coimbra que guiou a ação política e cultural destes movimentos. Foi uma estratégia derrotada pela lógica burocrática e os desígnios privados que, na última década, têm procurado encontrar uma solução "digna" para o espaço. O confronto de soluções travou-se, fundamentalmente, no plano retórico e na mobilização discursiva (*idem*: 84) e, hoje, completamente desventrado, o Sousa Bastos está destinado a servir uma solução "mista", com a construção de 32 apartamentos de tipologia T0 por cima do que antes foi a plateia, que será usada como "sede de associações culturais da cidade... e sala polivalente" (*Diário As Beiras*, 2/2/2012). Parece ser o que resta de uma vontade férrea mas impotente de renascimento, como assinalada na inscrição pichada em inglês na fachada do edificio arruinado (*Por muito escura que seja a noite, o sol por certo retornará*).

No momento em que escrevemos este texto, no espaço que foi o do Cine-Éden avança uma construção. Uma laje de cimento armado ocupa o que antes era o piso inclinado de madeira. Os milhares de cidades brasileiras que não possuem hoje mais nenhum cinema, viram em algum momento os seus Cines-Éden, Universal, Aurora, Bristol, Joia e tantos outros terem um fim semelhante a este, enquanto muitos outros tornaram-se um outro equipamento urbano qualquer, como igrejas, lojas ou inertes estacionamentos centrais.

No espaço temporal de cem anos, o Cine-Éden e o Teatro Sousa Bastos parecem encerrar nas peripécias de suas vidas uma agitada vida cultural urbana. Viveram um tempo veloz e curto ao mesmo tempo. Um *tempo veloz* no sentido em que as mudanças da economia da cultura se fizeram sentir inelutáveis de modo drástico e sem retorno sobre o que, no seu alvor, anunciava ser uma duradoura mudança de hábitos e práticas urbanas. A solidez material e cultural dos cinemas de rua, teatros e cine-teatros dissolveu-se, rapidamente, também ela, nos ares da economia e da cultura do capitalismo moderno. Um *tempo curto* porque, pode dizer-se, a promessa cultural enunciada pelos cinemas de rua, teatros e cine-teatros não foi integralmente experimentada nas cidades. Foi uma promessa devorada por uma nova lógica

[22] Atualmente substituído pelo IGESPAR – Instituto de Gestão do Património Arquitetónico e Arqueológico.

FIGURA 6. Cine-Éden: Pichagem na parede lateral

Fotografia de Cristina Meneguello, 2011

arquitetónica e mercantil que ameaça continuar a assolar a rua e os espaços públicos urbanos das cidades. Na voragem deste urbicídio, esses lugares de encontro público foram destroçados, convertidos em ruína e, por fim, viram traçado o seu destino de desaparecimento. Inelutavelmente? Não se trata de uma "destruição criadora", como Schumpeter anunciou para o desenvolvimento e contínua renovação do capitalismo. É antes um exercício de despatrimonialização da cultura, que se torna efetiva antes mesmo – esplêndido paradoxo! – de se concretizar o reconhecimento enquanto património cultural, por vezes também arquitetónico, da experiência de vida contida nos cinemas de rua, nos teatros e nos cine-teatros das cidades.

Resisitir à morte que se anuncia é difícil. Requer mobilização social que, por sua vez, implica uma comunidade de compromissos tecidos em nome de um ideal de cultura urbana que se deseja concretizar. Para tanto, é preciso tornar a democracia mais democrática e evitar o desfecho irónico de um Teatro como o Sousa Bastos de Coimbra, que, nascido igreja de um tempo remoto, se converteu em lugar laico de cultura nos tempos da monarquia, assumiu novo rosto com a República e acabou por definhar e morrer quando esta se tornou democrática. Foram oitocentos anos de fulgor e queda abrupta. A mesma queda que por que passou o Cine-Éden, reduzido que está ao pó da memória. Os rituais urbanos que celebraram a morte de ambos os teatros não têm o sentido de uma despedida de algo que deixou de nos fazer falta. Não nos desligamos deles. O Cine-Éden e o Teatro Sousa Bastos continuam a ter sentido e a fazer-nos falta. A mesma falta e o mesmo sentido que tem o sentido futuro da nostalgia. O Cine-Éden e o Teatro Sousa Bastos fazem falta às suas cidades, às suas culturas e, enfim, a todos aqueles que não *amadureceram ainda o suficiente para aceitarem a morte das coisas...*

Referências Bibliográficas

ABREU, Paula (2011), "O consumo de cinema em Portugal". Comunicação ao *V Seminário da Rede Brasil-Portugal de Estudos Urbanos*. Coimbra: Faculdade de Economia, 10-12 de maio.

ACARTE (1992), *Arqueologia e recuperação dos espaços teatrais*. Lisboa: Fundação Calouste Gulbenkian.

ANCINE (2010a), Salas de exibição: Mapeamento. Estudo elaborado pela equipe de Superintendência de Acompanhamento de Mercado. Disponível em: http://www.ancine.gov.br/media/SAM/Estudos/Mapeamento.SalasExibicao_2010.pdf. (Consultado em março de 2011).

ANCINE (2010b), "Cinema perto de você" (http://cinemapertodevoce.ancine.gov.br/). (Consultado em março de 2011).

AUSTIN, Dan e DOERR, Sean (2010), *Lost Detroit. Stories behind the motor city's majestic ruins*. Charleston: The Histoty Press.

BASTOS, António Sousa (1994) [1908]. *Dicionário de teatro português*. Coimbra: Minerva (edição fac-similada).

BENJAMIN, Walter e LACIS, Asja (1978), "Naples", in BENJAMIN, Walter, *Reflections: Essays, aphorisms, autobiographical writings*. (Org. de Peter Demetz). Nova Iorque e Londres: Harcourt Brace Jovanovich, 163-173.

BONDUKI, Nabil (2011), "Cinemas de rua e a desertificação do espaço público de São Paulo". *Carta Capital*, 13 de janeiro de 2011 (http://www.cartacapital.com.br/cultura/cinemas-de-rua-e-a-desertificacao-do-espaco-publico-de-sao-paulo). (Consultado em março de 2011).

BRITO, Margarida Acciaiuoli (1982), *Os cinemas de Lisboa. Fenómeno urbano do séc. XX*. Lisboa: Universidade Nova de Lisboa/Faculdade de Ciências Sociais e Humanas. Dissertação de Mestrado.

CHETA, Rita (2007), *Cinema em ecrãs privados, múltiplos e personalizados. Transformações nos consumos cinematográficos*. Lisboa: Observatório da Comunicação.

COELHO SANCHES, Aline (2011), "Notas sobre a arquitetura do Cine Belas Artes". *Drops*, São Paulo, 11.040, *Vitruvius*, janeiro de 2011 (http://www.vitruvius.com.br/revistas/read/drops/11.040/3729). (Consultado em setembro 2011).

COSTA, Frederico Vergueiro (2011). "Adeus cine-teatro, feliz cine-rua: A última sessão no Cine-Éden". Minha Cidade. *Vitruvius*, junho de 2011 (http://www.vitruvius.com.br/revistas/read/minhacidade/11.131/3910). (Consultado em setembro de 2011).

EDENSOR, Tim (2005), *Industrial ruins. Spaces, aesthetics and materiality*. Nova Iorque: Berg.

FERRAZ, Talitha (2009), *A segunda cinelândia carioca: Cinemas, sociabilidade e memória na Tijuca*. Rio de Janeiro: Ed. Multifoco.

Fortuna, Carlos (1997), "As cidades e as identidades: Narrativas, património e memória". *Revista Brasileira de Ciências Sociais*, 12, 33, 127-141.

Fortuna, Carlos (2011), "Um outro vazio urbano?". *Rua Larga*, 31, 68-71.

França, José Augusto (1992), *Os anos vinte em Portugal. Estudo de factos sócio-culturais*. Lisboa: Presença.

Frehse, Fraya (2005), *O tempo das ruas na São Paulo de fins do Império*. São Paulo: Edusp.

Gambini, Lígia Inês (1999), *Teatro Sousa Bastos: As primeiras décadas de história*. Coimbra: CCRC.

Gaspar, Andrea Catarina Marques (2005), *Património e política. O Teatro Sousa Bastos como objecto de tradução*. Coimbra: Universidade de Coimbra, Faculdade de Economia. Dissertação de Mestrado.

Gnisci, Armando (2003), "Roma como sistema de ruínas", in Marnoto, Rita (org.), *Leonard express*. Coimbra: Gráfica de Coimbra, 61-83.

Goyena, Alberto (2011), "Rituais urbanos de despedida: Reflexões sobre procedimentos de demolição e práticas de colecionamento". *2º Seminário Internacional, Museografia e Arquitetura de Museus: Identidades e Comunicação*. Rio de Janeiro: Fórum de Ciência e Cultura da UFRJ, 2010. (http://www.arquimuseus.fau.ufrj.br/anais-seminario_2010/eixo_i/p1-artigo-alberto-goyena-26-10.pdf. (Consultado em dezembro de 2011).

ICA (Instituto do Cinema e do Audiovisual) (2011), *Resultados e Estatísticas*. (http://www.ica-ip.pt/pagina.aspx?pagina=198). (Consultado em janeiro de 2012).

Lacroix, Sophie (2007), *Ce que nous disent les ruines: La fonction critique des ruines*. Paris: L'Harmattan.

Meneguello, Cristina (1996), *Poeira de estrelas*. Campinas: Ed. da Unicamp.

Meneguello, Cristina (2008), *Da ruína ao edifício. Neogótico, reinterpretação e preservação do passado na Inglaterra Vitoriana*. São Paulo: Annablume.

Peixoto da Silva, Susana C. (2010), *Arquitetura de cine-teatros: Evolução e registo (1927-1959): Equipamentos de cultura e lazer em Portugal no Estado Novo*. Coimbra: Almedina.

Roux, José Renato Ferreira (org.) (1960), *Cinemas do Brasil*. São Paulo: Edição de autor.

Simmel, Georg (1959) [1911], "The ruin", in Simmel G. *et al.*, *Essays on sociology, philosophy and aesthetics*. (Org. de Kurt H. Wollf). Nova Iorque: Harper, 259-266.

Souza, José Inácio de Melo (2001), *O IBGE e a realidade do mercado exibidor*. (www.mnemocine.com.br). (Consultado em maio de 2011).

Vale, Lawrence e Campanella, Thomas (2005), *The resilient city: How modern cities recover from disaster*. Oxford: Oxford University Press.

Vergara, Camilo (1999), *American ruins*. Nova Iorque: Monacelli Press.

Woodward, Christopher (2008), *In ruins*. Londres: Vintage.

SECÇÃO III

PATRIMÓNIOS EM DIÁLOGO

O PASSADO E AS CIDADES: REVALORIZAÇÕES PATRIMONIALISTAS EM FORTALEZA E COIMBRA

Carlos Fortuna, Irlys Alencar Barreira, Roselane Bezerra* e *Carina Sousa Gomes

Introdução

Cidades de universos culturais e geográficos diversos e exibindo histórias muito diferenciadas partilham hoje linguagens, projetos e ações surpreendentemente similares. Entre estas, destacam-se as ações de afirmação ou reforço do recorte identitário que, muitas vezes, sinalizam tentativas de definição de uma nova imagem de cidade. Mudar a fisionomia identitária é um desígnio estratégico comum a muitas cidades confrontadas com os desafios concorrenciais e as oportunidades de cooperação decorrentes da globalização. Nas últimas décadas, esta situação conduziu ao estabelecimento e reforço de *relações de proximidade intercidades* que se traduziu na partilha de um manancial de informação e interconhecimento sem precedentes, potenciado pelos novos meios de comunicação e a atual mobilidade de empresas, mercadorias, pessoas e ideias. São céleres fluxos transfronteiriços que estão a tornar possível um renovado "encontro" urbano, concretizado em plataformas dinâmicas de trocas de experiências e de projetos, que recobrem tanto propostas urbanísticas como ações e iniciativas culturais, experiências e programas de gestão ou modelos políticos de governação.

Associadas às novas possibilidades de comunicação e mobilidade, várias redes, e também redes de redes, de âmbito internacional e intercontinental, funcionam como plataformas em que as cidades se expõem umas às outras forjando uma relação de "proximidade" sem precedentes. Sujeitas ao cruzamento de informações e ao confronto de experiências, as cidades recebem das suas congéneres uma imagem refletida de si próprias que enuncia tanto o que são, quanto o que poderiam ser. Trata-se de uma perspetiva que se encontra presente no discurso de gestores e urbanistas interessados em representar uma imagem positiva da sua própria cidade. Podemos admitir que esta imagem refletida não corresponde nunca à exata representação que cada uma faz de si própria, o que significa reconhecer que, num dado momento da sua história recente, qualquer cidade desejou já ser uma outra diferente. O efeito de *proximidade intercidades* apenas estimula e amplia esta vontade de mudança de identidade e imagem.

Colocadas frente aos cenários das suas congéneres, as cidades veem a sua fisionomia realçada através da intensificação de traços e qualidades mais marcantes da sua condição. Seria o exemplo de algumas que, tendo já instituídas medidas de defesa e proteção ambiental com vista a assegurar mínimos de qualidade urbana, alargam os seus mecanismos de salvaguarda ambiental ao ponto de, com legitimidade, serem proclamadas "cidades verdes" e, assim, serem reconhecidas como tais. Em contraponto a esta situação de reforço de marcas identitárias pré-existentes, encontram-se investimentos ou meras possibilidades de mudança e reinvenção desses traços. A desindustrialização forçou Manchester a buscar uma condição alternativa à sua consagrada imagem de "cidade industrial". Por outro lado, mesmo que não tenham nunca sido associadas ao imaginário turístico, do consumo ou da criatividade, muitas cidades procuram ancorar nesses domínios uma nova oportunidade de apresentação de si no mercado global da urbanidade, o que, em princípio, acrescenta qualidade e diversifica o modo de estar na cena urbana internacional.

O jogo dos qualificativos de cidade, sobretudo o ímpeto desmedido para a autodenominação, é complexo (Beauregard, 2003), tal como são diversas as estratégias para alcançar tais desígnios e obter vantagens comparativas no mercado mundial das cidades (Huyssen, 2008; Sánchez, 2010). O efeito de *proximidade intercidades* de que falamos promove o diálogo entre experiências urbanas diversas e induz porventura o maior desafio para esta mudança identitária enquanto modalidade de (re)afirmação dos lugares. Mas o resultado de um investimento na mudança da imagem de cidade não pode limitar-se à esfera da confrontação com outras experiências ou à apreciação exógena que lhe é dirigida. Na verdade, muito pouco se poderá retirar da participação nas plataformas internacionais de diálogo interurbano se a narrativa que promove uma ou outra cidade não for sustentada num consenso local, social e politicamente alargado. A endogeneização do significado dessa narrativa é talvez o patamar de maior complexidade para o sucesso de uma revisão das marcas peculiares atribuídas às cidades, não sendo raras as situações em que resulta em agudas fragmentações socioespaciais (Degen, 2008; Fortuna, 2012).

Imaginemos, por exemplo, os investimentos feitos numa cidade para valorizar o seu património de modo a instituir a classificação de "cidade histórica". Além da súbita ressignificação da história e do passado locais, tal "conversão" não deriva apenas das marcas mais ou menos intensas do passado do lugar para que os mentores da nova estratégia a possam ver consagrada. A dificuldade encontra-se em alcançar um consenso sobre o que é considerado passado coletivo local, assim como a definição da natureza do que pode ser o património compartilhado (Boyer, 1998).

O presente texto trata precisamente deste jogo da afirmação das imagens históricas dos lugares. Refletindo sobre os casos de Fortaleza e de Coimbra, centra-se nos modos de relação das cidades com os respetivos recursos histórico-patrimoniais e procura decifrar como, em ambos os casos, são desenhadas estratégias de valorização simbólica desses recursos, de forma a qualificar atratividades no mercado dos lugares e das imagens urbanas competitivas.

Fortaleza e Coimbra correspondem, no plano formal, a universos geo-culturais inegavelmente muito diversos. As marcas das suas histórias urbanas, precisamente o objeto que tomamos como variável central, constituem porventura o elemento sociocultural que mais as distingue e afasta. Queremos mesmo admitir que o fator "histórico" é mais significativo na demarcação das diferenças entre Fortaleza e Coimbra que as geografias díspares da sua condição territorial (tropical uma, norte-temperada outra) ou sociodemográfica (escala metropolitana a primeira, cidade de médio porte a segunda).

O que o texto procura esclarecer, todavia, é a relação de cada cidade com a sua história e o seu passado. Tal desígnio não está, portanto, dependente nem da escala populacional nem da localização geográfica de cada uma. Perante os objetivos do texto, esses são parâmetros que remetemos para uma condição residual da análise. Sem querer fazer da história e do passado destas cidades um universal absoluto, inalterável por variáveis geo-demográficas ou económico-estratégicas, o nosso ponto de partida é que Fortaleza e Coimbra, correspondendo a universos geo-culturais distintos, revelam inesperadas aproximações no plano da ação política e da governação cultural, em particular no tocante à sua relação com os recursos materiais e simbólicos do passado. O nosso objetivo principal é produzir reflexão sobre os múltiplos questionamentos e disputas de sentidos que Fortaleza e Coimbra originam na sua relação com o "seu" passado, olhando para as políticas de salvaguarda e promoção patrimonialista e os efeitos na busca de renovação ou revalorização estratégica destas cidades.

A estratégia metodológica da nossa narrativa não pode evitar o confronto das situações específicas das cidades em análise. No entanto, essa abordagem está longe de se pretender subordinada a uma lógica metodológica comparatista. Os leitores encontrarão diversos momentos do texto em que predominam leituras de fragmentos e circunstâncias ou situações pontuais que caucionam conclusões próprias, só muito remotamente ordenadas por orientações comparatistas.

O presente flexível das cidades

As cidades proporcionam hoje novas possibilidades de encontro direto entre pessoas de todas as latitudes e origens: visitantes, residentes e estranhos. Em termos concretos, centros considerados matricialmente históricos ou prosaicos bairros residenciais – funcionando como lugares de memória e repositórios do passado – converteram-se em instrumento privilegiado da dialética urbana que confronta o conjunto de permanências e mudanças culturais locais. O recorte do texto, centrado na representação do passado destas cidades, denota ambiguidades irresoluveis sobre o sentido de história, património e passado.

Uma dessas ambiguidades pode enunciar-se a partir do investimento continuado que as cidades fazem no edificado dos seus "centros históricos". É um investimento que tanto respeita a intenção de assinalar a resiliência do antigo como se refere ao desejo de assinalar a centralidade moderna desses "centros históricos". Nessa interpenetração de desígnios, as cidades conseguem apresentar-se como sendo centro e periferia de si mesmas, o que equivale a um desdobramento de sentidos do passado que autoriza que sejam capazes de preservar memórias locais como forma de se tornarem modernas e, concomitantemente, atualizem e tornem mais estilizadas as suas referências ao passado – tanto os mitos como os espaços antigos – como forma de poderem certificar um dado sentido de antiguidade.

A ambiguidade dessas estratégias – conservar para ser moderno e modernizar para ser antigo – sugere uma sensibilidade muito própria com relação ao tempo presente da cidade, o que se encontra irremediavelmente associado à atual falência da linearidade do tempo: passado-presente-futuro. Além de assinalar a simultaneidade de tempos e de ritmos urbanos constitutivos da "cidade palimpsesto" (Fortuna, 2009), a suspensão da temporalidade linear fragiliza o tempo presente e torna plástico o seu sentido. Com Andreas Huyssen, podemos admitir a existência de uma inusitada flexibilidade do tempo presente que, ora surge como *presente excedentário* – ou seja, um presente "ampliado" em virtude da nossa suspeita de um futuro incerto – ora se revela um *presente deficitário* – ou seja, um presente "contraído" sempre que prevalecem as referências às raízes históricas como derradeira segurança identitária dos sujeitos (Huyssen, 2003: 24).

Partimos da hipótese de que os imaginários construídos sobre as cidades, aguçados pelo reconhecimento dos contrastes e o efeito de proximidade que referimos antes, podem ilustrar esta plasticidade do tempo urbano presente. Assim, é possível detetar políticas e ações culturais de cidades que, dada a sua limitada ousadia, parecem dispostas a adiar sucessivamente a reflexão sobre a sua modernização e progresso. No campo das possibilidades, é então natural que este défice de reflexão e de ação futurantes seja compensado pelo refúgio na história e no passado da cidade. A museulogização da vida urbana é um dos mais recorrentes exemplos do privilégio concedido à "invenção" de tradições locais baseada numa aguerrida política de conservação patrimonialista do passado.

Além de assinalar esta possibilidade de mistura de estratégias em função das hesitações geradas pela nova sensibilidade temporal, queremos equacionar uma segunda possibilidade: a da existência de cidades cujos investimentos se encontram estruturalmente mais inclinados à adoção de políticas patrimonialistas e de conservação dos vestígios do seu passado, enquanto outras apresentam a concretização de ações de modernização do seu futuro. Para o primeiro caso dispomos hoje de vários argumentos acerca da "novidade" estratégica que o passado das cidades e das comunidades representa. Nunca a valorização do passado foi tão reconhecida como potencial identitário de regiões e nações, nem teve alguma vez tamanho acolhimento entre promotores e consumidores de turismo urbano. A questão principal será talvez a de saber até quando continuaremos a poder "vender" o passado com sucesso (Huyssen, 2003; Richards, 2001; Gomes, 2012).

No plano da retórica de cidade, materializado em folhetos promocionais, discursos oficiais e políticas urbanas de valorização patrimonial, este parece ser um cenário adequado à cidade de Coimbra. O curso longo da sua história e a variedade de vestígios históricos e monumentais que exibe parecem fazer vergar a cidade ao peso de um tradicionalismo patrimonial, alimentado, acima de tudo, pela presença solene de uma Universidade de mais de setecentos anos.

Quanto à possibilidade de pensarmos cidades mais ajustadas à valorização de patrimónios do futuro poderíamos fazer uso, numa primeira aproximação, a Claude Lévi-Strauss que sustentou em *Tristes Trópicos* que as cidades do que designou "Novo Mundo" não guardam memória de si, sendo essa ausência um traço marcante da sua significação. Para o antropólogo, essas cidades movem-se a um ritmo acelerado em que decadência e renovação fluem a igual compasso, anulando a possibilidade de um passado significante (Lévi-Strauss, 1986). Posição semelhante parece encontrar-se na narrativa oferecida por artistas nova-iorquinos sobre a *Big Apple*, cuja contínua mudança arquitetónica e de imagem é vista como origem da profunda desvinculação afetiva dos cidadãos com a sua cidade, privando-os de rastros objetivos da memória local (Burns, Sanders e Ades, 1999). Para nos situarmos apenas na hipótese estrutural das cidades do "novo mundo", poderíamos fazer uso também do registo que o filósofo espanhol Luis Arenas faz de Tóquio quando declara tratar-se de uma cidade que "vive desde há décadas no futuro" (Arenas, 2011: 65), o que implica uma representação muito particular do que seja património histórico urbano descartável.

Dir-se-ia a este propósito que Fortaleza, fustigada pela história da sua pós-colonialidade, seria uma dessas cidades do "novo mundo" que se encontram inelutavelmente sujeitas aos ritmos céleres da urbanidade metropolitana. O seu presente é vivido e pensado como o seu futuro e o frenesim da sua governação e dos imaginários que esta alimenta não são de molde a sustentar um rumo estratégico próprio para com o seu passado.

Não é essa a nossa leitura. Não fixamos Fortaleza à condição de cidade veloz, desvinculada da sua história e do seu passado e envolvida apenas numa reflexão sobre o seu presente e o seu futuro. Na verdade, como se verá, Fortaleza cultiva um agudo sentido de história local que, pontualmente, pode enunciar um regime de saudade do antigo e até mesmo expressar um regime pós-memória de relação com o passado, em que impera uma aguda vontade de o sinalizar, por vezes com românticas tonalidades. De mesmo modo, também não consideramos Coimbra incapaz de pensar o seu futuro de tão vergada que parece estar ao peso do seu passado preservado e das suas longínquas tradições. O futuro de Coimbra não se vislumbra, isso sim, dada a ausência de um projeto de cidade que a possa projetar em territórios socioculturais novos, aliviada dos excessivos condicionamentos das marcas da história e do passado locais.

Em aditamento à ambiguidade que afirmámos caraterizar a nova sensibilidade do tempo presente – que umas vezes se expande, outras se contrai – preferimos antes sustentar a ideia de *porosidade* das estratégias de valorização do fator tempo que a cidade apresenta, tanto a cidade do mundo "velho" europeu como a cidade do "novo mundo" sul-americano. Assim, inspiramo-

-nos no retrato fenomenológico que Walter Benjamin e Asja Lacis oferecem sobre a cidade italiana de Nápoles e fazemos uso livre da sua noção de *porosidade* para significar a estratégia articulada de medidas modernizadoras e protecionistas dos patrimónios das cidades.

Com efeito, Nápoles impunha a Benjamin e Lacis a dificuldade em decifrar se um dado edifício se encontrava em estado de decadência ou em estado de construção (Benjamin e Lacis, 1978). A dificuldade de leitura atribuem-na os autores ao facto de, em Nápoles, "nada estar terminado" e, portanto, a vida fluir na cidade sem constrangimentos entre o passado e o presente, deixando em aberto todas as possibilidades interpretativas. Esta atitude cautelar parece heuristicamente muito recomendável e procuramos adotá-la na tentativa de esclarecer como as cidades de Fortaleza e Coimbra interpelam o seu passado enquanto elemento de valorização urbana. Tal como a metonímica Nápoles que sendo "velha" e decadente tem o ritmo das "jovens" cidades em construção, também Fortaleza e Coimbra combinam de forma curiosa sinais de modernidade e decadência e constroem aí a narrativa do seu tempo.

O *soft* e o *hard* da valorização patrimonial

Renovação, requalificação, preservação, revitalização, memória, criatividade são vocábulos que hoje integram as agendas de diferentes cidades. Todos contêm sentidos disputados sugerindo questionamentos diversos (Fortuna e Leite, 2009). Mais que a querela semântica, porém, o tema ultrapassa o caráter concetual, isto é, está para além do significado preciso de todos esses vocábulos, fazendo emergir questões sobre dinâmicas simbólicas e performativas associadas à ideia de património.

Será que a recente "viragem turística" de aglomerados urbanos se pode converter na fórmula mais expedita para "descobrir o passado" da cidade? Bastará, para essa descoberta, recorrer às marcas que as *pedras e outros memoriais tornados património* revelam? Qual é o limite dessa revelação? O que se esconde por detrás daquilo que se mostra? O passado das cidades não é inteiramente legível e, como assinalam de Certeau e L. Giard, tanto pode funcionar como intermediário entre os "fantasmas" da cidade antiga e os imperativos do presente, revelando insuspeitadas experiências de vida, como pode, *a contrario*, sugerir dimensões da cultura local que assombram e paralisam a cidade no seu todo (de Certeau e Giard, 1998).

A ideia de património histórico está sendo reinterpretada no sentido de uma nova apropriação do lugar tanto por locais e residentes, como por visitantes. Mas há ainda assim estratégias diferenciadas no uso desse património. As cidades apostam por vezes numa estratégia de valorização patrimonial que designaremos *soft*, assim como apostam, outras vezes, numa valorização que chamamos *hard*. E nessas opções, como nas cidades no seu todo, encontra-se a *porosidade* que as combina e nos intriga, ao ponto de tornar obscuro qual é, em cada caso, a estratégia preponderante.[1]

Na nossa linguagem metafórica, a valorização patrimonial *soft* remete para uma ação de natureza essencialmente reformista, com objetivos de mediação e adaptação do passado às demandas do tempo presente. É o presente que prevalece nesta relação com os patrimónios do passado que, na estratégia *soft*, fica subordinado a uma lógica de usufruto consumista de residentes e visitantes. Esta atitude *soft* corresponde, de modo geral, ao tempo do *presente excedentário* não porque adie e subalternize o futuro, mas, muito ao contrário, porque vive um presente sem complexos com o passado e as memórias locais. A estratégia *soft* institui, assim, uma relação da cidade com um tempo local e uma paisagem urbana preservados na retórica de um particularismo que, em troca, os valoriza enquanto ingredientes postos ao serviço do presente vivido ou do futuro imaginado. É, por isso, uma estratégia sempre disponível para encurtar o esforço de reflexão sobre o passado. Esta linha *soft* de relação com a história e o passado encontra-se, em regra, associada aos patrimónios culturais imateriais e intangíveis que, no ato do seu tombamento ou reconhecimento público, são declarados sujeitos aos usos mais ou menos criativos dos seus atuais fiéis depositários: as cidades. Isto não exclui, como veremos, situações em que outras marcas do passado ou "pontos de memória" integram esta estratégia *soft*, apesar de muitos deles serem de natureza física e material. Também eles podem estar submetidos a processos de redefinição dos seus usos ou a simulacros de interpretação que acentuam a retórica do desejo desvinculada de qualquer tradução histórica sustentável. Em resumo, esta estratégia de adaptação, por vezes forçada, do

[1] Mais que uma formulação conceptual, os termos *soft* e *hard* constituem metáforas que designam ações e estratégias mais ou menos contundentes de preservação, transformação e manutenção do que é classificado como património histórico. A reflexão engloba também os interditos legais referentes à regulação de usos e imagens conferidas a espaços e monumentos urbanos.

antigo à modernidade pode configurar uma situação de *destradicionalização da tradição* (Fortuna, 1997).

Por outro lado, a valorização patrimonial *hard* pretende significar as medidas de proteção e conservação aplicadas às marcas da história da cidade que medeiam e ajustam as interpretações do presente às condições do seu passado. Invertem-se os termos da estratégia *soft*. É o passado que ostenta primazia no modo como se articula e condiciona o presente, mostrando-se ajustado à noção de "fantasma" que, segundo De Certeau e Giard, sobressalta o espírito da cidade e a impede de se imaginar no futuro. Corresponde, por isso, à situação típica do *presente deficitário* que condiciona o pensamento sobre o futuro e o deixa aprisionado pela história e a memória. A estratégia *hard* respeita, em regra, aos patrimónios materiais e edificados. A noção que temos de ruína, de monumento ou de museu configura, em larga escala, muitos destes vestígios preservados da cidade antiga. No entanto, à semelhança das possíveis ambiguidades do perfil *soft*, é possível, também aqui, pensar sobre alguns elementos da materialidade urbana edificada que, sendo modernos na sua natureza, acabam por ser revestidos de sinais *hard* em obediência à estratégia dominante de valorização do imaginário histórico da cidade que, em grande parte, se efetiva por meio da instituição de narrativas que integram o mercado turístico (Barreira, 2009). Assim permitimo-nos afirmar que, ao invés do que ocorre na estratégia *soft*, as situações *hard* configuram um processo de *tradicionalização de modernidade* da cidade.

Valorização patrimonial em Fortaleza e Coimbra

Independentemente das peculiaridades históricas de cada cidade, as estratégias de valorização patrimonial *hard* ou *soft* em Fortaleza e Coimbra são exemplares para a reflexão acerca do *encontro com o passado* enquanto recurso competitivo das cidades, em especial no tocante à sua atração turística.

O desafio de converter Fortaleza numa cidade turística tem como marco a implantação de um modelo de administração que conferiu prioridade às intervenções urbanísticas com finalidades de promoção do turismo e lazer. Em resultado dessa política, a cidade passou a ser qualificada, em diferentes meios de comunicação social, como a "Miami do Nordeste" ou o "Caribe Brasileiro", facto que contribuiu para tornar Fortaleza uma das principais cidades turísticas do Brasil a partir da década de 1990 (Bezerra, 2009).

Para um melhor entendimento da relação que os decisores políticos de Fortaleza estabeleceram entre a história da cidade e o discurso turístico, torna-se importante apresentar uma breve caraterização da cidade. A elevação do povoado à categoria de vila aconteceu a 13 de abril de 1726, data que se transformou num momento anual de comemoração e discussão sobre a história de Fortaleza, reunindo opiniões de urbanistas e gestores em fóruns especializados, hoje largamente difundidas na imprensa. Com crescimento acentuado a partir do século XIX, Fortaleza torna-se capital, constituindo-se centro político e económico do Estado do Ceará, com o comércio de exportação do algodão e importação de bens manufaturados. A cidade configura-se então, cada vez mais, como moderna, apresentando um traçado urbano de vias largas de acesso compatível com a ampliação de serviços e transportes.

Analisando-se a remodelação urbana de Fortaleza, na viragem do século XIX, observa-se que a crença no progresso subsidiou as estratégias reguladoras da intervenção urbana. A reforma de praças tradicionais do centro da cidade correspondeu ao fluxo crescente de uma cidade em expansão, alinhando-se com reformas urbanas e estilos arquitetónicos produzidos na Europa. Os discursos de progresso e de modernidade que subsidiava as práticas de intervenção coadunavam-se também com as formulações hegemónicas da oligarquia governamental pertencente à família Accioly que usava os apelos à reforma urbana como forma de ampliar as suas bases de aceitação (Ponte, 1999).

É nesta perspetiva de transformação no desenvolvimento urbano que, em 1927, o bairro Praia de Iracema foi ligado ao centro da cidade por meio de um sistema de avenidas. Vale ressaltar que esta expansão da cidade de Fortaleza assenta numa acentuada segregação socioespacial. Na década de 1940, por exemplo, o número de habitantes de Fortaleza cresceu cerca de 50%. [2] Porém, a sua estética urbana foi vinculada à *fuga* das elites para a Aldeota,[3] devido à presença de uma vizinhança indesejada, ou seja, do proletariado, principalmente no até então bairro nobre Jacarecanga (Bezerra, 2009).

Essa época regista também um grande processo de urbanização que transformou a aparência da parte nobre da cidade por meio de pavimentação das vias, uso de meios-fios de pedra, nivelamento das calçadas, ilumina-

[2] Esse acréscimo populacional foi consequência do fluxo migratório campo-cidade e decréscimo das taxas de mortalidade, provavelmente em decorrência de medidas de saúde pública, como a vacinação pública (Gondim, 2007).

[3] O bairro Aldeota surge nos anos 30 como uma zona nobre. Como informa Rogério Ponte (1999), a designação Aldeota extrapola o sentido de nomeação de área geográfica reforçando a ideia de um *modus vivendi* e de *status* social.

ção elétrica de logradouros públicos, arborização de ruas centrais, difusão de bangalôs como forma de moradia, arranha-céus e uma disseminação da estética *Art Déco*, adotada como símbolo de modernidade (Castro, 1988).

Além das intervenções urbanísticas, os decisores políticos de Fortaleza vêm desenvolvendo, nos últimos anos, um discurso que destaca a capacidade da cidade se modernizar sem perder de vista as referências do passado. Esta mudança de teor expansionista em Fortaleza, que se iniciou na década de 1970, tem no turismo o principal responsável pelas propostas de preservação da *memória* da cidade. A década de 1990 foi o tempo em que a estratégia de *valorização do passado* se tornou um elemento simbólico caro aos decisores políticos, podendo mesmo dizer-se que foi uma ocasião em que a cidade consolidou a sua condição de metrópole com *vocação para o turismo*. Nesse período, foram construídos um terminal internacional para o aeroporto, rodovias ligando Fortaleza às praias do litoral Leste e Oeste, alguns viadutos, terminais integrados de transporte, assim como foram também

Figura 1. Fortaleza, Centro Dragão do Mar de Arte e Cultura

Fotografia de Pedro Silvino, 2012

abertas e alargadas novas vias urbanas. O Centro e a Praia de Iracema foram os dois bairros que mais se destacaram nessa reconstrução da imagem da cidade. O Centro foi palco de um novo mercado de artesanatos e da reforma da Praça do Ferreira, enquanto a Praia de Iracema assistiu à reconstrução do restaurante Estoril – ícone da *boémia* da cidade –, à reforma da Ponte dos Ingleses, à construção de um calçadão na parte costeira do bairro e, sobretudo, à edificação do Centro Dragão do Mar de Arte e Cultura.

A intervenção na Praça do Ferreira, por exemplo, ocorrida em 1991, fundamentou-se na perspetiva de manter a *história do local* adaptando-a aos novos usos. O projeto arquitetónico considerou a recuperação de antigos monumentos e prédios, valorizando os espaços de sociabilidade vigentes. Nesse sentido, bancos dispostos na praça, a coluna da hora e a permanência e o acesso a pontos comerciais viabilizaram as conexões entre passado e presente.

Os apelos ao que se denomina como revitalização incluíram, entre outras atividades, a criação de áreas contíguas à zona central de Fortaleza, a exemplo do Centro Dragão do Mar de Arte e Cultura que objetivou inserir a cidade no contexto de reformas gerais, impedindo que a área fosse integrada no processo de verticalização em curso (Gondim, 2007). O projeto original contemplava a ampliação das áreas de intervenção que deveriam integrar a Praia de Iracema e o centro da cidade. Essas reformas, que se efetivaram concomitantemente a mudanças espaciais mais recentes presentes na verticalização, na instituição de áreas *nobres* e na definição de zonas consideradas *históricas,* produziram simultaneamente polémicas entre moradores e consumidores eventuais (Barreira, 2007).

Em Fortaleza, a construção de uma *tipicidade* baseada simultaneamente na invenção de tradições, no resgate de elementos do passado, na conversão de lugares antigos em espaços de lazer e na construção de novos espaços passou a integrar a estratégia de reafirmação da identidade da cidade. No contexto atual, a configuração de Fortaleza como cidade turística vai além da imagem convencional que associa a cidade à díade *sol e praia* e, nesse sentido, agrega elementos simbólicos como o mito de Iracema, a comida do sertão, o humor cearense, a boémia do bairro Praia de Iracema ou edificações do centro da cidade como a Praça do Ferreira, o Passeio Público ou Centro Dragão do Mar e os edifícios da orla marítima que são constantemente interpretados como elementos identitários associados ao valor patrimonial da cidade.

FIGURA 2. Fortaleza, Orla marítima

Fotografia de Gentil Barreira, 2002

Nesta perspetiva, o movimento mais recente de *recuperação* do centro da cidade, ilustrado pela reforma da antiga praça dos Mártires, conhecida como Passeio Público, e a transformação de casarões antigos em espaços museológicos, ao lado de novas práticas de intervenção no bairro Praia de Iracema, designadas como *requalificação*, são exemplos da valorização patrimonial de Fortaleza no seu todo. Estas intervenções fundamentam a ideia de que esta cidade é detentora de um *património histórico rico* e vão de encontro aos discursos que acusam a cidade de *falta de consciência histórica*.
Sendo Fortaleza uma cidade jovem, mesmo quando contraposta a outras cidades brasileiras, como Salvador ou São Luis, a ideia de *requalificação* distingue-se pela valorização simbólica de espaços urbanos. Em seu redor, são instituídas narrativas que premeiam as ações de recuperação histórica de locais ou ícones representativos da cidade. Este cenário de intervenções urbanas pontuais pressupõe ainda novos investimentos imobiliários com objetivos residenciais, tendo em vista atrair a classe média e instalar uma dinâmica urbana que recorre à cultura, ao lazer e ao consumo enquanto suportes fundamentais do jogo articulado entre mudança e preservação. Porém, a valorização de um público indefinido, que aflui à cidade em momentos episódicos (os turistas) passa a ser fundamental na lógica das

Figura 3. Fortaleza, Praça dos Mártires
conhecida como Passeio Público

Fotografia de Pedro Silvino, 2012

tentativas de intervenção, aproximando-se de um modelo de urbanismo destinado a uma população flutuante. Entre esses utilizadores, a retórica de Fortaleza como cidade que *moderniza a tradição* recolhe grande aceitação e figura como uma importante estratégia de distinção da cidade.

Em Coimbra, por sua vez, a retórica pública – gerada quer pelos atores políticos quer pelos promotores turísticos locais – faz sobressair uma imagem de cidade que, pese embora a sua longa história e tradição, tem vindo, gradualmente, a procurar modernizar-se. O mesmo é dizer que, apesar de antiga, Coimbra não ficou simplesmente imobilizada e irremediavelmente presa aos vestígios do passado. Ainda assim, não é possível falar de Coimbra sem referir este seu passado e os mais de dois mil anos de história da cidade. O facto de ter sido a primeira capital do país e local de nascimento dos primeiros seis reis de Portugal, sede da primeira instituição universitária portuguesa e local onde viveu e estão sepultados Isabel de Aragão, Rainha de Portugal e o "rei fundador", conferem a Coimbra uma historicidade longa em que, frequentemente, factos, mitos e lendas se confundem e interpenetram nos discursos políticos, retóricas de promoção turística e relatos populares mais ou menos mediatizados. O passado, a história e a tradição marcam indelevelmente a identidade desta cidade em que se articulam, na linguagem figurativa de Andreas Huyssen (2003), um *presente deficitário* recheado de referências históricas, com um *passado* que transborda a história e sujeita a si as propostas de autodenominação da cidade e a maior parte das ações recentes de valorização urbana,

Coimbra apresenta-se ao exterior e é ao mesmo tempo reconhecida por muitas designações – desde a *Lusa Atenas*, a *Cidade do Mondego*, a *Coimbra dos Amores*, a *Cidade dos Estudantes*, a *Coimbra dos Doutores* ou a *Cidade do Conhecimento*. Todos estes qualificativos contribuem para enformar o retrato de uma cidade que, sendo uma das mais importantes do país, centro universitário e principal cidade da Região Centro de Portugal, não se vê como uma cidade vulgar, antes reclamando, à semelhança de outras cidades históricas portuguesas,[4] um caráter singular, "sinónimo de uma identidade autocentrada e fechada em si mesma (...) [que] reivindica para si própria um lugar específico e marcante na história do país" (Fortuna e Peixoto, 2002: 23). Faz-se promover também, por essa via, como "uma das mais míticas e lendárias cidades portuguesas" (*idem*: 28). Trata-se, na verdade, de uma cidade capaz de suspender as normas e os ritmos quotidianos mais triviais para assistir aos desfiles dos estudantes universitários ou às procissões em honra da Rainha Santa Isabel.

Pesem embora antagonismos e disputas sociais, Coimbra ostenta com orgulho símbolos, mitos e memórias do passado, convertidos em solenes homenagens à santa padroeira, à Universidade e aos estudantes, bem como a feitos milagreiros e heroicos de príncipes e princesas, que constituem marcas de uma liturgia urbana de manifesto pendor histórico.

[4] Referimo-nos às cidades do Porto, Guimarães, Braga e Aveiro, analisadas em Fortuna e Peixoto (2002).

FIGURA 4. Coimbra, rio Mondego, área ribeirinha requalificada e Universidade

Fotografia de Marco Marcelo, 2012

Valerá a pena ainda referir que esta presença do passado se manifesta também nos discursos produzidos acerca da Universidade. Trata-se de uma instituição que surge retratada, nos discursos turísticos, pelo privilégio de uma memória passada – de velha universidade europeia, única no país durante séculos, centro educativo e cultural de referência para sucessivas gerações letradas de um pretérito espaço colonial – em detrimento do elogio de atuais resultados académicos de centros de investigação e de docentes e investigadores.

Para lá do que já foi dito sobre a cidade, a reflexão acerca das marcas identitárias mais vincadas de Coimbra precisa forçosamente de referir a fisionomia dual da sua estrutura urbana, ainda bastante percetível, e que começou a tomar forma no séc. XI com a aglomeração popular fora das suas muralhas originais da urbe antiga. Esta natureza dual revela, de um lado, a existência de uma área intramuros que era habitada pela nobreza, pelo clero e algum povo – a Alta da cidade – e, de outro lado, uma área fora da muralha e junto ao rio, onde se localizavam oficinas, mercados e pequenos comércios – a Baixa.

Inscritas no decurso de uma longa história de cidade, estas "duas cidades" – a Alta e a Baixa – não deixaram, contudo, de registar, no decurso do séc. XX, uma evolução urbana típica dos paradigmas urbanísticos e das políticas urbanas dominantes no resto da Europa. Num quadro de contínua expansão territorial, as áreas mais recentes da cidade deram origem a novas centralidades urbanas, contrastando com as zonas mais antigas, que passaram a denotar acentuado nível de degradação física e abandono (Fortuna, Peixoto e Gomes, 2005).

Ao lado das centralidades que se foram desenvolvendo no decorrer do séc. XX, a paisagem urbana da cidade assinala outros pontos de interesse como sinais de contemporaneidade urbanística: os novos Polos da Universidade que albergam disciplinas, entretanto, retiradas à Alta universitária; a zona comercial na margem esquerda do Rio Mondego, historicamente menosprezada; o Parque Verde do Mondego e toda a zona ribeirinha recentemente requalificada. Estas constituem também algumas das atrações que, segundo a Empresa Municipal de Turismo de Coimbra, merecem visita, sendo consideradas "ícones da arquitetura" e símbolos contemporâneos que "marcam a paisagem urbana da cidade" (Turismo de Coimbra, 2008). Trata-se de uma leitura decorrente do espírito das ações de regeneração urbana adotadas a partir da década de 1990 que, ao lado da preocupação com a desvitalização socioeconómica do centro histórico, buscavam transformar Coimbra numa cidade turística (Gomes, 2008). Como referimos antes, estamos perante uma tentativa de afirmar a permanência do antigo, ao mesmo tempo que se convocam centralidades e referências modernas por via da aposta no turismo. Em resumo, Coimbra é hoje uma cidade que, como muitas outras, é composta por mosaicos socioespaciais complexos. Não tem apenas um centro, o histórico e geográfico, mas várias centralidades dotadas de especificidades funcionais que representam importantes polos da vida urbana.

O que não sofreu qualquer alteração, contudo, foi a importância simbólica da Universidade. Apesar das tentativas de converter Coimbra em *Cidade do Conhecimento* ou em *Capital da Saúde*, ela continua a ser a incontestada *velha cidade universitária* do país. Nesta linha de raciocínio, Coimbra parece sujeitar à tradição tudo o que de novo tem lugar na cidade e é justamente desta perspetiva que é adequado afirmar que a cidade *tradicionaliza a sua modernidade*, concedendo ao seu imaginário histórico uma hegemonia inegável que, como argumentamos, traduz numa estratégia de valorização urbana manifestamente *hard*.

Estes são alguns dos traços mais relevantes e recentes da existência histórica mais curta de Fortaleza e mais longa de Coimbra. São aqueles que, do nosso ponto de vista, melhor permitem compreender o posicionamento atual de cada uma delas face às outras. Trata-se, como referimos, de duas cidades inseridas em universos culturais bastante distintos, com histórias e geografias que muito as distanciam e com abordagens diferenciadas relativamente ao seu passado. Mas trata-se, ao mesmo tempo, de cidades onde, apesar das diferenças, é possível identificar preocupações partilhadas no que respeita à necessidade de se autovalorizarem e de estrategicamente se mostrarem ao mundo. Umas vezes mais presas ao passado, numa tentativa de valorização *hard*, outras mais esperançosas no futuro, ensaiando estratégias mais *soft*, ambas as cidades investem e reinventam as suas histórias e tradições com o objetivo de tornar atrativo o seu flexível presente, para si próprias e para o exterior.

Porosidades urbanas: Entre o *soft* e o *hard*

É tentador identificar de modo direto Fortaleza como cidade *livre* do seu passado e, por isso, em condições de o reescrever, e Coimbra como cidade *presa* ao seu passado e, portanto, com a possibilidade de se libertar. As suas histórias são sedutoras e convidam-nos a estipular associações diretas, de tipo *hard* versus *soft*, com as estratégias de valorização dos seus passados. Ainda que sedutoras, tais associações seriam simplistas e enganosas. Por isso, optamos antes por uma leitura das *porosidades* que penetram as estratégias de valorização urbana de Fortaleza e Coimbra. Ainda que o pressuposto que nos provocou inicialmente esta reflexão se fundamentasse na ideia de uma diferença que separaria os posicionamentos estratégicos de Fortaleza, metrópole do Sul de história breve, e de Coimbra, cidade europeia de longa história, estamos agora tão cativados por essas diferenças como pelas semelhanças que, por vezes, aproximam as duas cidades. Estamos, de resto, interessados sobretudo em compreender como é que uma e outra estratégia, *soft* e *hard*, se interpenetram, se complementam ou se contrapõem em cada cidade, dando origem a jogos de valorização, identificáveis nomeadamente na retórica de promoção turística, bastante mais complexos do que à partida esperaríamos.

As ocorrências vigentes nos bairros Praia de Iracema e Centro, em Fortaleza, apontam para a complexidade dos sentidos do que pode ser classificado como *lugar histórico* nesta cidade. Trata-se de práticas que, embora amparadas na ideia de consolidação do passado, entendendo com isso a preservação de alguns equipamentos, não abdicaram do processo de reconstrução, requalificação ou revitalização de espaços. De facto, é contra a ideia de abandono ou esvaziamento que as intervenções políticas são justificadas, sendo a conceção de *património* associada a um sentido difuso. A essa perspetiva, cidades jovens como Fortaleza, excedem-se por vezes no esforço de definição de marcas do passado e é nesse sentido que tradições são inventadas e elementos da memória são ajustados ao presente. Assim, incrementar a ação nas áreas associadas ao capital privado e às formas mais contemporâneas de *consumo* são elementos que corroboram a definição de uma estratégia de valorização patrimonial, que denominamos como *soft*. Este tipo de estratégia, virada para o *consumo do lugar* e associada ao capital privado, ao mesmo tempo que se justifica e promove pela regeneração urbana, é visível na já mencionada intervenção na zona ribeirinha de Coimbra, levada a cabo no quadro da Política de Cidades POLIS XXI (DGOTDU, 2007), que visava transformar as cidades portuguesas em territórios inovadores e competitivos, bem planeados, com qualidade de vida e ambiental. O Parque Verde do Mondego, onde se encontram instalados o Exploratório Centro Ciência Viva de Coimbra e o Pavilhão Centro de Portugal (Pavilhão de Portugal na Expo 2000, em Hannover), tal como as chamadas *Docas de Coimbra* – o conjunto de bares e esplanadas à beira do Mondego – e as novas zonas desportivas e culturais nas duas margens do rio, agora unidas com a nova ponte pedonal "Pedro e Inês", retiraram esta zona à letargia em que havia sido mergulhada. Tal como na Praia de Iracema e no Centro de Fortaleza, em Coimbra, a intervenção junto ao rio foi justificada pela necessidade de contrariar a ideia de abandono e criar um novo ponto de referência na cidade, ao serviço de residentes e visitantes.

A reconfiguração de Fortaleza, conseguida através da conversão de espaços públicos e privados em lugares requalificados faz parte das políticas urbanas das duas últimas décadas. Porém, sendo a Praia de Iracema identificada no discurso turístico como o cartão postal da cidade, os projetos mais recentes de intervenção nessa área estão a ser definidos como uma estratégia de reurbanização que deverá contribuir para a afirmação da imagem de Fortaleza como um lugar de cultura e lazer. Nesse sentido, estão a ser desapropriados 27 imóveis e, além da reconstrução de um novo calçadão à beira-mar, serão recuperadas algumas edificações, como a estátua de Iracema, a Ponte Metálica e o Pavilhão Atlântico. Outra etapa desse projeto, que reforça a ideia de uma estratégia de valorização *soft* da cidade, consistirá na construção de uma série de novos equipamentos que vêm modernizar alguns ícones tradicionais da cidade: a Casa do Turista, a Casa da Lusofonia, o Instituto Cultural Iracema, o Museu do Olhar, o Museu do Forró e um

Centro de Artesanatos. Paralelamente a estas iniciativas, está a ser apresentado o projeto do *Acquário Ceará*. Encomendado pelo governo do Estado, este equipamento insere-se no conjunto de obras que a prefeitura está realizando no bairro Praia de Iracema com vista a desenvolver o turismo. Segundo os decisores políticos, o *Acquário* será o maior da América Latina e irá contribuir para a preservação do meio ambiente e para transformar a realidade social e turística de todo o Estado do Ceará (Bezerra, 2011).

O mesmo tipo de reconfiguração urbana, pautada por uma transformação idêntica de espaços históricos, públicos ou privados, em lugares destinados à fruição cultural, lúdica, turística ou comercial é também identificável em Coimbra, ainda que a uma escala distinta, mais modesta, da requalificação que ocorre em Fortaleza. Um dos exemplos desta transfiguração reside no projeto para a requalificação do Convento de S. Francisco, do séc. XVII, que além da reabilitação do interior do edifício já existente, transformará o espaço num centro cultural e de convenções, dotado de um auditório com capacidade para mais de 1.000 pessoas, de uma praça pública e de restaurantes. Um dos objetivos do projeto, da autoria do arquiteto Carrilho da Graça, será o de garantir à cidade e à região condições para se constituir como polo de atração turística, nomeadamente no de turismo científico e de negócios. A transformação da Quinta das Lágrimas em hotel, membro da cadeia Relais & Châteaux, é outro dos exemplos que, numa lógica distinta, remete igualmente para a refuncionalização *soft* de um antigo espaço da cidade, cenário dos lendários amores de Pedro e Inês que possui "o charme e o romantismo do passado, oferecendo uma estadia na história" (Hotel Quinta das Lágrimas, s/d). Finalmente, o Café Santa Cruz, cujo *slogan* é "Harmonia de um café com anos de história" (Café Santa Cruz, s/d), está alojado desde 1923 no antigo edifício anexo à igreja homónima, tendo a sua conversão de espaço religioso com vários séculos de existência em lugar de consumo e lazer, um dos mais célebres casos de refuncionalização dos espaços da cidade.

O fortalecimento da ideia de Fortaleza e Coimbra como polos de *consumo do lugar* não invalida, as iniciativas de proteção e conservação de edifícios monumentais, de ruínas e de elementos simbólicos que intercedem na retórica definidora do seu passado e remetem, por esta via, para uma estratégia de valorização patrimonial *hard*. De facto, tanto em Fortaleza como em Coimbra, muito especialmente nesta última, o presente da cidade é amplamente enformado pelo passado, seja ele material ou simbólico. Muitas destas intervenções urbanísticas, ações de reconversão dos espaços das cidades e de refuncionalização dos seus usos, bem como a contínua reatualização de algumas referências míticas e tradições, colocam-nos perante cenários de sinal ambíguo, em tudo equivalentes à ideia de contaminação dos tempos históricos que remetem para a ideia de *porosidade*, tal como explicitada por Walter Benjamin e Asja Laces (1978). As porosidades de Coimbra e Fortaleza resultam numa imagem pouco nítida de si próprias, quando permanentemente oferecem narrativas, paisagens e regimes de autorrepresentação negociáveis nas suas significações de cidades ora mais antigas e tradicionais, ora mais jovens e modernas.

O lado *hard* da identidade coimbrã recua aos tempos da fundação da cidade e ao peso político da Universidade e da Igreja. Por entre os sinais de modernização da atualidade, todavia, encontram-se ressonâncias deste passado *hard*. Um exemplo desta contaminação do passado no presente é percetível na denominação de "Ponte Rainha Santa Isabel", numa manifesta cedência ao imaginário medieval local que se sobrepôs, por decisão do executivo municipal, à designação do projeto original ("Ponte Europa") que remetia para o contexto mais cosmopolita da europeização. O mesmo se poderia dizer da denominação atribuída à ponte pedonal sobre o Mondego, da autoria de Cecil Balmond e Adão da Fonseca. Representativa da arquitetura moderna e aclamada internacionalmente pela sua estética e por se tratar de uma obra-prima da engenharia, a ponte viu a sua designação soçobrar ao peso da história e da tradição, acabando por chamar-se "Ponte Pedro e Inês", numa clara alusão ao imaginário romanesco da cidade.

FIGURA 5. Coimbra, "Ponte Pedro e Inês"

Fotografia de Marco Marcelo, 2012

É tendo em vista acontecimentos deste tipo que o que atrás afirmámos acerca do futuro que não se vislumbra em Coimbra ganha um sentido acrescido. A cidade vai, de facto, construindo novos equipamentos e infraestruturas e, por essa via, moderniza-se gradualmente deixando de estar presa aos vestígios do seu passado. Dito isto, todavia, é evidente que no momento de conferir sentido a essa modernização, a cidade revela-se aprisionada a arcaísmos simbólicos difíceis de ultrapassar, que acabam por condicionar a sua estratégia de renovação, como fazem os "fantasmas" do passado, referidos por de Certeau.

Em Fortaleza, o discurso da tradição tem um forte teor simbólico que se carateriza pela nostalgia da cidade em relação ao seu passado. Esta retórica, que remete para um *tempo idealizado*, possibilita uma constante reinvenção da memória da cidade, seja na sua descrição como cidade segura, limpa e harmoniosa, seja na saudade do velho traçado das ruas, praças e património arquitetónico, ou ainda dos antigos ambientes sociais e estilos de vida urbana. Assim, o retorno à *tradição* é, do nosso ponto de vista, uma marca da valorização patrimonial *hard* em Fortaleza que, ao contrário das imagens turisticamente mais divulgadas, não é apenas uma metrópole *soft* vivendo em torno de novas construções e da imagem da cidade de *sol e praia*.

Estes cenários surgem enunciados em discursos que expressam uma recorrente idealização do passado e do desejo de um retorno a *velhos tempos*. A expressão *voltar ao que era antes* é a que melhor sinaliza as justificativas de requalificação na cidade de Fortaleza, especialmente no bairro Praia de Iracema, tanto na retórica de antigos frequentadores, vistos como boémios ou "iracemitas", como na expressão de decisores políticos. É com base nesses discursos saudosos que percebemos a existência de uma relação entre tradição, modernidade, mudança e nostalgia. Assim, o sentido de preservação na cidade de Fortaleza está mais presente em manifestações simbólicas e imaginários sociais que valorizam a saudade do que na concretização de políticas de conservação das edificações que surgem, em diferentes contextos, classificadas como elementos de grande valor patrimonial.

Nesse sentido, a memória está a ser constantemente *atualizada* por meio de publicações, exposições fotográficas, sites e blogues dedicados à *Fortaleza Antiga* ou à *Fortaleza de Ontem*, como por exemplo a exposição "Corações e Mentes", inaugurada no final de 2011 na Praia de Iracema com o objetivo de narrar a história desse bairro por meio de fotografias, poemas, canções e depoimentos de antigos comerciantes e frequentadores. Ostenta-se, deste modo, um sentimento de preservação, de apropriações e de usos tradicionais, revelado também no apelo constante à proteção e manutenção de alguns edifícios emblemáticos da cidade, com destaque para o Teatro José de Alencar, o Teatro São José, o Cinema São Luiz e a farmácia Oswaldo Cruz.

O movimento de requalificação urbana apresenta também uma vertente de *manutenção da tradição*, no sentido que estamos denominando como uma patrimonialização *hard*. Registamos a ocorrência de projetos de intervenção que têm como objetivo manter a *história do local* como as intervenções da zona central de Fortaleza, nomeadamente a restauração da Igreja do Rosário, edificada em 1730, e a restauração das fachadas de edifícios antigos que constituem formas mais concretas de políticas urbanas baseadas na preservação da memória da cidade. Outro exemplo desta prática é a classificação do bairro Praia de Iracema como o *lugar ideal* para a implementação de reformas urbanas, devido à sua história ser plena de *representações simbólicas*, que ajudam a definir a identidade de Fortaleza. A perceção de um bairro boémio frequentado por intelectuais e artistas emprestariam um tom *singular* a este espaço da cidade. As constantes intervenções nesse bairro estão, portanto, ancoradas em usos e apropriações que qualificam a Praia de Iracema como um lugar detentor de um património digno de atenção e *requalificação*.

Em Coimbra, sob o ambiente político entusiástico da democracia, nas décadas de 1980 e 1990, num momento sem precedentes históricos, a Universidade e o poder político local foram capazes de se aliar na tentativa de definir uma estratégia comum para o desenvolvimento local. A ideia de um novo projeto para a cidade, mais democrático e participado, foi resultado da dinâmica associativa da sociedade civil local que logrou gerar uma conferência de consensos locais, a ponto de suavizar as antigas rivalidades entre as cidades "alta" e "baixa". Algumas visões mais entusiásticas não deixaram de chamar a este entendimento um projeto de UniverCidade.

No contexto de desanuviamento político e cultural que se vivia então na cidade, o turismo vinha-se insinuando como uma das soluções mais aptas para desencadear uma estratégia de renovação e desenvolvimento da cidade. No entanto, a opção turística que é seguida hoje em Coimbra continua centrada quase em exclusivo na marca da universidade e da sua história, sendo que as agendas promocionais para a cidade dão sinais de difícil incorporação de outros referentes, que não esta marca nostálgica de um passado continuamente resgatado para o presente turístico (Fortuna e Gomes, 2010).

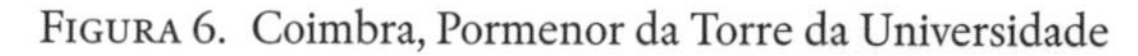

FIGURA 6. Coimbra, Pormenor da Torre da Universidade

Fotografia de Sérgio Brito, 2011. © UC, DIIC

Em Fortaleza, os investimentos ligados ao turismo também conduziram a uma renovação e desenvolvimento da cidade. Porém, assim como aconteceu em outras cidades do Brasil, as consequências dessa opção induziram um determinado *conflito simbólico* relativo à produção de *lugares turísticos*. Com efeito, o sentimento de pertença dos habitantes da cidade em relação aos espaços considerados representativos da memória e identidade de Fortaleza leva-os, muitas vezes, a contestar a política de intervenção expansionista, por via do turismo. No caso do bairro Praia de Iracema, por exemplo, a transformação de espaços vernáculos em *lugares de consumo*, especialmente pela implantação do que Ray Oldengurg (1999) chama de "terceiros lugares", como sejam bares, restaurantes, discotecas e outros espaços de convivialidade, concorreu para o surgimento de *lutas simbólicas* em defesa do bairro como lugar carregado de tradição na cidade. Este facto denota a ambiguidade da utilização do turismo como uma estratégia de valorização patrimonial, pois enquanto os decisores políticos apresentavam o discurso da preservação, os antigos utilizadores da Praia de Iracema falavam em práticas, como o turismo sexual ou o turismo predador, que desvirtuavam espaços da cidade com valor patrimonial.

Em relação ao Centro da cidade, o desequilíbrio de funções envolvendo comércio, habitação e atividades administrativas constitui um tema permanente de discussão, considerando-se a descentralização de funções urbanas e a expansão citadina. A possibilidade de reforçar o espaço de moradia mantém-se como desafio na medida em que, em menos de 10 anos, segundo um estudo desenvolvido pela Habitafor, 5.904 habitantes deixaram de residir no centro. Em 2000, conforme os dados do IBGE, havia 24.775 habitantes, ao passo que, em 1991, eram 30.000 (Jornal *O Povo*, 7/2/2009).

As polémicas atualmente mais recorrentes a respeito do Centro de Fortaleza gravitam em torno da presença do comércio ambulante e categorias sociais consideradas expressões da desordem e da violência.[5] Ao longo do tempo, o Centro tornou-se, de facto, um local de presença quase exclusiva de classes populares, não obstante as tentativas mais recentes de programas de animação cultural visando assegurar a frequência da classe média local e de turistas.

Entretanto, como uma forma de superação desta imagem negativa do turismo no bairro Praia de Iracema e da falta de atividades mais diversificadas no Centro da cidade, está a emergir uma revalorização crescente dos ícones representativos da identidade local, por meio de uma estratégia *hard*, apostada na valorização de espaços e edificações importantes no passado. Ao mesmo tempo, assiste-se a uma valorização patrimonial *soft*, bem ilustrada pela edificação do *Acquário Ceará*, apresentado no discurso dos promotores turísticos e decisores políticos como um empreendimento que vai associar ambiente, lazer, cultura e conhecimento.

[5] Segundo dados da Secretaria do Centro, Fortaleza possui 981 ambulantes com termo de permissão distribuídos nos passeios e praças da área. No "beco da poeira", nome atribuído à localidade próxima ao centro que nesse momento acabou de vivenciar um processo de transferência, alojavam-se 2080 permissionários regularizados.

Considerações finais

A *proximidade intercidades* que originou esta reflexão sobre Fortaleza e Coimbra mostrou não só diferentes formas de apropriação do passado, mas também pôs em evidência uma variedade de intervenções e propostas que se efetivam em nome do património. O sentido de diálogo que pretendemos evidenciar no texto, adotou um questionamento mais amplo sobre processos sociais de patrimonialização que incidem sobre as formas de apropriação do passado. Referimo-nos a práticas de ordem cultural e política que se baseiam nas classificações e intervenções vigentes em Fortaleza e Coimbra e também presentes em grande parte das cidades contemporâneas de todas as latitudes.

Os processos urbanos aqui expostos, nas suas diversas tonalidades, são recorrentes em outros espaços citadinos e acompanham os mais variados processos de requalificação. O entendimento mínimo sobre sentidos compartilhados nos bairros requalificados pressupõe noções de civilidade urbana aliadas à ideia de espaço público. Os processos de requalificação, por outro lado, são capazes não apenas de subverter os sentidos esperados pelas políticas de intervenção, mas também de dar origem a diferentes lugares ou usos sociais.

Coimbra explicita o uso *hard* do património, caraterizando-se por uma atitude mais conservadora da tradição. Embora possa ter um discurso de promoção turística englobando o património, nomeadamente o património tangível, construído e duro (hard) *das pedras*, faz dele a (re)valorização de um passado glorioso, em si pouco moderno. A própria insistência retórica da cidade na sua história, documentada no seu edificado e glorificada pela eloquente narrativa produzida em torno a sua Universidade – o que qualifica a estratégia patrimonialista *hard* – sobrepuja os discursos modernizantes que insistem, sem grande sucesso, numa outra imagem e em outras dimensões culturais dos patrimónios locais que o turismo pode explorar. Na verdade, o indelével passado e a memória de uma Coimbra de outrora, ainda que sujeita a reatualizações de significados, não deixa de constituir um obstáculo à almejada modernização da cidade. Enquanto esta não se dotar de outros recursos que reduzam o peso de uma retórica nostálgica e a retratem como relíquia histórica, o recurso ao passado pode constituir-se numa daquelas figuras fantasmáticas que Michel de Certeau refere como podendo ensombrar uma cidade, paralisá-la e aniquilar as suas estratégias de renovação.

Se Coimbra se insere num modelo de valorização *hard* do património com base na sua monumentalidade, as políticas urbanas em Fortaleza, frequentemente objeto de crítica da população e profissionais do urbanismo, por conta do "descaso atribuído ao património", parecem encaminhar-se para uma postura adaptativa: sempre a incorporar novos usos nos quais se inclui também a lógica especulativa imobiliária. Este sempre renovado e plástico sentido de passado adapta-se bem a linguagens plurais, por mais anacrónicas que sejam, e enquadra o que pretendemos significar com a ideia de uma política *soft* de uso e leitura do património local. Em Fortaleza, um tal sentido do passado urbano não assombra nem paralisa a cidade, mas sobrevém em discursos românticos e nostálgicos com um forte apelo a manutenção das lembranças do tempo antigo. A sua principal virtude encontra-se na capacidade de produzir e tornar conhecidas insuspeitadas experiências de vida urbana. Não será que tal visibilidade esconde e desatualiza a reflexão sobre outras realidades subliminares da cidade? A nossa resposta é que, efetivamente, ao lado desse sentido mais plástico do passado, existe um outro culto de uma memória idealizada com recurso aos elementos simbólicos que pretendem sustentar a existência de uma Fortaleza *hard*, derivada de uma sociabilidade e de um desenho urbano desaparecidos e, porventura, apenas romantizados.

Não obstante as diferenciações históricas existentes entre Fortaleza e Coimbra, ambas colocam a valorização do seu passado no centro das suas estratégias de valorização e de promoção turística. Trata-se de um passado submetido a diferentes intervenções e interpretações capazes de demonstrar que, sob o tema do património, se encontram enunciados e sentidos diferenciados.

O passado das cidades não é, portanto, inteiramente legível. Tanto pode mostrar-se irredutível a qualquer linguagem ou projeto urbano, como pode revelar insuspeitadas experiências de vida, como pode, ainda, sugerir dimensões da cultura local que paralisam a cidade como um todo. A reflexão sobre os diferentes sentidos de património, sempre passível de aprofundamento, põe em questão as dimensões contemporâneas de sociabilidade, as noções de temporalidade e o modo como se efetivam encontros entre presente e passado. É nesses encontros que as cidades se veem e refletem umas sobre as outras ao espelho da *proximidade intercidades.*

Referências Bibliográficas

Arenas, Luis (2011), *Fantasmas de la vida moderna: Ampliaciones y quiebras del sujeto en la ciudad contemporánea*. Madrid: Editorial Trotta.

Barreira, Irlys (2007), "Usos da cidade: conflitos simbólicos em torno da memória e imagem de um bairro". *Análise Social*, Lisboa, v. 182, 163-179.

Barreira, Irlys (2009), "Narrativa de Lisboa", in Fortuna, Carlos e Leite, Rogério Proença (orgs.), *Plural de Cidade: Novos Léxicos Urbanos*. Coimbra: Almedina, 207-223.

Beauregard, Robert (2003), "City of superlatives". *City & Community*, vol. 2, n. 3, 183-199.

Benjamin, Walter e Lacis, Asja (1978), "Naples", in Benjamin, Walter, *Reflections: Essays, aphorisms, autobiographical writings*. (Org. de Peter Demetz). Nova Iorque e Londres: Harcourt Brace Jovanovich, 163-173.

Bezerra, Roselane Gomes (2009), *O bairro Praia de Iracema entre o "adeus" e a "boemia": Usos e abusos num espaço urbano*. Fortaleza: Laboratório de Estudos da Oralidade – UFC e Expressão Gráfica.

Bezerra, Roselane Gomes (2011), "Narrativas da cidade virtual". *O público e o privado*, Fortaleza, v. 17, 9, 71-87.

Boyer, Christine (1998), *The city of collective memory: Its historical imagery and architectural entertainments*. Cambridge (Mass.): MIT Press.

Burns, Ric; Sanders, James; Ades, Lisa (1999), *New York: An illustrated history*. Nova Iorque: Alfred A. Knopf.

Castro, José Liberal (1988), *Fortaleza, tempos de guerra*. Fortaleza: Secretaria de Cultura, Turismo e Desporto de Estado do Ceará.

De Certeau, Michel e Giard, Luce (1998), "Ghosts in the city", in De Certeau, M., Giard, L. e Mayol, P. (orgs.), *The practice of everyday life*. Vol. 2: *Living and cooking*. Minneapolis: Minnesota University Press, 133-143.

Degen, Monica (2008), *Sensing cities: Regenerating public life in Barcelona and Manchester*. Londres e Nova Iorque: Routledge.

Fortuna, Carlos (1997), "Destradicionalização e imagem da cidade: O caso de Évora", in Fortuna, Carlos (org.), *Cidade, cultura e globalização - Ensaios de sociologia*. Oeiras: Celta, 231-257.

Fortuna, Carlos (2009), "Cidade e urbanidade", in Fortuna, Carlos e Leite, Rogerio Proença (orgs.), *Plural de cidade: Novos léxicos urbanos*. Coimbra: Almedina, 83-97.

Fortuna, Carlos (2012), "In praise of other views: The world of cities and the social sciences". *Iberoamericana*, XII, 45, 137-153.

FORTUNA, Carlos e GOMES, Carina Sousa (2010), "Sobre o uso estratégico da imagem da centenária Universidade de Coimbra". *Tomo*, 16, 11-27.

FORTUNA, Carlos e LEITE, Rogerio Proença (orgs.) (2009), *Plural de cidade: Novos léxicos urbanos*. Coimbra: Almedina.

FORTUNA, Carlos e PEIXOTO, Paulo (2002), "A recriação e reprodução de representações no processo de transformação das paisagens urbanas de algumas cidades portuguesas", in FORTUNA, Carlos e SILVA, Augusto Santos (orgs.), *Projecto e circunstância: Culturas urbanas em Portugal*. Porto: Edições Afrontamento, 17-63.

FORTUNA, Carlos e PEIXOTO, Paulo e GOMES, Carina Sousa (2005), "Processo de recuperação e renovação urbana e social da Baixa de Coimbra". *Construção Magazine*, 13.

GOMES, Carina Sousa (2008), "Imagens e narrativas da Coimbra turística: Entre a cidade real e a cidade (re)imaginada". *Revista Crítica de Ciências Sociais*, 83, 55-78.

GOMES, Carina Sousa (2012), "Novas imagens para velhas cidades? Coimbra, Salamanca e o turismo nas cidades históricas". *Sociologia*, XXIII, 37-49.

GONDIM, Linda (2007), *O Dragão do Mar e a Fortaleza pós-moderna: cultura, patrimônio e imagem da cidade*. São Paulo: Annablume.

HUYSSEN, Andreas (2003), *Present pasts: Urban palimpsests and the politics of memory*. Stanford: Stanford University Press.

HUYSSEN, Andreas (org.) (2008), *Other cities, other worlds. Urban imaginaries in a globalizing age*. Durham e Londres: Duke University Press.

LÉVI-STRAUSS, Claude (1986) [1955], *Tristes trópicos*. Lisboa: Edições 70.

OLDENBURG, Ray (1999), *The great good place: Cafés, coffee shops, bookstores, bars, hair salons and other hangouts at the heart of a community*. Cambridge: Da Capo Press.

PONTE, Rogério Sebastião (1999), *Fortaleza Belle Époque: Reformas urbanas e controle social, 1860-1930*. Fortaleza: Fundação Demócrito Rocha.

RICHARDS, Greg (2001), "The experience industry and the creation of attractions", in RICHARDS, Greg (org.), *Cultural attractions and European Tourism*. Nova Iorque: CABI Publishing, 55-69.

SÁNCHEZ, Fernanda (2010), *A reinvenção das cidades para um mercado mundial*. Chapecó: Argus.

Outras fontes

CAFÉ SANTA CRUZ. Página eletrónica em www.cafesantacruz.com/, s/d.

DGOTDU. Página eletrónica em: http://www.dgotdu.pt/, 2007.

HOTEL QUINTA DAS LÁGRIMAS. Página eletrónica em: www.quintadaslagrimas.pt/, s/d.

JORNAL O POVO, Fundação Demócrito Rocha, 7/2/2009, Fortaleza- Ceará.

TURISMO DE COIMBRA. Página eletrónica em: http://www.turismodecoimbra.pt/, 2008.

PROCESSOS DE PATRIMONIALIZAÇÃO DO FADO E DO SAMBA

Luciana F. Moura Mendonça e *Paula Abreu*

Introdução

A patrimonialização das formas musicais de expressão popular é um fenómeno bastante recente e com significados e amplitudes diversos, dependendo do contexto territorial e simbólico em que se enquadra. De facto, um conjunto de debates de âmbito nacional e internacional, sobretudo na esfera da Organização das Nações Unidas para a Educação, Ciência e Cultura (UNESCO), levou à consolidação da noção de património imaterial, institucionalizada na última década. Ao abrigo desta noção e dos instrumentos de política interna e externa que a partir dela se desenvolveram, os Estados desencadearam um conjunto de movimentos de intervenção sobre manifestações culturais populares, dentre as quais destacamos as expressões musicais, que passaram a ser objeto de atenção através de ações de inventariação, de registo e de planos de salvaguarda.

O fado e o samba, nas suas variantes hegemónicas de fado de Lisboa e samba do Rio de Janeiro, são dois exemplos dessa patrimonialização que permitem estabelecer uma comparação interessante e profícua, explorando o facto de serem casos que se desenvolveram a partir de contextos históricos, políticos, institucionais e culturais distintos, capazes de ilustrar a diversidade de processos e de entendimentos que atravessam a tradução local quer de conceções, quer de instrumentos de política cultural produzidos à escala internacional. Simultaneamente, as duas expressões, fado e samba, partilham traços que os aproximam e tornam pertinente a comparação. Por um lado, são manifestações populares enraizadas em espaços urbanos que proporcionaram os elementos fundamentais para o seu desenvolvimento e, por outro, são géneros musicais que, ao longo do século XX, foram assumindo um caráter de representação identitária de Portugal e do Brasil, respetivamente.

As variantes do género – Fado ou Canção de Coimbra e Samba de Roda do Recôncavo Baiano – não importando a sua maior ou menor antiguidade, restringem-se territorial e simbolicamente a manifestações locais, urbanas ou regionais. O fado de Coimbra tem o seu desenvolvimento intrinsecamente ligado à vida académica da Universidade de Coimbra, a qual, por sua vez, estabelece uma relação metonímica com a cidade. O Samba de Roda da Bahia pode ser considerado a fonte original do samba carioca[1] e está espalhado pelas várias cidades e vilas da região do Recôncavo, incluindo a capital, Salvador. No entanto, e na medida em que Salvador conta já com uma imagem sonora forte, dinamizadora do turismo cultural e da posição da cidade no mercado fonográfico, ligada à chamada *axé music*, a importância da valorização patrimonial do Samba de Roda parece ter mais impacto nas cidades populacional e simbolicamente menos densas do Recôncavo, cumprindo nelas um relevante papel.

Um paralelismo interessante na comparação entre os dois países refere-se ao facto de tanto o Estado Novo português (1933-1974) como o brasileiro (1937-1945) terem instituído alguns ritos celebratórios e intervenções sobre a produção cultural popular, que tiveram um impacto determinante sobre a "invenção das tradições" (na aceção de Hobsbawm, 1984) e na consequente consolidação de uma versão da identidade nacional. Seria pertinente dizer que alguns ecos da política dessas décadas continuaram a atuar como correntes hegemónicas ao longo do século XX. Como afirma Salwa Castelo-Branco (2005: 19), "O revivalismo, a folclorização e a invenção de práticas culturais tidas por tradicionais são fenómenos da modernidade". E, neste sentido, foram formas ativas de (re)elaboração das identidades nacionais e (re)configuração dos Estados-Nação, sobretudo nos finais do século XIX e primeira metade do século XX.

O objetivo do texto é refletir sobre os processos de patrimonialização dos bens culturais imateriais a partir da confrontação específica dos casos do fado e do samba. Tal confronto visa equacionar a forma como, de um e do outro lado do Atlântico, o conceito de património imaterial foi incorporado nas políticas culturais públicas, como ele se relaciona com a tradição política e intelectual de tratamento do património, como ambos os processos se articulam e geram traduções específicas dos instrumentos da política internacional, nomeadamente a *Convenção para a Salvaguarda do Património Cultural Imaterial* (UNESCO, 2003), de modo a ganhar corpo nos disposi-

[1] Vinicius de Moraes cantava: "Porque o samba nasceu lá na Bahia" (Samba da bênção). As origens do samba carioca e a sua relação com a migração de negros baianos para o Rio de Janeiro foram estudadas, entre outros, por Sandroni (2001) e Vianna (1995).

tivos político-institucionais nacionais de reconhecimento, classificação e intervenção que foram elaborados no Brasil e em Portugal.

Neste sentido, começaremos com uma caraterização geral das dimensões jurídico-institucionais do património imaterial ao nível internacional, da UNESCO, e ao nível nacional, no Brasil e em Portugal. Em seguida, discutiremos as singularidades e pontos comuns entre os processos de reconhecimento dessas expressões musicais como património imaterial, quer no âmbito nacional, quer internacional. Finalmente, ensaiaremos uma síntese conclusiva que procura problematizar a forma como, no Brasil e em Portugal, ocorreram os processos de inclusão da noção de património imaterial, quer no campo das políticas culturais públicas e dos seus instrumentos de ação, quer no domínio do campo intelectual das ciências sociais.

O Património Imaterial e a UNESCO

A noção de *património imaterial* ou *intangível* é uma aquisição bastante recente da história das instituições de salvaguarda e promoção da cultura. Qual cultura? Dever-se-ia perguntar. A própria emergência dessa noção aponta para um alargamento da esfera cultural considerada digna de reconhecimento, proteção, perpetuação e divulgação.

O principal instrumento de definição conceptual e atuação prática formulado pela UNESCO é a *Convenção para a Salvaguarda do Património Cultural Imaterial*, adotada em 2003 (UNESCO, 2003). Esta *Convenção* entrou em vigor em 20 de abril de 2006 e define *património imaterial* como:

> ...os usos, representações, expressões, conhecimentos e técnicas – junto com os instrumentos, objetos, artefactos e espaços culturais que lhes são inerentes – que as comunidades, os grupos e em alguns casos os indivíduos reconheçam como parte integrante de seu património cultural.
>
> (UNESCO, 2003, artº 2º; § 1)

Outras caraterísticas são ainda atribuídas ao património imaterial:

a) a de se transmitir de geração em geração;
b) a de ser constantemente recriado pelas comunidades e grupos em função do seu contexto natural e histórico;
c) a sua vinculação a um sentimento de identidade e continuidade, contribuindo para promover o respeito pela diversidade cultural e pela criatividade humana.

Assim caraterizado, o património imaterial manifesta-se em múltiplas formas: nas tradições e expressões orais, incluindo os idiomas, entendidos veículo do património cultural imaterial; nas artes do espetáculo, nos usos sociais, nos rituais e nos atos festivos; em conhecimentos e usos relacionados com a natureza e o universo; e ainda em técnicas artesanais tradicionais (*idem*, artº 2º; § 2).

Entretanto, o processo que levou a esta definição recua até 1966, de acordo com a cronologia da própria UNESCO, com vários debates sobre um património até então inominado, por vezes denominado como folclore, cultura tradicional ou popular. Por ocasião da adoção da Convenção para a Proteção do Património Mundial Cultural e Natural, em 1972, vários Estados membros manifestaram-se a favor da importância da salvaguarda do que depois foi definido como *património imaterial*. Esta expressão parece ter começado a aparecer a partir de 1982, sinalizando a emergência de uma nova noção de *cultura* e de *património cultural*, embora a Recomendação adotada pela Conferência Geral, em 1989, se refira à Salvaguarda da Cultura Tradicional e Popular.

Em 1996, foi publicado pela Comissão Mundial de Cultura e Desenvolvimento o texto "Nossa diversidade criativa", no qual se apontava que a Convenção de 1972 não seria um instrumento apropriado para celebrar e proteger o artesanato e as formas de expressão como as tradições orais, recomendando-se a criação de outros modos de reconhecimento dos patrimónios culturais, capazes de fazerem jus à variedade e riqueza com que estes se apresentam nas mais diversas regiões do mundo.

Ao longo das décadas de 1980 e 1990, um grande número de reuniões e consultas em vários âmbitos (regionais, gerais, intergovernamentais, de especialistas, etc.) geraram avaliações e chegaram à conclusão de que eram necessários novos conceitos e instrumentos de preservação. Em termos práticos, a noção de herança cultural havia sido limitada a uma conceção bastante específica e datada, remetendo para a França do século XVIII e para o conceito de *civilização* que fundou as políticas de património formuladas naquele contexto. No entanto, não se deve esquecer que algumas das principais missões que inspiraram a própria fundação da UNESCO, em 1946, foram as do respeito pela diversidade cultural e o entendimento entre os povos no pós-Segunda Guerra Mundial. Com o tempo, foi-se tornando claro que os instrumentos de intervenção da UNESCO tinham de consagrar formas de integração de uma parte importante da herança cultural humana

– a das culturas tradicionais entendidas como modos de fazer e modos de vida integrais – que durante muito tempo haviam continuado à margem das Convenções consagradas.

De acordo com Aikawa (2004), a partir da década de 1980, começou-se a questionar o desequilíbrio geográfico e simbólico entre as formas de património mundial reconhecidas, fundamentalmente referidas ao património natural e cultural material. Seria ainda necessário encontrar um lugar, uma definição e uma linha de atuação em relação ao património "não físico". Daí a emergência, não repentina, mas fruto do conjunto de prolongados debates, da noção de património imaterial, operacionalizada com o objetivo da efetivação de uma política patrimonial que levasse em conta a totalidade da herança natural e cultural e, desse modo, integrasse uma esfera da experiência humana antes excluída do reconhecimento no âmbito do património mundial.

Na segunda metade da década de 1990, a UNESCO caminhou para ações mais concretas no reconhecimento do que hoje conhecemos como património imaterial. A definição foi passando a incluir também os espaços de realização, celebração e criação das manifestações culturais que deles fazem parte. Ainda em 1997 e 1998, foram empreendidas ações e debates que desembocaram nas Proclamações das Obras-Primas do Património Oral e Imaterial da Humanidade.[2] As Proclamações foram um instrumento com data marcada para terminar: a entrada em vigor da *Convenção para a Salvaguarda do Património Cultural Imaterial.* Aliás, algumas limitações foram identificadas no formato das Proclamações, sobretudo a que dizia respeito à exigência de que as expressões candidatadas se encontrassem em "risco de desaparecimento". Este critério foi determinante para a emissão do parecer negativo relativamente à inclusão naquelas listas de expressões populares tão importantes quanto o flamenco e o tango, cujas candidaturas foram submetidas no processo da III Proclamação, em 2005. Este item deixou de ser vinculativo com a adoção daquela Convenção, que passou a definir duas listas: a das expressões em risco de desaparecimento e a daquelas que, mesmo sem correr esse risco, representam parte importante da diversa herança cultural da humanidade. As expressões culturais incluídas nas listas das

[2] A primeira destas Proclamações ocorreu em 2001, com a inscrição de 19 expressões. Em 2003, teve lugar a segunda Proclamação, incluindo 28 novas obras na lista. O número de obras subiu para 90 em 2005, com a terceira Proclamação (Smeets, 2006).

Obras-Primas do Património Oral e Imaterial da Humanidade foram automaticamente incorporadas na lista do património imaterial da UNESCO.

Património imaterial: Legislação, instituições e discursos dos dois lados do oceano

Comparar a trajetória do património imaterial no Brasil e em Portugal leva-nos a pensar nas diferenças que separam as abordagens dos valores do património, da cultura e da tradição, no contexto dos Estados de um lado e de outro do oceano. De um lado, Portugal, com uma longa história, um património e uma cultura ricos e vastos, mas com uma tradição política que tem privilegiado claramente as formas mais canónicas de património histórico, arquitetónico e artístico, testemunho de momentos "áureos" da sua história, e tem mostrado dificuldades em integrar as tradições culturais de raiz mais popular. De tal forma que, no que diz respeito à incorporação da noção de património imaterial na sua legislação e orgânica institucional, se revelou lento e andar a reboque das dinâmicas internacionais. Do outro lado, o Brasil, país "jovem", que conta com um património histórico clássico comparativa e proporcionalmente menor, aliado a uma imensidão e diversidade de formas culturais populares, desde cedo incorporadas nas políticas e instituições de intervenção e salvaguarda patrimonial e, portanto, transformadas em objeto de institucionalização.

Enquanto a história dos órgãos governamentais e das ações de salvaguarda dos bens culturais no Brasil tem merecido a atenção de diversos investigadores (Fonseca, 2005; Rubino, 1992 e 1996), uma história mais centrada na salvaguarda dos bens imateriais ainda está por escrever. Interessa-nos aqui apenas pontuar alguns momentos importantes para permitir a comparação com o que se tem passado em Portugal, mais especificamente na esfera do património intangível. Muito embora a noção de património imaterial seja mais precisa e abarque expressões culturais que não se podem definir pelo adjetivo "popular",[3] trazendo consigo uma outra visão de cultura e das suas dinâmicas, o trabalho de registo, documentação e valorização das expressões

[3] A relação entre património imaterial e cultura popular tem sido criticamente discutida tanto no âmbito das políticas de salvaguarda quanto no campo académico (ver, por exemplo, Sant'Anna, 2006 e Veloso, 2004). Entretanto, a reflexão em torno dos significados das formas de cultura popular em contextos nacionais específicos é fundamental tendo em vista o seu papel nos processos de construção identitária dos Estados.

culturais populares ou do folclore constituiu-se numa base para a estruturação das políticas patrimoniais atuais.

A reflexão sobre a importância do património imaterial no manancial cultural brasileiro marcou o próprio anteprojeto que norteou a fundação de um órgão federal de proteção do património cultural, elaborado por Mário de Andrade, em 1936, a convite do então Ministro da Educação, Saúde e Cultura, Gustavo Capanema. Embora a definição ampla do património – próxima da noção de cultura em sentido antropológico – presente no anteprojeto não tenha sido incorporada no Decreto-Lei nº 25, de 30 de novembro de 1937, que criou o Serviço de Proteção do Património Histórico e Artístico Nacional (SPHAN),[4] as ideias de Mário de Andrade e o seu importante trabalho de investigação e registo das manifestações culturais populares tiveram continuidade nos debates e nas ações das décadas seguintes.

Em 1947, foi criada, no âmbito do Instituto Brasileiro de Educação, Ciência e Cultura (IBECC), a Comissão Nacional de Folclore (CNF), que, em 1976, deu origem ao Instituto Nacional de Folclore, vinculado à Fundação Nacional de Arte (FUNARTE), posteriormente transformado no Centro Nacional de Folclore e Cultura Popular (CNFCP, 1997) e, finalmente incorporado ao Instituto do Património Histórico e Artístico Nacional (IPHAN) em 2003. Nesses diversos órgãos, acumularam-se um grande número de registos etnográficos, fotográficos e fonográficos do folclore brasileiro.

Nos anos 1970, também foram criadas duas outras importantes estruturas voltadas para o registo, criação de acervos e ações de salvaguarda de expressões da cultura popular: o Centro Nacional de Referências Culturais (CNRC), em 1975; e a Fundação Nacional Pró-Memória (FNpM), em 1979. O CNRC surgiu à margem da burocracia do Estado, por iniciativa de um grupo de professores da Universidade de Brasília (UnB), preocupados em reequacionar a questão da identidade nacional e com a falta de reconhecimento dos produtos culturais brasileiros. Assumiu-se, assim, uma postura investigativa e interdisciplinar (embora com forte inspiração antropológica), colocando em questão os conceitos e práticas utilizados na aborda-

[4] Por não ser o nosso objetivo central neste texto, não trataremos das diversas alterações tanto no organograma como na nomenclatura dos órgãos de cultura e preservação do património adscritos ao governo brasileiro, remetendo para bibliografia já existente. Assinalamos apenas que, em 1946, o SPHAN passa a denominar-se Departamento do Património Histórico e Artístico Nacional, transformando-se, em 1970, em Instituto do Património Histórico e Artístico Nacional (IPHAN) (Fonseca, 2005; Lanna e Rubino, 2012).

gem da cultura popular até aquele momento, tendo realizado, entre outros, um importante trabalho de mapeamento do artesanato brasileiro. O CNRC consolidou-se por meio de diversos convénios com órgãos do Estado, sem que estivesse subordinado a nenhum deles, sob a direção de Aloísio Magalhães. Como afirma Maria Cecília Londres Fonseca,

> (...) se, por um lado, essa autonomia, e até certo ponto, descompromisso, levou a uma dispersão nos trabalhos, que na maior parte foram interrompidos, ou ficaram inconclusos, por outro, foi nesse espaço que se elaboraram os conceitos que, no inicio da década de 1980, fundamentaram a política da Secretaria da Cultura do MEC e que foram incorporados à Constituição Federal de 1988.
>
> (Fonseca, 2005: 145)

A FNpM surge de uma reestruturação administrativa, que a constitui como órgão executivo do IPHAN e passa a ser responsável exclusivamente pelos atos normativos. É de se salientar a importância do conceito de *referência cultural*, que já vinha balizando as políticas federais de registo e salvaguarda dos bens imateriais no âmbito do CNRC e da FNpM. A utilização do conceito implica a consciência da relatividade dos critérios técnicos utilizados para valorizar determinados bens ou expressões, que podem possuir significados especiais para determinados segmentos populacionais. Implica, assim, a consideração da diversidade cultural e do papel do poder público no seu reconhecimento. Refere-se aos sentidos atribuídos a práticas, lugares e objetos no processo de definição das identidades, da construção das memória e das proximidades e distâncias sociais (Arantes, 2010; Fonseca, 2001).

Apesar desta herança, apenas nos anos de 1980 se avançou no sentido de uma política nacional mais sistemática, especificamente dirigida para o património imaterial. Esse passo foi dado, de facto, na Constituição Federal de 1988. Nos artigos nº 215 e nº 216 desta lei fundamental, encontram-se definidos o conceito de património cultural, incluindo bens materiais e imateriais, e as responsabilidades do Estado quanto ao seu registo e salvaguarda. A sua tradução em leis específicas que concretizam os princípios constitucionais viria, contudo, a acontecer apenas na década seguinte.

No final da década de 1990, durante o Governo de Fernando Henrique Cardoso (1995-2002), foram criados a Comissão Interinstitucional para a elaboração da proposta que regulamentaria o Registo do Património Cultural Imaterial e o Grupo de Trabalho do Património Imaterial (GTPI), com funções de assessorar esta comissão. Neste âmbito foi desenvolvida e lançada, no ano 2000, uma metodologia para o registo dos bens imateriais, o Inventário Nacional de Referências Culturais (INRC).

Em 2000, também foram instituídos o Registo de Bens Culturais de Natureza Imaterial e o Programa Nacional de Património Imaterial (PNPI), através do Decreto nº 3.551, de 4 de agosto. O primeiro Registo de um bem cultural imaterial aconteceu em 2002: o Ofício das Paneleiras de Goiabeiras (Vitória, Espírito Santo). De então para cá, cerca de duas dezenas e meia de expressões culturais foram registadas como património imaterial do Brasil.

Desde meados do século XX, o Estado brasileiro tem consolidado uma política de património em diálogo com as políticas internacionais. Em 15 de fevereiro de 2006, ainda antes da entrada em vigor da *Convenção para a Salvaguarda do Património Cultural Imaterial* (20 de abril de 2006), o Governo brasileiro ratificou-a. O texto da *Convenção* foi aprovado pelo Congresso Nacional (Decreto Legislativo nº 22, de 1 de fevereiro de 2006) e promulgado pelo Presidente da República em 12 de abril de 2006 (Decreto nº 5.753), entrando em vigor no Brasil em 1 de junho de 2006. Quanto às relações entre o Brasil e a UNESCO, seria importante destacar que, em vários momentos, representantes brasileiros participaram ativamente nas discussões sobre a salvaguarda dos bens culturais de natureza imaterial, bem como integraram os órgãos que, na UNESCO, acompanham os processos relativos ao património imaterial, nomeadamente o Comité Intergovernamental para a Salvaguarda do Património Imaterial.

Em Portugal, a preocupação com o património como testemunho da herança histórico-cultural do país e da sua identidade manifesta-se há séculos, particularmente desde o século XVIII. No entanto, as preocupações do Estado têm-se concentrado sobretudo no património arquitetónico e artístico. É de 1901 o primeiro Decreto do Ministério das Obras Públicas que estabelece as bases para a classificação dos monumentos nacionais e bens mobiliários de valor. Após a implantação da república, em 1910, os governos republicanos deram continuidade a esta política de proteção patrimonial e, após 1926, durante a vigência do Estado Novo, a mesma orientação política se manteve. Esta linha de ação política estava, contudo, distante a intervenção nos domínios das expressões culturais populares. De facto, tal como Ramos do Ó (1999) e Daniel Melo (2001) defendem e demonstram, embora para o Estado Novo português a cultura popular, principalmente de raiz rural, tenha sido o caldo cultural que enformou o discurso ideológico nacionalista do regime, a intervenção pública neste domínio manifestou-se sobretudo no desenvolvimento de uma política de propaganda nacional e de domesticação e controlo das tradições culturais, levadas a cabo por instituições como o Secretariado da Propaganda Nacional (SPN), o Secretariado Nacional da Informação, Cultura Popular e Turismo (SNI), a Junta Central das Casas do Povo (JCCP) e a Federação Nacional para a Alegria no Trabalho (FNAT), entre outras.

Como resulta evidente, esta intervenção do Estado Novo junto das expressões culturais tradicionais, seja de raiz rural, seja urbana, distingue-se de uma política visando a inventariação, a classificação e a salvaguarda das diversas expressões culturais de caráter não material, vindo a deixar marcas quer no imaginário nacional da cultura popular, quer na forma como intelectuais e políticos encararam a problemática da cultura popular no pós-25 de Abril.

Após a instauração da democracia, em 1974, seguiram-se tempos de turbulência política que tiveram consequências na definição da arquitetura dos serviços públicos. Assim, só em 1980 é criado o Instituto Português do Património Cultural, uma instituição vocacionada para a intervenção sobre o património, sobretudo imóvel e móvel, mas que acumulava uma multiplicidade de outras funções. Tinha a seu cargo os museus, as bibliotecas e os arquivos dependentes da Secretaria de Estado da Cultura.

Mais tarde, em 1985, viria a ser publicada a primeira Lei de Bases do Património Cultural Português (Lei nº 13/85, de 6 de julho). Esta lei não chegou a ser regulamentada, pelo que a sua aplicação foi muito limitada. Nela se consagrava a noção de bens imateriais como elementos constituintes do património cultural português. No entanto, todo o desenvolvimento da lei revela claramente a importância atribuída aos bens culturais materiais e o caráter secundário atribuído aos bens imateriais. Os primeiros são objeto de uma definição mais concreta, bem como de identificação das entidades que podem desencadear a sua classificação, da enunciação dos processos de classificação, das responsabilidades e dos limites impostos pela classificação, etc. No caso dos bens imateriais, apenas os deveres do Estado com vista à sua proteção são enunciados,[5] sem qualquer outra especificação e operaciona-

[5] Estes deveres relacionam-se com a promoção e defesa dos valores culturais, identidade, memória coletiva e língua portuguesas, bem como à proteção, conservação, revitalização e registo das tradições culturais populares.

lização em processos ou instituições. Neste contexto, e sem que a lei tenha sido objeto da regulamentação que especifique a sua aplicação, a inclusão da noção de bens imateriais não passou de uma operação de retórica.

Aliás, apesar da lei aprovada, a política do património continuaria a ser relativamente errante, até porque, até ao final da década de 1980, o Instituto Português do Património Cultural (IPPC) acumulava todas as competências de coordenação e intervenção da política cultural no domínio do património (museus, arquivos, bibliotecas). Esta situação começou a mudar em 1987, com a passagem da responsabilidade sobre os arquivos bibliográficos para a tutela do Instituto Português do Livro e da Leitura e, em 1988, com a constituição do Instituto Português de Arquivos.

Na sequência deste processo, o Instituto Português do Património Cultural é reestruturado com o objetivo de "reconverter, redimensionar e racionalizar os serviços, de modo que a estrutura administrativa e técnica do IPPC corresponda melhor às grandes áreas do património cultural" (preâmbulo do Decreto-Lei nº. 216/90, de 3 de junho de 1990). Esta reestruturação envolve uma redefinição da categoria política de património cultural, agora considerado como sendo constituído por bens imóveis, móveis e imateriais (artigos 2º e 3º do Decreto-Lei acima mencionado). A incorporação dos bens imateriais não se traduz, contudo, numa autonomização de serviços no seio do próprio IPPC. Estes ficam adstritos ao Departamento de Museus, Património Móvel e Imaterial (art. 12º, alínca c, do mesmo Decreto-Lei). A alteração foi, aliás, de pouca duração. Em 1992, o IPPC deu lugar ao Instituto do Património Arquitetónico e Arqueológico, cujas competências se afunilaram de novo em torno dos bens patrimoniais de caráter arquitetónico e arqueológico. Não obstante, como se pode observar, não surge qualquer instituição dedicada ao património cultural imaterial. Existe sim um museu nacional associado a esse tipo de património: o Museu de Etnologia, criado em 1989 para aglutinar outros museus anteriormente existentes, como o Museu da Arte Popular e o Museu de Etnologia dependente do Instituto de Investigação Científico e Tropical. Mas as suas funções museológicas não podem ser confundidas com as funções de inventariação, classificação e vigilância atribuídas ao Instituto do Património Arquitetónico e Arqueológico.

Em 1997, após a formação do primeiro Ministério da Cultura e a publicação da sua respetiva lei orgânica, sucede-se ainda uma maior diferenciação das instituições com responsabilidades de intervenção no domínio do património, nomeadamente com a autonomização do Instituto do Património

Arqueológico relativamente ao Instituto do Património Arquitetónico. Mas mais uma vez, não surge qualquer instituição dedicada ao trabalho sobre património imaterial, para além do Museu de Etnologia e de dois novos museus – Museu da Música e Museu da Arte Popular – sob a tutela do Instituto Português de Museus.

É neste contexto de diferenciação e especialização institucional de áreas diversas do património cultural que surge, em 2001, a nova Lei de Bases do Património: Lei nº 107/2001, de 8 de setembro. A nova lei introduz um conceito simultaneamente mais amplo e mais específico de património cultural porque, por um lado, passa a abranger todos os bens materiais e imateriais "portadores de interesse cultural relevante" e, por outro, se especificam os valores — "memória, antiguidade, autenticidade, originalidade, raridade, singularidade ou exemplaridade" — que definem a relevância dos bens. Entre os bens imateriais mencionados, a língua e a cultura popular tradicional aparecem com destaque.

O desenvolvimento da lei é, contudo, testemunho de uma clara diferenciação de valor e atenção entre as diferentes formas de património cultural considerado: aquele que recebe maior atenção relativamente às disposições previstas na lei é ainda o património material. Os patrimónios arqueológico, arquivístico e bibliográfico são também objeto de considerável atenção, logo seguidos do património audiovisual e fotográfico. O património fonográfico e o património dos bens imateriais são aqueles relativamente aos quais a lei é mais vaga e incompleta por não contemplar os critérios específicos da sua proteção ou da sua conservação.[6]

O artigo nº 92 da Lei define, ainda, uma hierarquia de deveres das entidades públicas que parece atribuir ao Estado central e aos governos das Regiões Autónomas um papel supletivo na proteção do património imaterial, quando comparado com o que é atribuído às Câmaras Municipais. A estas cabe diretamente a missão de "promover e apoiar o conhecimento, a defesa

[6] Nas atas do Colóquio *Museus e Património Imaterial: agentes, fronteiras, identidades*, promovido pelo DPI do IMC, em 2009, Salwa Castelo-Branco expõe de forma clara o que representa a ausência de um arquivo sonoro em Portugal para a conservação e divulgação do património sonoro e, em particular, do património musical do país. Deste fazem parte as expressões musicais populares que foram sendo registadas quer pela ação de algumas figuras importantes da etnologia e etnografia portuguesa, quer pela atividade da indústria fonográfica (Castelo--Branco, 2009).

e a valorização dos bens imateriais mais representativos das comunidades respetivas, incluindo os próprios das minorias étnicas que as integram".

Em 2006, dez anos após a sua criação, assistiu-se a uma reestruturação orgânica do Ministério da Cultura que conduziu a um emagrecimento das instituições do Estado Central no domínio da cultura. A nova lei orgânica deste Ministério (Decreto-Lei nº 215/2006) define como uma das suas atribuições "salvaguardar e promover o património cultural imóvel, móvel e imaterial, promovendo a sua classificação e inventariação;" (alínea *a)* do artº nº 2, do Decreto-Lei acima referido). Do ponto de vista orgânico, as responsabilidades sobre o património arquitetónico (imóvel) e o património móvel e imaterial são atribuídas a diferentes institutos, clarificando-se, assim, a distinção entre eles e contornando-se a subalternização dos últimos em relação ao primeiro. O Instituto de Gestão do Património Arquitetónico e Arqueológico (IGESPAR) é, desde então, o responsável pelo clássico património imóvel, enquanto ao Instituto dos Museus e da Conservação (IMC) foi adstrita a responsabilidade pelo património móvel e imaterial. Em 2007, a publicação dos estatutos do IMC (Portaria nº 377/2007, de 30 de março) clarificou a sua estrutura interna e definiu a constituição de um departamento responsável pelo património imaterial, autónomo dos departamentos responsáveis pelos museus e pelo património móvel.

A partir de então, o Estado português, através do Departamento de Património Imaterial do IMC, inicia o desenvolvimento dos dispositivos legais, organizacionais e técnicos necessários à implementação de uma política ativa de intervenção nos domínios do património imaterial, nomeadamente, aqueles que visam concretizar os compromissos assumidos aquando da ratificação da *Convenção para a Salvaguarda do Património Cultural Imaterial*, aprovada na Assembleia da República em 24 de janeiro de 2008 (Resolução AR nº 12/2008) e publicada em Diário da República, através de um Decreto do Presidente da República (nº 28/2008), em 26 de março do mesmo ano.

Na sequência desse trabalho, é publicado, em 2009, o Decreto-Lei que estabelece o regime jurídico de salvaguarda do património cultural imaterial e institui a Comissão para o Património Cultural Imaterial, órgão independente com funções deliberativas no que diz respeito à inscrição de expressões culturais no Inventário Nacional do Património Imaterial e competências consultivas relativas a componentes específicas da política de Património Imaterial (Decreto-Lei nº 139/2009, de 15 de junho). Em 2010 é publicada a Portaria que regulamenta o Decreto-Lei nº 139/2009

(Portaria nº 196/2010, de 9 de abril), aprovando o formulário para pedido de inventariação de uma manifestação de património cultural imaterial, bem como as normas de preenchimento da ficha de inventário, e é constituída a Comissão para o Património Imaterial. Ainda nesse ano, é disponibilizada uma aplicação informática (Matriz 3.0), concebida pelo IMC através do seu Departamento de Património Imaterial e desenvolvida em cooperação com uma empresa especializada, que, segundo os relatórios de atividades de 2009 e 2010 do DPI (IMC),[7] se constitui como uma ferramenta indispensável para o inventário, gestão e disponibilização online do Património Cultural Móvel.

Em inícios de 2012, apenas se encontrava registado no Inventário Nacional do Património Imaterial uma expressão cultural: a Capeia Arraiana. Esta descrição permite perceber como só muito recentemente a legislação portuguesa consagra os bens culturais imateriais como parte do património cultural do país e, por isso, a inventariação de bens imateriais relevantes é ainda incipiente.

Em suma, a análise dos processos institucionais que a nível internacional, da UNESCO, e a nível nacional, do Brasil e de Portugal, conduziram à formulação da noção de património imaterial e à sua incorporação nos instrumentos de política cultural internacional e nacionais, merecem-nos duas observações principais. A primeira diz respeito à dificuldade, espelhada no tempo necessário à formulação da noção e da categoria classificatória de património imaterial, enfrentada em todos os âmbitos, de encontrar um entendimento comum sobre a forma de enquadrar na noção de património um conjunto de manifestações culturais diversas e heterogéneas, de raiz popular ou tradicional, não codificadas academicamente e caraterizadas pela fluidez dos seus modos de ser e de fazer. Esta dificuldade decorre, por um lado, da hegemonia da conceção de património como conjunto de testemunhos materiais, imóveis ou móveis, classicamente associados a expressões culturais e artísticas da grande cultura, ou na expressão anglo-saxónica, da alta cultura ocidental; e, concomitantemente, da desigual relação de forças na arena política internacional, entre países ocidentais e não ocidentais, países do Norte e países do Sul.

[7] Os relatórios de atividades do Departamento de Património Imaterial do IMC encontram-se disponíveis em http://www.matrizpci.imc-ip.pt/MatrizPCI.Web/Recursos/RecursosUtilitariosListar.aspx?TipoUtilitario=3.

A segunda observação diz respeito à forma como os dois países enquadrados, um no espaço do Norte e outro no espaço do Sul, traduzem, na história das suas políticas culturais, essa *décalage* de entendimentos, e a consequente menor ou maior abertura à integração do que hoje chamamos formas de património imaterial, tanto no campo das suas políticas públicas de intervenção sobre o património, como no universo semântico das políticas culturais e, como veremos adiante, no campo conceptual das ciências sociais a elas associadas.

Processos de patrimonialização do fado e do samba

Como pretendemos deixar claro, o quadro jurídico-institucional que se desenhou anteriormente teve um papel fundamental para a conformação dos caminhos que não apenas conduziram o fado e o samba a serem objeto de políticas patrimoniais, mas também imprimiram caraterísticas específicas a cada um dos processos. As mudanças político-institucionais recentes, tanto no Brasil como em Portugal, em consequência das quais bens, expressões ou lugares passaram a ser dignos de reconhecimento são, ao mesmo tempo, fruto de modificações internas e externas. No caso do Brasil, o processo de reconhecimento dos patrimónios imateriais esteve latente durante várias décadas e começou a ganhar relevo a partir da década de 70 do século XX, para, finalmente, se assumir como uma política consistente nos anos 2000. No caso de Portugal, o peso e a importância da conceção de património entendido como universo de bens tangíveis, imóveis ou móveis, tanto no plano político-institucional quanto no plano académico e da investigação, tornou o processo de assimilação do conceito de património imaterial bem mais lento e também polémico. Disso são testemunho alguns debates públicos, nomeadamente o que está registado na publicação organizada por Manuel João Ramos (2003), na qual ressaltam dois aspetos: o orgulho em relação ao pioneirismo português quanto à preservação dos patrimónios tangíveis e o questionamento da pertinência da definição de fronteiras entre o material e o imaterial na conceção do património.

Quanto ao segundo aspeto, é necessário ressaltar que a noção de património imaterial também tem sido debatida de forma crítica por estudiosos no Brasil, mas a discussão intelectual tem, ao mesmo tempo, valorizado as iniciativas concretas de reconhecimento dos patrimónios intangíveis, com um forte envolvimento das instituições universitárias numa grande número de processos. Aliás, também em Portugal, como se verá, o papel da universidade é relevante na produção e organização de conhecimentos que dão sustentação às candidaturas e registos.

Duas das similitudes mais evidentes entre os dois casos dizem respeito, por um lado, à publicitação e, por outro, ao significado das expressões em cada contexto. Em primeiro lugar, ambas as iniciativas de reconhecimento, do fado e do samba, ganharam notoriedade a partir de notícias veiculadas nos meios da comunicação social impressa, envolvendo decisões ou declarações de figuras políticas importantes. Em segundo lugar, em ambos os casos houve o desejo expresso do reconhecimento internacional de expressões musicais entendidas como emblemáticas da identidade nacional de cada um dos países.

No caso do samba, a imprensa divulgou que o então Ministro da Cultura, Gilberto Gil, havia decidido candidatar o samba a património cultural imaterial da humanidade (*Folha Online*, 2004; *O Estado de S. Paulo*, 2004). Tal decisão resultou de uma reunião, realizada no final de março de 2004, com o diretor do IPHAN à época, o antropólogo António Augusto Arantes, e alguns assessores técnicos, como reação à abertura da III Proclamação das Obras Primas do Património Oral e Imaterial da Humanidade pela UNESCO. O ministro evitou proferir declarações, mas o diretor do IPHAN defendeu a candidatura, reafirmando o lugar do samba como expressão própria da especificidade cultural brasileira.

Quanto ao fado, o então presidente da Câmara Municipal de Lisboa (CML), Pedro Santana Lopes, declarou à imprensa que tencionava propor a candidatura do fado como património mundial a ser reconhecido pela UNESCO e que submeteria a proposta para aprovação na CML. A imprensa menciona, ainda, que o autarca teria defendido a candidatura considerando o fado como "símbolo máximo" da expressão cultural lisboeta e portuguesa (*Correio da Manhã*, 2004).

No entanto, embora a mobilização, no discurso público, do valor simbólico de expressões musicais populares icónicas da identidade nacional para fins de reconhecimento internacional tenha sido semelhante, a materialização dessas ideias foi bem diversa.

No caso do samba, a intenção de lançar a sua candidatura para inclusão na lista da III Proclamação das Obras Primas do Património Oral e Imaterial da UNESCO foi de imediato comunicada a esta instituição, através de solicitação de financiamento para a produção do dossiê de candidatura. A resposta da UNESCO foi ambígua. Ao mesmo tempo em que aprovava o financiamento, reconhecendo a importância do samba como expressão da identidade nacional brasileira, alertava para o facto de que as Proclamações privilegiavam expressões em "risco de desaparecimento" e recomendava que se considerasse a candidatura de outra expressão do vasto manancial do património imaterial brasileiro (Sandroni, 2005).

Perante essa resposta, foram mobilizados os técnicos do Departamento de Património Imaterial do IPHAN e consultores externos – professores universitários que são, também, investigadores de expressões musicais populares. Estes, ao refletirem de forma conjunta acerca da adequação entre as possíveis candidaturas e os requisitos da Proclamação, elencaram uma série de expressões musicais populares. Antes de avançar com a candidatura começou-se, portanto, a pensar numa alternativa que estivesse enquadrada na mesma matriz cultural afro-brasileira, caraterística do samba. Esse enfoque é não só um sinal da valorização da identidade negra, fruto de diversas lutas pela igualdade, como também representa um empenho ativo do Ministro da Cultura em promovê-lo (Alencar, 2005).

Dentre as várias possibilidades existentes, que incluíam diversas expressões com origem nas danças de umbigada e músicas das senzalas brasileiras, optou-se pela candidatura do Samba de Roda do Recôncavo Baiano. Em favor dessa decisão, pesaram algumas considerações. Em primeiro lugar, o Samba de Roda está enraizado em comunidades depauperadas da região e corria risco de desaparecimento, sobretudo o machete, viola típica desta expressão, cujo único construtor conhecido teria falecido em 1982. Em segundo lugar, como apontamos acima, o samba baiano estaria na própria origem do samba carioca (dito brasileiro). Em terceiro lugar, havia investigação consolidada sobre o género, o que permitiria o rápido desenvolvimento do dossiê da candidatura. Em outubro do mesmo ano (2004), o Samba de Roda foi registado como património imaterial brasileiro e, logo em seguida, inscrito como candidato para a III Proclamação das Obras Primas do Património Oral e Imaterial da Humanidade. Como sabemos, a candidatura foi bem sucedida.

O dossiê foi desenvolvido por uma equipa científica que, na quase totalidade, já possuía um envolvimento anterior com a pesquisa sobre o terreno do Samba de Roda, e foi coordenada pelo etnomusicólogo Carlos Sandroni, sob supervisão do Departamento de Património Imaterial (DPI) do IPHAN. Foram utilizados os instrumentos de inventariação já testados em outros casos, consolidadas no INRC, mas a recolha de material foi bastante enriquecida pela experiência etnográfica dos investigadores, tendo sido produzidos registos fonográficos e em vídeo dessa expressão, ainda pouco documentada. Graças aos saberes anteriormente acumulados, foi possível elaborar o dossiê de candidatura em cerca de três meses.

Uma parte sensível do dossiê foi a elaboração do plano de salvaguarda dentro do período de tempo disponível. Quase nas vésperas da entrega do dossiê, em setembro de 2004, a equipa de investigação conseguiu reunir cerca de setenta sambadores e sambadeiras, de vinte municípios da região do Recôncavo, para a discussão conjunta do plano. As opiniões e necessidades desses agentes populares foram levadas em conta na sua elaboração, sendo o resultado um plano de salvaguarda participado, mas pouco preciso quanto aos seus desdobramentos. No entanto, quatro eixos de ação foram definidos: organização, transmissão, difusão e documentação. Posteriormente, já com o plano de salvaguarda em fase de implementação, foram organizadas diversas reuniões com apoio do IPHAN, das quais resultou o primeiro passo para a sua organização: a criação da Associação dos Sambadores e Sambadeiras do Estado da Bahia (Sandroni, 2010).[8]

No caso do fado, entre a declaração inicial de Pedro Santana Lopes e a efetivação da candidatura, decorreram sete anos. Esse tempo permitiu que a candidatura do fado tenha sido apresentada em condições distintas das que orientaram a candidatura do samba. Isto é, ao abrigo da *Convenção para a Salvaguarda do Património Cultural Imaterial*, cuja versão final admitia expressões culturais que não estivessem em perigo de extinção.

A elaboração do dossiê de candidatura do fado começou em 2005. E, na ausência de um órgão específico do Estado que, à época, assumisse a coordenação geral da candidatura, essa responsabilidade ficou, oficialmente, a cargo da Câmara Municipal de Lisboa (CML). Os braços da CML para o desenvolvimento da candidatura foram a Empresa de Gestão de Equipamentos e Animação Cultural (EGEAC), que, através do Museu do Fado, constituiu uma parceria com Instituto de Etnomusicologia da Universidade Nova de Lisboa (INET-UNL). A partir desta instituição constituiu-se a comissão científica que supervisionaria o processo de elaboração da can-

[8] Mesmo não tendo seguido como candidato para a UNESCO, houve um incentivo à produção de um dossiê sobre as Matrizes do Samba do Rio de Janeiro – partido-alto, samba de terreiro e samba-enredo – que teve como proponente o Centro Cultural Cartola. Este trabalho não só teve o apoio técnico e financeiro, como foi acolhido pelo IPHAN de modo a ser alçado oficialmente à categoria de património imaterial brasileiro, em 2007.

didatura, composta por Rui Vieira Nery (Presidente da Comissão e membro do INET-MD), Salwa Castelo-Branco (INET-MD) e Sara Pereira (EGEAC/ diretora do Museu do Fado).

De acordo com Pedro Felix, investigador que integrou a comissão executiva do dossiê, foi privilegiada, num primeiro momento, a organização dos acervos iconográficos e fonográficos sobre o fado. Entre outros resultados deste imenso trabalho de reunião de acervos e de classificação, o INET disponibilizou online uma base de dados dos "Fonogramas Históricos (78 rpm) de Fado e Outros Géneros de Música Popular".[9] Numa segunda fase, foram recolhidos depoimentos de diversos fadistas. O trabalho de recolha foi bastante extenso e incluiu outros elementos, nomeadamente outros projetos de pesquisa e publicações do INET, que integraram a candidatura do fado, sendo difícil fazer jus à amplitude e complexidade do dossiê (CML/EGEAC/MUSEU DO FADO, 2011).

Do ponto de vista político, a candidatura do fado recebeu todo o apoio, tendo sido aprovada por unanimidade pela CML no dia 12 de maio de 2010 e apresentada publicamente na Assembleia Municipal, a 1 de junho, tendo sido aclamada por todos os partidos políticos. Em junho de 2010, foi formalizada junto da Comissão Nacional da UNESCO e em julho do mesmo ano recebeu a aprovação pela Assembleia da República. Em agosto, foi apresentada na sede da UNESCO. O fado foi integrado à Lista Representativa do Património Imaterial da Humanidade em novembro de 2011, tendo o dossiê de candidatura merecido elogios por parte de vários Estados com assento na Assembleia Geral da UNESCO.

O plano de salvaguarda do fado também foi posto em marcha antes da aprovação da candidatura pela UNESCO. Pode-se considerar que a própria produção do dossiê, no que toca a organização de acervos de várias naturezas, de publicações e a realização de documentários já faz parte do que se deveria desenvolver a partir do plano. Outras atividades previstas no plano são uma continuidade do que já vem sendo realizado pelo Museu do Fado, como a escola de fado no Museu, com o ensino de guitarra portuguesa, viola de fado, seminários de poesia e ateliê de canto; ou mesmo a realização de exposições, workshops, debates e tertúlias, que contam sempre com apreciável afluxo de público.

[9] Disponível em http://www.fcsh.unl.pt/inet/basesdedados/fonogramas/pagina.html.

Uma diferença a apontar entre a candidatura do fado e a do samba de roda diz respeito aos próprios processos de pesquisa que estiveram na base da produção dos dossiês de candidatura. No caso do fado, foi privilegiada a pesquisa documental e o tratamento de arquivos, complementada pela recolha de depoimentos de protagonistas do meio fadista. No caso do samba, a ênfase foi colocada sobre trabalho etnográfico, dando continuidade à pesquisa pré-existente.

Parecem existir duas ordens de razões subjacentes a estas diferenças. Por um lado, o diferente estatuto em que o samba e o fado se candidataram ao reconhecimento internacional, concedido pela UNESCO. No caso do samba de roda do Recôncavo Baiano, este foi escolhido como uma expressão a candidatar às ainda Proclamações das Obras Primas do Património Oral e Imaterial da Humanidade e, portanto, antes da redefinição das condições previstas pela *Convenção* de 2003. Por essa razão, foi selecionado de acordo com o requisito de ser uma expressão cultural considerada em perigo de extinção, caraterizada pela sua matriz de transmissão eminentemente oral. Embora o anúncio da intenção de candidatar o fado a património imaterial da humanidade tenha acontecido ainda antes da entrada em vigor da *Convenção para a Salvaguarda do Património Cultural Imaterial*, o início do processo de elaboração do dossiê de candidatura surgiu às portas dessa entrada em vigor, obedecendo, por isso, aos novos princípios definidos pela referida *Convenção*. Neste caso, o estatuto de expressão em vias de extinção já não era condição necessária para o acolhimento por parte da UNESCO e só por isso o fado pôde, efetivamente, ser proposto para reconhecimento no âmbito da *Convenção para a Salvaguarda do Património Cultural Imaterial*. A diferença entre as duas expressões culturais é, assim, bastante acentuada e explica as diferenças no trabalho de pesquisa que foi necessário desenvolver para sustentar as respetivas candidaturas à UNESCO. No caso do fado, o peso dos acervos documentais, fonográficos, iconográficos e de partituras acumulados era muito grande, comparativamente com o conjunto das fontes de informação que (não) estavam disponíveis para o do samba de roda.

Uma segunda ordem de razões parece remeter para as diferentes tradições de investigação sobre o património, no Brasil e em Portugal, sendo a ênfase antropológica muito maior no caso brasileiro, enquanto, no caso português, a vertente histórico-museológica se encontra mais enfatizada. Tal diferença é visível nas instituições que lideraram os processos de elaboração de candidatura, de um e do outro lado do oceano, bem como na composição das respetivas comissões científicas. No caso do Brasil, e do samba de roda, essa liderança coube ao IPHAN, então dirigido por um antropólogo, enquanto em Portugal, a instituição diretamente responsável pelo processo do fado foi a Câmara Municipal de Lisboa, através de um museu – o Museu do Fado – e da sua diretora, historiadora de arte de formação. As equipas que conduziram o trabalho de pesquisa foram, também elas, dirigidas por investigadores de formação aparentemente próxima, mas de fundo diverso: no Brasil, Carlos Sandroni, doutorado em musicologia, mas com formação superior de base em sociologia; em Portugal, Rui Vieira Nery, também doutorado em musicologia, mas com uma formação superior de base em história. Elementos sintomáticos de duas tradições distintas de articulação entre as políticas e as instituições associadas ao património e os saberes académicos, bem como as suas tradições de investigação.

Estas diferenças têm os seus reflexos nos planos de salvaguarda, como se expressam formalmente nos dossiês de candidatura e nos seus desdobramentos concretos.[10] As abordagens de cada uma das expressões musicais, nos respetivos países, traduzem, de alguma maneira, a ênfase etnográfica e de transmissão oral, no caso do samba, e a uma ênfase em mecanismos de transmissão mais formais, no caso do fado, lançando mão de instituições como museus, institutos e escolas. Este facto encontra-se necessariamente associado ao estatuto das duas expressões musicais. O fado, ainda antes do seu reconhecimento como património imaterial da humanidade, constituía-se como uma expressão musical viva e consagrada. Não só se tem vindo a (re)criar continuamente do ponto de vista performativo, tanto como parte da vida quotidiana de alguns dos bairros mais típicos de Lisboa, como parte da oferta cultural e turística da cidade, como tem sido amplamente registado e divulgado pela indústria fonográfica, desde o início do século XX (Nery, 2004). O samba de roda, por sua vez, necessitava de uma série de ações que permitissem a organização de um conjunto disperso de participantes e a expansão de sua visibilidade. A criação da Associação de Sambadeiras e Sambadores do Estado da Bahia (Asseba), em abril de 2005,

[10] Neste momento, não seria possível avaliar o impacto dos planos de salvaguarda em perspetiva comparativa, sobretudo pelo facto de o seu desenvolvimento, posto em marcha a partir de 2010 e ainda em curso, ser muito recente, no caso do fado. Quanto ao samba de roda, cujo plano de salvaguarda inicialmente proposto para a UNESCO terminaria em 2009, começam a surgir algumas avaliações realizadas por investigadores envolvidos no processo, como é o caso de Sandroni (2010).

garantiu a estrutura organizativa básica para que as comunidades se articulassem. Mais tarde, definiu-se que a sua sede, a Casa do Samba, ocuparia um imóvel tombado pelo IPHAN, a Mansão do Subaé, em Santo Amaro da Purificação, um dos principais municípios do Recôncavo. Paralelamente, algumas gravações e concertos foram realizados e a documentação associada à expressão reunida.

Um ponto em comum, é que ambos os dossiês apontam para a necessidade da expansão da investigação para além da área geográfica onde a expressão é mais forte, o Recôncavo Baiano e Lisboa, respetivamente.

Síntese conclusiva

Para finalizar gostaríamos de ressaltar o facto de, neste texto, o nosso principal objetivo ser o de abrir uma discussão, em perspetiva comparada, acerca da forma como se estabeleceu a noção de património imaterial como categoria política e institucional, mobilizando para tal os exemplos de duas expressões culturais – o samba de roda e o fado – que foram objeto de ação dessa mesma categoria, dos seus pressupostos e dos respetivos dispositivos de ação política dos Estados brasileiro e português.

Gostaríamos ainda de tecer duas considerações gerais acerca da instituição da noção de património imaterial. A primeira diz respeito à relação entre as políticas de património e as disciplinas académicas. Parece ser claro que a formulação da noção de património, seja imaterial, seja material (imóvel ou móvel), como categoria político-institucional resultou não apenas de intenções políticas, mas da influência e do contributo de saberes disciplinares concretos. Desse ponto de vista, os contextos português e brasileiro são bastante distintos. Em Portugal, a noção de património é particularmente tributária de uma noção de cultura que remete claramente para a tradição francófona, que atribui particular valor às expressões da grande cultura e das obras de civilização, contando com uma importante influência de disciplinas como a história e, em particular, a história de arte, e a arquitetura. No Brasil, embora a presença dessa influência seja clara, desde cedo se observa um movimento de crítica que obriga a incorporar nas políticas do Estado uma clara referência a expressões culturais que não cabem na tradição da alta cultura europeia ocidental e que assumem uma importância fundamental para a construção de uma noção de identidade e de cultura nacional. Para esse reconhecimento contribui, em muito, a importância da antropologia como disciplina académica e a sua avultada produção intelectual neste domínio.

A segunda consideração diz exatamente respeito à diferente configuração do campo da antropologia em cada um dos países. Ao comparar as tradições antropológicas em Espanha, Portugal e Brasil, Motta (2010) ressalta a forma como nos três países a antropologia se constituiu voltada para dentro de seus próprios territórios, para a sua alteridade interna e para a tentativa de articular uma resposta acerca da identidade nacional. Nos dois casos que nos interessam mais especificamente, procurando compreender as raízes rurais, em Portugal, e a diversidade étnica, no caso do Brasil. Em Portugal, a tardia institucionalização académica da antropologia cultural (posterior ao 25 de Abril de 1974) e as contingências políticas de associação entre uma importante parte da tradição etnográfica e o regime do Estado Novo, criaram condições para que, nas últimas três décadas, o estudo e a reflexão sobre as expressões da cultura popular, sobretudo nas cidades, tenham sido marginalizados. No Brasil, onde a institucionalização da disciplina ocorre a partir dos anos 30 do século XX, uma maior diversificação temática (incluindo as pesquisas com populações urbanas) e um comprometimento ético e político com as populações investigadas já começa a surgir no final dos anos 1960, mesmo ainda durante a ditadura militar (1964-1985).

O destaque relativamente ao lugar da antropologia neste contexto não é fortuito. Como aponta Leal (2009), os âmbitos culturais hoje abarcados pelas políticas patrimoniais sob a noção de património imaterial constituem-se em objetos tradicionais da disciplina antropológica em geral e também em Portugal, traçando uma longa trajetória acerca da antropologia portuguesa e suas fases.

João Leal chega a afirmar categoricamente que "o património cultural imaterial é uma criação da etnografia e da antropologia" (*idem*, 290). No entanto, preferimos argumentar, como faz Arantes (2010), que este património se constitui na interface e no jogo contraditório entre as políticas patrimoniais, por um lado, e as comunidades e suas formas de expressão e de "saber fazer", que fazem parte da memória e do quotidiano desses grupos mas que, por si mesmas, não são património.

O balanço do processo que cruza a ação das categorias analíticas das ciências sociais, das categorias político-institucionais e os modos de ser e de fazer aglutinados pelas expressões culturais concretas está ainda por fazer e exige uma análise que acompanhe os desenvolvimentos posteriores ao reconhecimento e à consagração de múltiplas expressões culturais como património imaterial da humanidade ou património imaterial de um país ou estado. Essa avaliação terá de ser necessariamente distinta quando consideramos a consagração nacional e a consagração internacional e, neste último plano, as expressões que são consagradas como expressões correndo perigo de desaparecimento, como é o caso do samba de roda, e aquelas que são expressões vivas e pujantes, como é o caso do fado. Relativamente às primeiras, é importante interrogarmo-nos sobre as dinâmicas que os planos de salvaguarda introduzem não apenas na sobrevivência dessas expressões, mas na sua própria (re)configuração como tal. Podem essas dinâmicas ser encaradas como dispositivos através dos quais operam processos de destracionalização, no sentido em que Carlos Fortuna (1997) os descreve quando fala das cidades e, em particular, das cidades que foram objeto de patrimonialização? A análise que Carlos Sandroni apresentou recentemente (Sandroni, 2010) faz antever o desenvolvimento de processos que abrem para essa destradicionalização, nomeadamente, os mecanismo de registo e divulgação do samba de roda, como a sua gravação em CD e a difusão de alguns dos seus intérpretes pelos circuitos performativos. No caso das segundas, apesar da primeira discussão ser importante, vale a pena questionar a importância da economia simbólica que envolve estes processos e de que fala Paulo Peixoto (1997). De facto, pelo menos no caso do fado de Lisboa, a campanha promovida pela Câmara Municipal de Lisboa na sequência do reconhecimento do fado como património imaterial da humanidade, em novembro último, e toda a dinâmica promocional gerada em torno desta, apontam necessariamente para uma aposta que investe fortemente nos efeitos simbólicos desta classificação e nas externalidades que os mesmos podem trazer ao país, à cidade de Lisboa e à comunidade dos artistas mais ou menos consagrados.

Estes e outros efeitos, intencionais ou imprevistos, estão ainda por analisar e discutir de forma sistemática, de um lado e do outro do Atlântico. Em aberto está, portanto, uma ampla agenda de investigação.

Referências Bibliográficas

AIKAWA, Noriko (2004), "An historical overview of the preparation of the UNESCO International Convention for the Safeguarding of the Intangible Cultural Heritage". *Museum International,* 56 (1-2), 137-149. Disponível em http://www.depts.ttu.edu/museumttu/CFASWebsite/5323%20folder/brief_safeguarding_UNESCO_Aikawa%202004.pdf. (Consultado em 20 de dezembro de 2011).

ALENCAR, Rívia Ryker Bandeira de (2005), *Será que dá samba? Mudança, Gilberto Gil e património imaterial no Ministério da Cultura.* Brasília: UNB. Tese de doutoramento.

ARANTES, Antônio Augusto (2010), "A salvaguarda do patrimônio imaterial no Brasil", in ESPINA BARRIO, Angel; MOTTA, Antonio e GOMES, Mario Helio (orgs.), *Inovação cultural, patrimônio e educação.* Recife: Fundação Joaquim Nabuco/ Editora Massangana, v. 1, 52-63.

CASTELO-BRANCO, Salwa El-Shawan (2005), "Cantar a terra: representações da portugalidade". *Anais do II Encontro Nacional de Etnomusicologia. Etnomusicologia: Lugares e caminhos, fronteiras e diálogos.* Salvador: ABET/CNPq/Contexto, 19-35.

CASTELO-BRANCO, Salwa El-Shawan (2009), "Arquivos sonoros e audiovisuais no século XXI", in COSTA, Paulo Ferreira da (org.), *Museus e património Imaterial. Agentes, fronteiras, identidades.* Lisboa: Instituto dos Museus e da Conservação, 187-195.

CML/EGEAC/ MUSEU DO FADO (2011), *Candidatura do Fado à Lista Representativa do Património Cultural Imaterial da Humanidade.* (http://www.candidaturadofado.com/). (Consultado em dezembro de 2011).

CORREIO DA MANHÃ (2004), "Fado património mundial". (http://www.cmjornal.xl.pt/detalhe/noticias/lazer/cultura/fado-patrimonio-mundial. (Consultado em dezembro de 2011).

FOLHA ONLINE (2004), "Ministério da Cultura quer o samba como património da humanidade". (http://www1.folha.uol.com.br/folha/ilustrada/ult90u42907.shtml). (Consultado em dezembro de 2011).

FONSECA, Maria Cecília Londres (2001), "Referências culturais: base para novas políticas de património". *Políticas sociais. Acompanhamento e análise,* 2, 111-120.

FONSECA, Maria Cecília Londres (2005), *O património em processo: Trajetória da política federal de preservação no Brasil.* Rio de Janeiro: Editora UFRJ/MinC-IPHAN, 2 ed.

FORTUNA, Carlos (1997), "Destradicionalização e imagem da cidade", in FORTUNA, Carlos (org.), *Cidade, cultura e globalização. Ensaios de sociologia.* Oeiras: Celta Editora, 231-258.

HOBSBAWM, Eric (1984), "A invenção das tradições", in HOBSBAWM, Eric e RANGER, Terence (orgs.), *A invenção das tradições.* Rio de Janeiro: Paz e Terra, 9-23.

IPHAN (2006), *Samba de Roda do Recôncavo Baiano (Dossiê Iphan 4).* Brasília, DF: IPHAN.

LANNA, Ana Lúcia D. e RUBINO, Silvana (2012), "«Lugares de desafio»": Cidades, patrimônio cultural, nação e turismo", in FORTUNA, Carlos e LEITE, Rogerio P. (orgs.), *Diálogos Urbanos: Territórios, culturas, patrimónios*. Coimbra: Almedina, 341-357.

LEAL, João (2009), "O património imaterial e a antropologia portuguesa: uma perspetiva histórica", in COSTA, Paulo Ferreira da (org.), *Museus e património imaterial. Agentes, fronteiras, identidades*. Lisboa: Instituto dos Museus e da Conservação, 289-295.

MELO, Daniel (2001), *Salazarismo e cultura popular (1933-1958)*. Lisboa: ICS.

MOTTA, Antonio (2010), "Away from home: Brasil, Portugal e Espanha, antropologias e suas tradições nacionais", in ESPINA BARRIO, Angel; MOTTA, Antonio e GOMES, Mario Helio (orgs.), *Inovação cultural, patrimônio e educação*. Recife: Fundação Joaquim Nabuco/ Editora Massangana, v. 1, 377-383.

NERY, Rui Vieira (2004), *Para uma história do fado*. Lisboa: Corda Seca/Público.

O ESTADO DE S. PAULO (2004), "MinC quer tornar o samba Patrimônio da Humanidade". (http://www.estadao.com.br/arquivo/arteelazer/2004/not20040331p6952.htm). (Consultado em 18 de dezembro de 2011).

PEIXOTO, Paulo (1997), "L'économie symbolique du patrimoine: Le cas d'Évora", *Oficina do CES*, nº 100.

RAMOS DO Ó, Jorge (1999), *Os anos de Ferro. O dispositivo cultural durante a "política do Espírito" (1933-1949). Ideologia, instituições, agentes e práticas*. Lisboa: Editorial Estampa.

RAMOS, Manuel João (org.) (2003), *A matéria do património: Memórias e identidades*. Lisboa: Colibri.

RUBINO, Silvana (1992), *As fachadas da história: Os antecedentes, a criação e os trabalhos do SPHAN, 1936-1967*. Campinas: UNICAMP-IFCH. Dissertação de mestrado.

RUBINO, Silvana (1996), "O mapa do Brasil passado". *Revista do Património Histórico e Artístico Nacional*, 24, 97-105.

SANDRONI, Carlos (2001), *Feitiço decente: Transformações do samba no Rio de Janeiro (1917--1933)*. Rio de Janeiro: Zahar/Editora UFRJ.

SANDRONI, Carlos (2005), "Questões sobre o dossiê do samba de roda in Registro e políticas de salvaguarda para as culturas populares". *Registro e políticas de salvaguarda para as culturas populares* (Série Encontros e Estudos, 6). Rio de Janeiro: IPHAN/ CNFCP, 45-53.

SANDRONI, Carlos (2010), "Samba de roda, patrimônio imaterial da humanidade". *Estudos Avançados*, 24 (69), 373-388.

SANT'ANNA, Márcia (2006), "Relatório final das atividades da Comissão e do Grupo de

Trabalho Património Imaterial", in SANT'ANNA Márcia (org.), *O registro do património imaterial. Dossiê final das atividades da Comissão e do Grupo de Trabalho Património Imaterial.* Brasília: IPHAN, 13-21, 4 ed.

SMEETS, Rieks (org.) (2006), *Masterpieces of oral and intangible heritage of humanity.* Paris: UNESCO.

VELOSO, Mariza (2004), "Património imaterial, memória coletiva e espaço público", *in* TEIXEIRA, João Gabriel *et al.* (orgs.), *Património imaterial, performance cultural e (re) tradicionalização.* Brasília: ICS-UnB, 31-36.

VIANNA, Hermano (1995), *O mistério do samba.* Rio de Janeiro: Zahar/Editora UFRJ.

UNESCO (2003), *Convenção para a Salvaguarda do Património Cultural Imaterial.* http://www.unesco.pt/cgi-bin/cultura/docs/cul_doc.php?idd=16. (Consultado em maio de 2007).

SANTO ANTÓNIO DE LISBOA (PORTUGAL) E DE BORBA (AMAZONAS): ENTRE O RITO E O TEATRO EM ESPAÇOS PÚBLICOS

Sérgio Ivan Gil Braga

Introdução: Devoção e festa

Este texto tem como propósito a comparação entre as formas de devoção e festa associadas a Santo Antônio nas cidade de Borba, município do Estado do Amazonas, Brasil, e de Lisboa, cidade natal de Fernando Martim de Bulhões y Taveira Azevedo (Santo Antônio).

Parte-se de uma visão de Borba para Lisboa, considerando que a primeira cidade constitui o terreno mais próximo de nossas observações, procurando ver, na segunda, situações de fé e sociabilidade festiva que de alguma forma seriam comuns e recorrentes nos espaços públicos urbanos de ambas as cidades. Levando em consideração, sobretudo, a influência do catolicismo ibérico que se implantou na Amazônia e a importância religiosa e secular de Santo Antônio. Motivo este que nos fez voltar a Portugal e, em especial, a Lisboa.

Priorizamos para estudo diferentes aspetos culturais relacionados às festas e devoções a Santo Antônio, que tem como ponto culminante o dia 13 de junho, data alusiva à morte do santo falecido em Pádua, na Itália, com 36 anos de idade, em 1231. Um santo de duas pátrias, pois nasceu em Lisboa no ano de 1195, filho de uma família rica desta cidade. Conta-se que aos 15 anos de idade assumiu a denominação de Antônio, nome de origem latina que denota vários significados, entre os quais, alusão ao dom de oratória eloquente e em alto tom, personalidade dignificante e forte que já se orientava em direção aos pobres e necessitados.

Dedicou-se aos estudos bíblicos e desempenhou durante dez anos as funções de cônego regular em Portugal. Pertenceu a ordem dos franciscanos e desenvolveu amizade pessoal com São Francisco de Assis, este com forte sensibilidade para os problemas e necessidades dos cristãos pobres.

Com 25 anos de idade Antônio partiu para o Marrocos movido pelo intento de cristianização dos muçulmanos, o que lhe conferiu uma vida relativamente curta, porém devotada ao catolicismo. Retornou à Itália muito doente, após ter contraído malária em sua cruzada espiritual, padecendo muitos anos enfermo e tendo os seus últimos dias de vida no convento de

Arcella em Pádua. Foi declarado santo menos de um ano decorrido de sua morte, em 30 de maio de 1232 (11 meses e 17 dias após falecimento). Uma das poucas situações de canonização rapidamente reconhecida pela igreja católica (Silva, 2002: 127-129).

Conhecido no imaginário popular como "santo casamenteiro", pela habilidade exercida na conciliação de casais, "santo de todas as necessidades", na atenção dispensada aos mais necessitados, apresenta-se vestido com hábito franciscano levando no braço a imagem do Menino Jesus e no outro um lírio como sinal de pureza espiritual.

Um dos costumes associados ao santo é a distribuição de pães aos pobres, que teve a sua origem em uma senhora francesa, Luisa Bouffier, de Toulon na França, cuja promessa estaria relacionada à abertura de estabelecimento comercial, ficando a dádiva como ex-voto dedicado ao Santo (Marino, 1996: 127-129).

Mas esta não é a única versão sobre a origem da distribuição dos pães como agradecimento a Santo Antônio. Bertelli faz referência a outra situação, conta que

> sua origem remonta ao fato de ter distribuído aos pobres todo o pão do convento em que vivia, deixando em apuros o encarregado de distribuí-lo aos frades, na hora da refeição. O padeiro julgou ter sido vítima de roubo e contou a frei Antônio o ocorrido. Este o mandou verificar melhor o lugar onde havia colocado os pães. Para surpresa de todos, os cestos estavam tão abarrotados que foi possível alimentar os frades e os pobres da região.
>
> (Bertelli, 2007: 60)

Devoção a Santo Antônio no Brasil

Ronaldo Vainfas (2000) observa que as devoções aos santos católicos no Brasil foram introduzidas pelas missões religiosas, que desde os primeiros séculos de colonização associaram catolicismo com práticas populares. Dentre os muitos santos católicos que foram incorporados à religiosidade popular brasileira, podem-se mencionar Nossa Senhora do Rosário, Nossa Senhora Aparecida, São Benedito, São João e Santo Antônio.

No Brasil, o sincretismo das religiões de matriz africana com os santos católicos, como no candomblé baiano, tem associado Santo Antônio ao orixá Ogum, senhor da guerra e da metalurgia, provavelmente pela cruzada espiritual empreendida por este Santo no norte da África (Marrocos).

Luiz Mott (2005) reconhece na fé popular devotada a Santo Antônio, desde o Brasil colonial, dois atributos, o de restituir as coisas perdidas, chamado pelo jesuíta e orador Antônio Vieira de "deparador", "que encontra o perdido" e o espírito de guerreiro e soldado associado à defesa do Estado Português e Brasileiro.

São muitos os relatos históricos em que Santo Antônio combatera ao lado de soldados, inclusive alcançando posto militar. Conforme Mott,

> sua mais venerada estátua no Rio de Janeiro, a do convento franciscano do largo da Carioca, recebeu em 1705 o bastão de comando do governador da Colônia do Sacramento, Sebastião Veiga Cabral, em gratidão por ter protegido os seiscentos homens de sua guarnição quando sitiados durante seis meses por seis mil soldados espanhóis apoiados por navios de guerra.
>
> (Mott, 2005: 120)

Outra situação mencionada por Mott (2005: 124), refere-se à condição de Capitão-do-mato que se conferira ao Santo, com a tarefa de captura e restituição de escravos fugidos aos senhores da Colônia. Mencione-se, neste caso, o fato de quando "poderosa força armada partiu do Recife para desbaratar o quilombo de Palmares, o governador João da Cunha Souto Maior, por portaria de 13 de setembro de 1685, mandou alistar o glorioso Santo Antônio como praça do exército, pagando ao síndico do convento de Olinda o soldo a que tinha direito". Nas palavras de Pereira da Costa,

> efetivamente partiu Santo Antônio para a guerra dos Palmares, acaso confiada a sua imagem a frei André da Anunciação, religioso franciscano, que marchou como capelão, e somente regressou quando terminou a campanha, com a completa destruição da famosa república palmarina, a Tróia negra.
>
> (Pereira da Costa, *apud* Mott, 2005: 124)

Em estudo realizado por Charles Wagley (1988: 204), na comunidade de Itá (ou Gurupá), no baixo Amazonas, em fins da década de quarenta do século passado, recebeu atenção especial a festa de Santo Antônio realizada anualmente no lugar. Naquela época, o autor identificara a festa como um elemento de agregação de pessoas da comunidade e de comunidades vizinhas, com práticas tradicionais de levantamento do mastro, de orações ao cair da tarde durante a novena (ou trezena, no caso de Santo Antônio), de danças, de procissão náutica da "meia-lua", de representações de grupo de folia defronte de cada casa, de corte do mastro votivo e limpeza de casas. Chamava atenção, entretanto, para o controle exercido pela igreja católica sobre a festa, concorrendo para coibir e não raro suprimir muitas das mencionadas manifestações tradicionais devotadas ao santo.

De fato, não há como dissociar a consolidação histórica do catolicismo no Brasil e na Amazônia das formas populares de crença cristã e fé devotada aos santos católicos, que se mantiveram ao longo do tempo mesmo que reprimidas pela igreja católica e cuja tradição remonta, sobretudo, à península ibérica.

Santo Antônio padroeiro de Lisboa

Em Lisboa, as homenagens a Santo Antônio envolvem várias festividades e formas de devoção, entre as quais, o desfile das Marchas de diferentes bairros da cidade, na noite do dia 12 de junho na Avenida da Liberdade, arraial no bairro da Alfama e outros bairros no mês de junho, tendo como ponto culminante a procissão que sai da igreja de Santo Antônio e percorre as ruas da Alfama no dia 13 de junho, data de morte do Santo.

Nestes dias os arraiais localizados na Alfama e em outros bairros lisboetas, como o do Castelo, da Bica e Mouraria atingem o ápice das comemorações, com muito vinho, cerveja, sardinha assada com pão e "manjericos", estes constituídos de réplicas de cravo (flor) de diferentes cores, confecionados em papel de seda, cuja haste na parte superior recebe colado um bilhete redigido em forma de verso e em tom jocoso, com frequência fazendo referência a enlaces ou desenlaces amorosos, como no seguinte exemplo: "Manjerico com um cravo/ E um verso acompanhar.../ Acho que nada mais falta/ Prá nosso amor começar". Os manjericos são vendidos na rua a preços acessíveis, em torno de um euro a unidade.

As Marchas dos bairros de Lisboa existem desde 1937, uma tradição herdada do Estado Novo que se modificou ao longo do tempo, incorporando elementos artísticos e satíricos. Cada bairro se encarrega de construir um enredo envolvendo letra e música, alegorias e coreografias com vistas a dar visibilidade a elementos característicos do próprio bairro. António Firmino da Costa, em estudo feito sobre os desfiles das marchas no período de 1932 a 1997, num total de trinta e duas edições, ressalta que o bairro da Alfama sagrou-se sete vezes campeão, e nas demais edições frequentemente ocupou posições próximas às primeiras colocações (Costa, 1999). Segundo o mesmo autor, nem todos os bairros se apresentam nas Marchas de Lisboa, há em média um número de dezoito a dezanove bairros que comparecem anualmente, incluindo a Marcha do Mercado da Ribeira que não constitui propriamente um bairro.

No bairro de Alfama, o patrimônio histórico edificado e expressões festivas e religiosas de uma época que se atualizam no presente, a cidade como palco materializada nesta "sociedade de bairro", constituem referências parciais para a cultura dos sujeitos que nela vivem e para outros que visitam o bairro. António Firmino da Costa, em seus estudos sobre a "sociedade de bairro" da Alfama, que "vive sempre em festa" como dizem por lá, identifica algo interessante desta sociedade e de parte de seus moradores, que possivelmente ajudam a entender certos comportamentos que adquirem importância e visibilidade em meio urbano nos arraiais de Santo Antônio (*idem*). O autor se refere a uma "histerese do habitus" própria de sujeitos que vieram do campo ou tiveram antepassados próximos originários do meio rural e aldeias portuguesas, cujas permanências culturais agrárias como as relações de reciprocidade, conversa descomprometida, ajuda mútua, festas, religiosidade, entre outras situações foram ressignificadas na cidade. É nesse sentido, que tais referências culturais justificam os eventos (arraiais e procissão) com o peso que emprestam do passado (Connerton, 1999).

Quanto às formas de devoção, desde as primeiras horas da manhã se observa uma multidão de fiéis que visitam a Igreja de Santo Antônio, bem como a Sé que fica muito próxima. Orações, pagamentos de promessas, acendimentos de velas, depósito de flores junto à imagem de Santo Antônio que fica na parte externa da igreja constituem atividades constantes até o momento de saída da procissão, cujo início é à meia-tarde do dia 13 de junho.

No interior da igreja e no museu Antoniano o acesso é difícil, já que muita gente almeja ficar o mais perto possível da imagem do santo localizada, no primeiro caso, na parte superior do altar e no segundo, por se tratar de um museu constituído na própria casa em que viveu Antônio e sua família, o espaço mais concorrido é o "quarto" ou dormitório em que nasceu o Santo. Nem todos os fiéis sabem que a igreja foi edificada sobre a antiga casa de Antônio hoje transformada em museu.

Saindo à rua, após visitar a igreja e o museu Antoniano, mas ainda muito próximo destes, encontra-se um impressionante comércio ambulante de artigos religiosos e outras mercadorias, disposto entre a igreja de Santo Antônio e quase atingindo a Sé, distante uns cem metros uma da outra. Trata-se de um largo delimitado por uma via percorrida por automóveis,

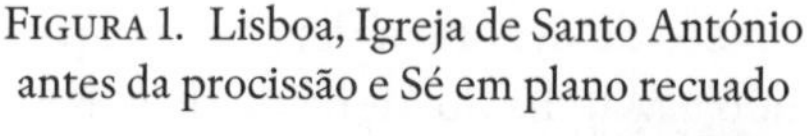

FIGURA 1. Lisboa, Igreja de Santo António
antes da procissão e Sé em plano recuado

Fotografia de Sérgio Braga, 2007

ônibus e bondes, que segue em direção a parte alta da Alfama e, de outro lado, se observa um declive acentuado delimitado por uma cerca de um metro e meio feita em ferro fundido. A amplitude do largo fica um pouco maior à altura do adro da Catedral, com cerca de uns trinta metros de largura.

Em meio a alguns equipamentos urbanos que estão dispostos neste espaço, um pequeno quiosque para venda de água e refrigerantes, alguns bancos de praça e lixeiras, uma parada de ônibus, um banheiro público, cabine de telefone público, algumas árvores, estão também presentes os mencionados vendedores ambulantes. Alguns vendedores com quem tive oportunidade de conversar eram migrantes, entre os quais brasileiros, angolanos, além de portugueses que não vendem somente artigos religiosos relacionados a Santo Antônio, mas também artigos mágicos como sabonetes de glicerina fragrância "canela" para "atrair dinheiro, bons fluídos e paz", de "alecrim" para atrair "bons estímulos, proteção e limpeza", defumadores, amuletos como "olho turco" para "afastar mal olhado", sementes de "tento" (*Ormosia* sp.) vermelho e preto, planta nativa da Amazônia, com suposto poder ou força espiritual para também afastar malefícios, etc.

Por volta das quatro ou cinco horas da tarde, a procissão parte da igreja de Santo Antônio em direção à Sé, quando então passa a percorrer as muitas ruas do bairro da Alfama, recebendo cada vez mais gente. Muitos transeuntes e moradores preferem apenas ver passar a procissão, estes colocando inclusive toalhas nas soleiras das janelas que se abrem para a rua. A procissão dura em média três horas, quando então os fiéis retornam a igreja de Santo Antônio. Alguns comentários proferidos durante a procissão são dignos de nota: "não se oferece mais água para quem caminha na procissão!". De fato, não visualizei oferecimento de água na procissão da Alfama, mas pude perceber na procissão de Borba mesinhas colocadas à rua com jarras de água e copos para aplacar a sede dos fiéis que passavam em procissão.

FIGURA 2. Lisboa, Imagem de Santo Antônio no dia da procissão

Fotografia de Sérgio Braga, 2007

Há motivo também para se aproveitar da procissão com a finalidade de promover denúncias contra a administração municipal, como é o caso do "Agrupamento 262 de escuteiros da Sé - Lisboa", que, em 2007, afixaram na parede externa da catedral, em local visível para aqueles que integravam a procissão, denúncia pública contra a Câmara de Lisboa, tendo em vista a cobrança de 898,22 euros como taxa para instalação de barraca no arraial da Sé. Fato este que impossibilitara a instalação da referida barraca.

Outro caso observado no percurso da procissão, no chamado "Beco do vigário", foi uma manifestação de moradores da Alfama, empunhando faixas e cartazes para denunciar as altas taxas cobradas sobre "licenças" concedidas pela Câmara de Lisboa. Uma destas faixas dizia o seguinte: "Se a câmara não empatar, isto é capaz de andar". É importante ressaltar, que o bairro da Alfama, além de constituir morada de muitos lisboetas é também um local que recebe muitos turistas, que por ele passam diariamente subindo suas ladeiras e escadarias cuja parte alta se pode avistar o rio Tejo e parte da cidade.

FIGURA 3. Lisboa, Procissão de Santo Antônio em Alfama

Fotografia de Sérgio Braga, 2007

Em fins de maio de 2011 tive oportunidade de voltar a Alfama. Já havia retornado em anos anteriores, mas o mês de maio se mostrava interessante, pois me permitia observar os preparativos para os arraiais, envolvendo decoração com bandeirinhas, cordões coloridos e balões, construção de barraquinhas, colocação de lâmpadas para iluminação dos largos, vielas e escadarias, adaptação de cozinhas para feitura de comidas, assadores para sardinhas, barris de vinho, etc. Aproveitei para percorrer o trajeto da procissão em uma tarde normal de semana do mês de maio, fotografando e anotando os nomes de ruas, becos, escadinhas e largos. Sem a pretensão de um "inventário nacional de referências culturais" (INRC) como se diz no Brasil, para levantamento de um percurso de procissão que talvez constituísse objeto de tombamento cultural junto ao Instituto de Patrimônio Histórico e Artístico Nacional (IPHAN). De fato, este procedimento diria respeito às coisas do Brasil.

O meu interesse em percorrer a Alfama foi simplesmente reconhecer nomes de logradouros públicos associados ao catolicismo popular e não foram poucas as referências anotadas: rua de São João da Praça, beco de Jesus, travessa de São João da Praça, travessa do chafariz de El-Rei, rua de São Miguel, largo de São Miguel, beco do Pocinho, beco da Cardosa, beco do Espírito Santo, calçadinha de Santo Estevão, beco dos Ramos, rua dos Remédios, rua do Vigário, rua de Santo Estevão, beco do Outeirinho da Amendoeira, beco do Vigário, largo de Santo Estevão, rua Guilherme Braga, escadinhas das Escolas Gerais e largo do Salvador. É provável que tenha passado despercebido algum logradouro, mas quase no final anotei esta frase que me chamou muito a atenção: "Estas ruas pertence-nos. EMEL, FORA!".

Em meio a ruas, becos e largos encontram-se os moradores da Alfama e estabelecimentos comerciais, casas de fado, que não raro emprestam os nomes daqueles logradouros públicos para identificação do próprio estabelecimento comercial. Como se pode observar, os santos escolhidos têm mais popularidade que outros, mas há também referências a pessoas e atividades que adquiriram popularidade no bairro, "beco da Cardosa" dos "Ramos", "beco do Pocinho", entre outros. O final é surpreendente, pois sintetiza a intenção de um tal ou qual "EMEL", de que a Alfama tem dono e no final das contas tem nomes.

Santo Antônio na cidade santuário de Borba

As primeiras notícias que se tem de Borba referem-se à missão jesuítica fundada em março de 1728, pelo padre jesuíta João de Sampaio. De acordo com Arthur Cezar Ferreira Reis (1997: 9), o Regimento das Missões editado em 1686 disciplinou a ação missionária na Colônia e no caso, na Amazônia, definindo entre outras situações, "a extensão das liberdades da colônia, definindo a extensão das liberdades do nativo". Os missionários jesuítas tiveram papel fundamental nesse processo, reunindo populações indígenas em um mesmo local, algumas delas inclusive trazidas ou "descidas" de outras localidades situadas às margens de rios da várzea amazônica.

Arthur Cezar Ferreira Reis dá grande destaque a ação missionária de Frei João de Sampaio no rio Madeira. Segundo o autor, o religioso

> aparece como dos mais famosos cristianizadores do Madeira. Para alguns autores foi o fundador da aldeia de Maturá. Só há certeza, porém, de que nas proximidades da cachoeira de Santo Antônio aldeiou os índios com os quais entrou em relações, em março de 1728.
>
> (Reis, 1997: 73)

Serafim Leite relata que

> a Aldeia de Santo Antônio das Cachoeiras, era considerada a mais remota e trabalhosa em todo o gênero de trabalhos, de moléstias, que ali indefetivelmente padeciam os missionários. A aldeia de Santo Antônio das Cachoeiras permaneceu no catálogo até 1740. O seguinte, que é de 1744, traz já, e pela primeira vez a aldeia de Trocano, que a substituiu.
>
> (Leite, *apud* Ferrarini, 1981: 28-29)

De acordo com este mesmo autor,

> Silva Araújo dá-lhe genealogia mais complicada. José Gonçalves da Fonseca, que esteve nela em 1749, diz que a mudança se fez para buscar melhor clima e para se livrarem das vexações dos bárbaros vizinhos. Com a mudança não se viram, porém, livres dos Muras, que tiveram algumas vezes o atrevimento de investir contra a Aldeia do Trocano, e para cautela de semelhantes insultos, vive o missionário em uma casa entrincheirada destacada, para dela se defender melhor de alguma invasão, socorrida de dois seculares, que lhe assistem.
>
> (*idem; ibidem*)

Conta-se que a imagem de Santo Antônio foi trazida por portugueses para a localidade de Santo Antônio das Cachoeiras, localizada no Alto rio Madeira, entre o rio Jamarí e a primeira cachoeira do Madeira, aldeia fundada em 1724 por missionários jesuítas. Segundo a crença, a imagem do

Santo descia o rio Madeira em uma jangada e era encontrada em Borba, na beira do rio em meio à lama. Os donos do Santo, várias vezes resgataram a imagem até que em uma vez a imagem "não quis mais sair ficando presa à raiz de uma árvore", conhecida na região por Samaumeira.

Diz-se que Santo Antônio auxiliou as tropas legalistas na defesa da cidade de Borba frente aos Cabanos, na guerra da Cabanagem, contando para isso com o apoio de indígenas e mestiços, bem como negros residentes na cidade. Fato lembrado com muito orgulho pela população local, que atribui inclusive como graça do Santo o fato de Borba ter resistido às muitas investidas dos Cabanos e nunca ter sido conquistada pelos mesmos.

Cabe lembrar, que a guerra da Cabanagem ocorrida entre 1835 e 1845, na Amazônia, mais especificamente na Província do Grão-Pará, em terras dos atuais Estados do Pará e Amazonas, durante o período regencial (1831-1840) no Brasil, fora motivada por problemas de sucessão no trono português cujo monarca era Dom Pedro I, que havia abdicado do trono brasileiro em favor de D. Pedro II, sendo que este ainda era menor de idade. Durante o período, até a maioridade de D. Pedro II, o Brasil foi governado por Regências que contaram com a participação de políticos e simpatizantes da Côrte. O termo "cabanagem" derivou das habitações conhecidas por "cabanas" de mestiços e indígenas, construídas as margens dos rios. Estas populações de ribeirinhos tiveram participação significativa no evento, aliando-se as elites locais constituídas de proprietários de terras que buscavam autonomia política frente ao império brasileiro, cuja monarquia era de origem lusitana.

Quando nos referimos aos indígenas, trata-se de reconhecer os Mura, pertencentes ao tronco linguístico Tupi, como os primeiros habitantes do lugar, cuja origem corresponde à planície delimitada pelos rios Tapajós e Madeira, no Estado do Amazonas. Desde o século XVII, foram reputados como corajosos e resistentes à colonização ibérica. Mas, entretanto, enquanto povo cristianizado destaque-se que defenderam Borba das ameaças dos cabanos, reputados como infiéis, que por várias vezes, em meados do século XIX, tentaram tomar a cidade, mas foram impedidos por seus defensores. Neste caso, indígenas Mura aliados aos brancos residentes em Borba, sob a proteção de Santo Antônio. Hoje, os Mura lutam para afirmar a sua identidade étnica, mesmo sem a língua Mura e outros elementos culturais perdidos nos contatos interétnicos.

Quanto aos negros, caberia reconhecer neste texto a importância da música e dança, em homenagens prestadas a Santo Antônio, sintetizadas na "dança do gambá", de matriz africana, que lançou suas raízes na Amazônia. De fato, encontramos a dança do gambá em vários municípios do médio e baixo Amazonas. Dança essa que possui elementos comuns com outras manifestações de herança negra, como o Carimbó do Pará e o Marabaixo de Macapá, entre os quais, os tambores de tronco escavado com pele em uma das extremidades, os cantos enunciados no sistema canto e resposta, a dança circular e a presença da sensualidade nos movimentos corporais dos dançarinos. Mas uma lúdica negra camuflada, posto que tais origens não foram reconhecidas nos negros e quando são atribuídas a eles adquirem sentido pejorativo, mesmo considerando tratarem-se de famílias negras ou mestiças que constituem parte das genealogias de Borba.

Em certa ocasião, uma pessoa do poder público de Borba comentara que não via motivo para convidar os dançarinos de gambá a se apresentarem na festa, já que a população não se interessava ou atribuía algum valor a eles. Sugeria inclusive, que se tais grupos colocassem guitarras elétricas e "teclados" (órgão eletrónico) em suas apresentações, talvez assim despertassem interesse. É nesse sentido, que reconheço uma estética musical negra camuflada na dança do gambá de Borba, ou seja, há raízes africanas, mas não reconhecidas.

Pode-se dizer que influências culturais indígenas, negras e lusitanas estão presentes em festas amazônicas como a de Santo Antônio de Borba, que mantém certas práticas tradicionais, como a procissão fluvial, levantamento de mastro, trezenas, entre outras manifestações de longa permanência na história regional. Mas, por outro lado, observa-se que a festa assume novos elementos da contemporaneidade, como o sentido comercial, dimensão turística, visibilidade e promoção do município.

Na instituição e hierarquia católica, a basílica de Borba hoje é ligada diretamente ao Vaticano e a igreja de Santo Antônio recebeu da igreja de Pádua, onde faleceu o Santo, uma relíquia constituída de um pedaço de pele de Santo Antônio. Trata-se da única igreja na América Latina que tem uma relíquia. Borba também foi elevada a condição de cidade santuário do Estado do Amazonas através da Lei estadual nº 856, de 28 de dezembro de 1950.

Ao longo de tantos anos de crença, foram também sendo institucionalizadas formas de devoção próprias de um catolicismo popular. Um costume em Borba é o de cobrir a imagem de Santo Antônio com um "manto de cédulas" (notas) para sair na procissão do dia 13 de junho. Conta-se que esta tradi-

FIGURA 4. Borba, Monumento e Igreja de Santo Antônio

Fotografia de Sérgio Braga, 2009

FIGURA 5. Borba, Manto de Cédulas de Santo Antônio

Fotografia de Sérgio Braga, 2009

ção remonta a um trabalhador vindo do nordeste do Brasil, Zé Pedro, que almejava enriquecer e ofertar como promessa um décimo de sua riqueza à igreja de Santo Antônio em Borba. Ocorreu, entretanto, que Zé Pedro teve a sua fortuna roubada por ladrões, muito embora estes não tenham tirado proveito do roubo por intercessão de Santo Antônio, que apareceu a todos na figura de um padre. A fortuna retornou a Zé Pedro e a forma como ele pagou a promessa foi confecionando um "manto de cédulas", para que o Santo fosse ornado com esta dádiva durante a procissão.

Quanto às trezenas e procissões, chama-se trezena porque a data de falecimento do Santo foi no dia treze de junho, ao contrário de novena com nove dias de rezas dos fiéis, para Santo Antônio são treze dias. Cumpre salientar, que em todos os meses do ano, no dia 13 de cada mês é realizada a "trezena" na igreja. Na verdade, reza-se apenas no dia treze, mas no mês de junho é realizada a trezena propriamente dita, começando no dia primeiro com "Alvorada" festiva e encerrando no dia 13 com procissão. No final das trezenas são sempre realizadas procissões.

Durante o ano a procissão percorre as ruas próximas a igreja de Santo Antônio, ficando circunscrita ao centro da cidade. Na época da festa o número de pessoas aumenta muito, trata-se de uma multidão que percorre o centro e alguns bairros da cidade, como o Ipiranga e o Cristo Rei. Ao longo da procissão são entoados cantos religiosos e quando se aproxima da igreja, no momento de sua chegada, são executadas músicas mais alegres por instrumentistas residentes na própria cidade e que há muitos anos veem nesta atividade não somente divertimento, mas também uma forma de devoção a Santo Antônio.

Em nosso entender, a procissão representa também uma forma de peregrinação e penitência dos fiéis, já que muitos deles, sobretudo à época da festa levam consigo ou empunham ex-votos que atestam graças alcançadas, sendo muitos os exemplos: miniaturas de casas, crianças vestidas de anjo ou túnicas a semelhança da ordem franciscana, fotografias, etc. Outros preferem depositar os ex-votos na igreja, que posteriormente são transferidos para uma sala que se convencionou chamar de "sala dos milagres", um verdadeiro museu da fé popular, reunindo réplicas de órgãos humanos, fotografias, cartas escritas a próprio punho, etc. O mais adequado talvez fosse chamar esta sala de "Museu dos milagres", tendo em vista os testemunhos e a memória de fé popular que este espaço abriga.

FIGURA 6. Borba, Sala dos milagres

Fotografia de Sérgio Braga, 2009

Há também espaço para o comércio de bens religiosos como velas, medalhinhas, estampas, camisetas, mas também uma variedade muito grande de roupas, utensílios domésticos, aparelhos eletrônicos, calçados, que transformam a cidade de Borba nos dias de festa em um verdadeiro "*shopping* popular" ao ar livre. De fato, tenho acompanhado muitos eventos populares na Amazônia, mas desconheço outro evento que possa ser comparado ao comércio encontrado na cidade durante as comemorações a Santo Antônio. Aqui, a população do interior que vem para o evento aproveita também para consumir. E não se trata apenas de adquirir bens, já que a ocasião possibilita o contato com estilos de vida urbana que vêm de Manaus, capital do estado do Amazonas, na forma de serviços, como, por exemplo, um corte de cabelo estilo *country*, uma tatuagem não definitiva na pele e outros modismos.

É interessante observar, que nessas situações, o valor simbólico pode estar associado ao valor de consumo de um produto popular qualquer, pois se pode cortar o cabelo e oferecê-lo como ex-voto, como também tatuar o santo no braço, assinalando ao mesmo tempo o pagamento de uma obrigação religiosa e a adesão a um modo de vida urbano supostamente próprio ou característico de Manaus.

De tudo que buscamos registrar sobre Borba, sem dúvida nenhuma as formas de devoção e festa que se encontram na cidade constituem expressões populares que remontam suas raízes, no mínimo, há meados do século XVIII na Amazônia, mas também à época em que viveu Santo Antônio na Europa e no Norte da África, por tudo o que ele significou em seu tempo. Fé popular cuja chama não se apaga, posto que ainda faz algum sentido para aqueles que procuram a benção de Santo Antônio em uma cidade sagrada, que ao longo do tempo se tornou Borba, a antiga Trocano do rio Madeira.

Brincadeira ou brinquedo: jogo e segredo

Em termos de devoção, a figura de Santo Antônio representa para os seus fiéis e adeptos: um modelo moral de vida, auxílio nas questões que envolvem processos de territorialização, mediação de conflitos e assistência aos pobres e necessitados.

Por outro lado, a festa que se realiza em homenagem a Santo Antônio, no espaço público, na praça ou na rua, assume a dimensão de espetáculo e entretenimento agregando público e formas diversificadas de consumos culturais.

Neste duplo sentido, assumimos a cidade, a praça, a rua onde são realizados os eventos religiosos e populares, para além de seus aspetos físicos e funcionais, como espaços de encontros sociais. Entendemos que as manifestações de cultura popular representam apropriações do espaço público e discursos sobre o urbano, onde se encontram os próprios sujeitos-atores dos processos sociais que lhes dizem importância, em constante mudança e buscando formas de inclusão social perante um Estado, que não raro desconhece tais expressões culturais.

Do ponto de vista religioso, Victor W. Turner (1980, 1988) identifica no ritual uma conduta formal prescrita em ocasiões não dominadas pela rotina tecnológica e relacionadas com a crença em seres ou forças místicas. Para o autor, a metodologia utilizada para a abordagem do discurso ritual deveria considerar três classes de dados: 1) forma externa e características observáveis; 2) interpretações oferecidas por especialistas religiosos e simples fiéis; 3) contextos significativos em grande parte elaborados pelo antropólogo.

No primeiro caso, para obtenção dos dados de pesquisa orientamos nossas observações para as dimensões topológicas envolvidas na crença dos fiéis, ou seja, formas permanentes de apropriação do espaço urbano materializadas, no caso, na igreja, no largo ou adro dos santuários; mas também em formas temporárias de apropriação do espaço público, verificadas em procissões e praças. Nas interpretações dos próprios fiéis priorizamos a realização de entrevistas pessoais, bem como conversas informais entabuladas no próprio contexto da pesquisa. E, por fim, a ideia de aprender antropologicamente a "devoção" e a "festa", que, em função dos dados históricos que fixamos para pesquisa e, da produção etnográfica comparativa entre Borba e Lisboa, tendo como "pivot" Santo Antônio, consideramos que poderiam ser sistematizadas em duas formas de discurso proxêmico, ou seja, no rito e no teatro. O rito fixando e atualizando elementos religiosos de longa permanência histórica e o teatro sugerindo o entretenimento, ou seja, atores e plateia sem necessariamente implicar em compromisso religioso.

Assim sendo, ao considerar a festa e o entretenimento assumimos a metáfora do teatro. Richard Schechner (2000: 89) verifica no teatro três níveis diferentes que operam transformações nos indivíduos: 1) no "drama" ou no "argumento"; 2) nos "atores", "cuja tarefa especial é experimentar um rearranjo temporário de seus corpos/mentes", o que o autor convencionou chamar de "transporte"; 3) e no "público, onde a mudança ou "transporte" vivenciado no drama "podem ser passageiros" ou temporários, enquanto "entretenimento"; ou "permanentes", tratando-se de "ritual". Para Schechner, o teatro é uma "mistura, uma trama de entretenimento e ritual" (*idem*, 37; 63). Além disso, para este autor, a "reflexividade do teatro tem se dado junto com a participação do público". Por exemplo, quando observamos e comparamos a procissão de Santo Antônio em Borba e em Lisboa, verificamos que além dos fiéis que acompanham esta forma discursiva de conteúdo ritualístico religioso, há outras categorias de pessoas que visualizam o evento como espetáculo e entretenimento. Pode-se até conceber que estas duas dimensões sejam potencializadas, no sentido de um grande espetáculo religioso, com dimensão turística e outros interesses, mas este ainda não é o caso da festa de Santo Antônio em Borba, o que em Lisboa e especialmente no bairro da Alfama seja uma evidência, que certamente mereceria aprofundamento de estudo.

A nossa hipótese é de que, quanto mais os eventos se apropriam do espaço público, das praças e das ruas, a festa aumenta em escala e frequência de pessoas. Podendo assumir a dimensão de espetáculo, em "reflexividade" de um público que acompanha a apresentação dos produtores culturais, a quem cabe "julgar" o sucesso do que se põe em cena. Sem necessariamente descartar a dimensão de processo ritual que marcaria permanência de elementos religiosos característicos em tais eventos.

Se o leitor nos permitir mais uma conjetura, para além do rito e do teatro, parece-nos sugestivo associar estas duas dimensões discursivas em uma apenas. Penso que a melhor forma de conjugar rito e teatro nas festas que temos estudado, tanto em Portugal como na Amazônia brasileira, incluindo Santo Antônio, consistiria em reconhecer nelas a expressão popular de "brincadeira" ou "brinquedo". Tal como nos ensina Radcliffe-Brown (1973: 116), quando nos diz que

> o parentesco por brincadeira é uma combinação peculiar de amistosidade e antagonismo. O comportamento é tal, que em qualquer outro contexto social exprimiria e suscitaria hostilidade; mas não é entendido seriamente e não deve ser tomado de modo sério. Há uma pretensão de hostilidade e real amistosidade.
>
> (Radcliffe-Brown, 1973: 116)

Se o nosso raciocínio estiver correto, estaríamos partindo da proxémica para a gramática dos comportamentos sociais urbanos, que tem como referência crença e entretenimento, no caso, próprios dos folguedos de Santo Antônio em Lisboa e Borba.

Em termos de cultura popular no Brasil e na Amazônia, a brincadeira ou brinquedo corresponderia a um jogo, cuja estratégia implicaria necessariamente em manter um segredo por parte de quem joga, condição fundante para surpreender e lograr êxito sobre um contendor ou com quem se joga.

Em Portugal e nos Açores, uma forma de "brinquedo' característica da cultura popular são as "vindictas". Segundo Oliveira (1995: 125; 351) "uma instituição popular em Portugal", que se expressa nos chistes, nas zombarias, desafios e outras formas de suspensão da ordem formal baseando-se na ironia e no riso. A título de exemplo, destaquem-se os martelinhos de plástico que se permitem bater em alguém que se encontra nas ruas por ocasião do São João do Porto, ou o toque de "alho porro" nas mulheres por parte de outro alguém, como assinala aquele mesmo autor, ou seja, formas de sociabilidade efêmera que quebram a individualidade própria da vida urbana.

Outros "arroubos" são permitidos à época do Divino nos Açores, quando se promove o "bodo" no espaço público, durante a procissão que sai às ruas ou no adro dos Impérios, ofertando comida, alcatra e pães, aos dignitários e convidados anônimos. Aqui também é a individualidade da vida urbana que é afrontada, em dádivas e contra dádivas que aproximam as pessoas, ao mesmo tempo, que se permitem conversar e exercitar a própria condição pessoal, como num jogo de espelhos.

Neste caso, não haveria possibilidade de conduta "blasé" apregoada por Georg Simmel (2006), pois quem vai à rua em tempo e lugar de festa pode estar sujeito a perda ou ameaça da própria individualidade, face aos reclames do mundo. Por opção, talvez fosse melhor ficar em casa.

Quanto ao "segredo", Roger Bastide (1983) reconhece uma informação, um saber, sobre o qual se tem o poder de revelar ou não. Atribuíra tal sabedoria à estratégia dos escravos negros contra a força dos senhores no Brasil, cuja astúcia implicava em não enfrentar os senhores "de peito aberto", posto que os senhores possuíam armas de fogo. Mas sim usando de malicia, "mandinga" e inclusive "capoeira".

Goffman (2010) visualiza entendimento semelhante, ressaltando, entretanto, formas de controle expressivo de sujeitos perante outros, onde o comportamento não verbal constituiria meio para o estabelecimento de relações interpessoais. Tal como já observara Walter Benjamin (2007) no que convencionou chamar de "colportagem do espaço", ou seja, imagens dentro de imagens próprias do espaço público urbano, os segredos que os homens carregam em suas individualidades e que levariam à cólera de alguém, caso fossem desvelados no domínio público.

Segundo George Simmel (2004), "segredo" enquanto "possibilidade de um segundo mundo em paralelo com o mundo manifesto". Mundos sacralizados e secularizados, interpretados enquanto modelos intelectualmente construídos a partir da observação das relações sociais culturalmente tecidas em uma dada sociedade. De um lado, a ideia de transparência democrática, de sociedade esclarecida, erudita; de outro, um mundo paralelo, de representações e vivências diversas contraposto ao primeiro. Antípodas que segregam e mascaram domínios sociais como na sociedade brasileira e portuguesa.

Assim, de acordo com Simmel (2006: 65), a sociabilidade se daria enquanto um "desvio da realidade", criada artificialmente, enquanto arte, mas também como "jogo" que põe à prova relações estabelecidas entre àqueles que almejam chegar, no plano das ações, inclusive corporais, a uma relação entre iguais. A sociabilidade, então, surgiria da necessidade de interação de pessoas, ou nas palavras do autor, de "sociação", onde as individualidades estivessem neutralizadas e a relação fosse mantida idealmente entre iguais, mesmo que tal igualdade fosse artificialmente construída.

Entre o rito e o teatro em espaços públicos

É nessa perspetiva que sugerimos ler, entre o rito e o teatro, as brincadeiras nas praças públicas onde se encontram os arraiais e nas ruas que se transformam em palco para as procissões e desfiles das Marchas de Lisboa em homenagem a Santo Antônio. Ao mesmo tempo, que reconhecemos certos aspetos religiosos e de entretenimento característicos a pessoa e carisma do Santo, face aos seus respetivos fiéis ou mesmo admiradores. Voltamos, pois, aos atributos inerentes ao próprio Santo, ou seja: um modelo moral de vida, auxílio nas questões que envolvem processos de territorialização, mediação de conflitos e assistência aos pobres e necessitados.

Enquanto um modelo moral de vida se trata de reconhecer um discurso e ethos religioso apregoados nos ritos católicos, que em última instância confirmariam uma comunidade moral chamada igreja. Tal como se observa nas novenas em todo o dia 13 de cada mês, na cidade de Borba, nas procissões que saem às ruas e marcam trajetos tanto em Borba como na Alfama, nos casamentos coletivos realizados no dia 13 de junho na igreja da Sé e na igreja de Santo Antônio em Borba, confirmando a importância deste sacramento tão caro a Santo Antônio, entre outras formas ritualísticas.

Por outro lado, trata-se também do auxílio de Santo Antônio às questões que envolvem processos de territorialização, como a defesa do próprio reino de Portugal diante dos mouros, as cruzadas promovidas no Norte da África, a condição de capitão do mato restituindo negros fugitivos aos senhores do Brasil colonial, bem como sentando praça em prol da defesa das invasões estrangeiras no Brasil.

Destaque-se também a condição Mura à época da cabanagem, quando tais indígenas combateram a favor e contra os Cabanos, sendo que aqueles que habitavam a cidade de Borba, com a ajuda do Santo, lograram êxito frente aos revoltos, não permitindo que os mesmos conquistassem a cidade.

Saliente-se o comércio de bens religiosos e mágicos promovido por migrantes e portugueses no âmbito da praça da Sé em Lisboa, e de outras mercadorias mais comercializadas na praça Centenário e ruas de Borba, das Marchas que expressam os bairros de Lisboa e o sentido de uma "sociedade de bairro" na Alfama, formas de apropriação de espaços e estabelecimento de territorialidades, mesmo que de forma efêmera, sob o signo festivo e religioso Antoniano.

Algumas questões que poderão ser retomadas oportunamente, com maior aprofundamento e densidade de análise, implicariam em reconhecer processos de territorialização no espaço público, em Borba e Lisboa, classificados em permanentes e temporários. No primeiro caso, teríamos as igrejas de Santo Antônio, em Borba e em Lisboa; trajetos das procissões no bairro da Alfama e na cidade de Borba; exposições públicas com disposições museográficas de ex-votos, no museu Antoniano e na sala dos milagres de Borba. Nos espaços temporários reconheceríamos as Marchas de Lisboa e as procissões na cidade de Borba e no bairro da Alfama enquanto eventos; arraiais no bairro da Alfama e na praça Centenário de Borba; feira no largo da Sé em Lisboa, na praça Centenário e ruas próximas a igreja de Santo Antonio em Borba.

Quanto à função de mediação de conflitos, espera-se que a intercessão do Santo permita tolerância e possibilidades de diálogo, tal como se verifica nas reivindicações de moradores da Alfama e dos escuteiros da Sé contra as altas taxas das "licenças" pagas à Câmara de Lisboa. Posto que a Alfama só "pode andar se a Câmara não empatar".

E, por fim, a assistência aos pobres e necessitados, que nos sugere em termos de espaço público e exercício do direito de cidadania dos próprios fiéis, formas populares festivas de se viver o catolicismo, que se expressa em ruas e praças. Conquistando visibilidadc, dentro do possível, a música do Gambá e da pequena orquestra que "embala" as procissões em Borba. Os pagamentos de promessas com ex-votos e busca de alguma graça com a intercessão de Santo Antônio através de múltiplos simbolismos mágicos e religiosos.

Consumos culturais não somente de bens religiosos, mas também enquanto práticas seculares hoje resignificadas, que mesmo assim ainda confirmam devoção e fé a partir de necessidades mundanas, como as mechas de cabelo de um ribeirinho do interior da Amazônia que vem pagar promessa, mas que também aproveita a oportunidade para fazer um corte estilo *country* em uma tenda improvisada de cabeleireiro na cidade santuário de Borba, lugar santo, de Santo Antônio. Observa-se, aqui, que o produto popular adquire valor simbólico e econômico.

É nessa perspetiva que nos situamos, tanto em Lisboa como em Borba, sob o signo de Santo Antônio, entre o rito e o teatro, o religioso e o divertimento profano, o jogo e o segredo, múltiplas faces dos eventos e variações sobre um mesmo tema que tomamos para comparação e análise. Viva Santo Antônio!

Referências Bibliográficas

BASTIDE, Roger (1983), *Sociologia*. São Paulo: Editora Ática.

BENJAMIN, Walter (2007), "O flâneur", in BENJAMIN, Walter, *Passagens*. Belo Horizonte: Editora da UFMG; São Paulo: Imprensa Oficial do Estado de São Paulo, 461-498.

BERTELLI, Luiz Gonzaga (2007), *Santo Antônio, o evangelizador*. São Paulo: Editora Santuário.

CONNERTON, Paul (1999), *Como as sociedades recordam*. Oeiras: Celta Editora.

COSTA, António Firmino da (1999), *Sociedade de bairro*. Oeiras: Celta Editora.

FERRARINI, Sebastião A. (1981), *Borba: A primeira vila do Amazonas*. Manaus: Ed. Metro Cúbico.

GOFFMAN, Erving (2010), *Comportamento em lugares públicos*. Petrópolis: Vozes.

MARINO, João (1996), *Iconografia de Nossa Senhora e dos Santos*. São Paulo, Banco Safra/ Projeto Cultural.

MOTT, Luiz (2005), "Santo Antônio: O divino capitão-do-mato", in REIS, João José e GOMES, Flávio dos Santos (orgs.), *Liberdade por um fio: História dos quilombos no Brasil*. São Paulo: Companhia das Letras, 110-138.

OLIVEIRA, Ernesto Veiga de (1995), *Festividades cíclicas em Portugal*. Lisboa: Publicações Dom Quixote.

RADCLIFF-BROWN, Alfred R. (1973), *Estrutura e função na sociedade primitiva*. Petrópolis: Vozes.

REIS, Arthur Cézar Ferreira (1997), *A conquista espiritual da Amazônia*. Manaus: Governo do Estado do Amazonas e Editora da Universidade do Amazonas.

SCHECHNER, Richard (2000), *Performance: Teoria y practicas interculturales*. Buenos Aires: Universidad de Buenos Aires

SILVA, Milton Vieira da (2002), *Festas populares e suas origens*. Curitiba: A. D. Santos Editora.

SIMMEL, Georg (2004), *Fidelidade e gratidão e outros textos*. Lisboa: Relógio D'Água.

SIMMEL, Georg (2006), *Questões de fundamentais de sociologia*. São Paulo: Jorge Zahar Editores.

TURNER, Victor W. (1980), *La selva de los símbolos*. Madrid: Siglo Veintiuno.

TURNER, Victor W. (1988), *The anthropology of performance*. Nova Iorque: PAJ Publications.

VAINFAS, Ronaldo (2000), *Brasil de todos os santos*. Rio de Janeiro: Jorge Zahar.

WAGLEY, Charles (1988), *Uma comunidade amazônica*. Belo Horizonte: Itatiaia; São Paulo: Edusp.

"LUGARES DE DESAFIO": CIDADES, PATRIMÔNIO CULTURAL, NAÇÃO E TURISMO

Ana Lúcia Duarte Lanna e *Silvana Rubino*

Introdução[1]

Em novembro de 1966 chega ao Brasil Michel Parent (1916-2009),[2] perito da UNESCO, com a missão de estudar a conservação do patrimônio artístico com vistas ao desenvolvimento do turismo cultural, seguindo as diretrizes do órgão internacional e das cartas e normas patrimoniais elaboradas ao longo dos anos 1960. A vinda do inspetor e da Missão Francesa tinha sido acertada em setembro do mesmo ano por Carlos Chagas, embaixador do Brasil junto à UNESCO, e o então diretor geral daquela organização, René Maheu. Parent permanecerá no Brasil até janeiro de 1967, retornando entre abril e junho deste mesmo ano (Leal, 2008). A partir destas viagens o Inspetor Principal dos Monumentos Franceses elabora um relatório que definirá diretrizes para que o turismo, necessário e desejável, estimule a valorização e preservação do patrimônio cultural do país. As diretrizes contidas neste texto

> passa(m) a constituir a base de toda a atuação futura não só do SPHAN[3] mas de todo o governo federal com relação ao patrimônio: sua preser-

[1] Agradecemos ao Prof. Dr. Paulo César Garcez Marins pela leitura e colaborações fundamentais para a elaboração deste texto.

[2] Michel Parent teve importante e longeva atuação junto aos órgãos de patrimônio cultural. Foi Inspetor (1945) e Inspetor Geral (1958) de Sítios, Inspetor Geral dos Monumentos Históricos Franceses (1969), Presidente do ICOMOS (1981-1987) e atuou como consultor da UNESCO e do World Heritage Centre no Brasil, Tunísia, Assouan (Índia), Bruges e Gorée (Senegal).

[3] SPHAN é a sigla do Serviço do Património Histórico e Artístico Nacional que a partir de 1994 é o IPHAN – Instituto do Património Histórico e Artistico Nacional. O IPHAN teve várias denominações. Criado em 1937 como Serviço do Patrimônio Histórico e Artístico Nacional (SPHAN), tem seu nome alterado para Departamento do Património Histórico e Artístico Nacional (DPHAN) em 1946. Em 1970, passa a se chamar IPHAN – Instituto do Património Histórico e Artístico Nacional. Em 1979, foi dividido em dois órgãos da administração pública: O SPHAN e a Fundação Nacional Pró-Memória (FNPM). Vinte anos depois, em 1999, ocorre a fusão do SPHAN e da FNPM, o novo órgão passa a se chamar Instituto Brasileiro do Património Cultural. Em 1994, retoma a denominação de IPHAN que mantêm até os dias atuais. É órgão do Ministério da Cultura do Governo Federal responsável pela preservação do património cultural.

vação através do planejamento urbano e do aproveitamento turístico... pretendendo inserir o Brasil no mapa internacional do turismo cultural.

(Sant'Anna, 1995: 153)

A organização e vinda desta missão deve ser entendida nos marcos de transformação da noção de patrimônio cultural, tanto em seus aspetos conceituais como sobretudo em sua dimensão institucional, cada vez mais internacionalizada. Já em 1954, o protocolo de Haia, do qual o Brasil foi signatário, considerava a proteção do patrimônio cultural de grande importância para todos os povos, demandando assim proteção internacional.[4] Não se trata ainda de uma noção de patrimônio da humanidade, mas um aviso pós-colonial de possível inclusão das novas nações. Em 1959, a UNESCO lançou uma campanha internacional e obteve 80 milhões de dólares para salvar os templos de Abdou Simbel no vale do Nilo e em 1962 apresentou sua *Recomendação concernente à salvaguarda da beleza e das características de paisagens e sítios*. Em 1964, com a Carta de Veneza, o patrimônio histórico deixa de estar referido apenas aos bens e monumentos de caráter excecional. Esta carta ratificou a ampliação da noção de patrimônio, que nesse documento doutrinário passou a ser formado não apenas pelas grandes criações, mas também por aquelas que com o tempo ganharam significação cultural. O ICOMOS (International Counsil on Monuments and Sites) foi fundado em 1965, no mesmo ano em que, durante uma conferência a respeito na Casa Branca, um grupo demanda a criação de uma fundação de defesa do patrimônio mundial e, baseado na experiência norte-americana na área, enfatiza a proteção de áreas naturais. O ICCROM (*International Centre for the Study of the Preservation and Restoration of Cultural Property*) foi fundado em 1956 na conferência da UNESCO de Nova Delhi e o Brasil tornou-se estado-membro em 1964. A instituição do patrimônio da humanidade, que tem em Michel Parent um de seus protagonistas e formulador, é de 1972, e o Brasil passou a fazer parte dos países signatários em 1977. O termo "diversidade" passa a ser léxico corrente, ao mesmo tempo em que a diferença entre um patrimônio mundial e aquele nacional é que o primeiro é considerado de "valor universal excecional". É nessa nova conjuntura que o conceito de patrimônio foi se dilatando a ponto de abarcar qualquer modalidade de expressão

[4] http://portal.unesco.org/en/ev.phpURL_ID=13637&URL_DO=DO_TOPIC&URL_SECTION=201.html#http://portal.unesco.org/en/ev.php- . (Consultado em maio de 2011).

subsumida sob o conceito de cultura, se "antropologizando" a ponto de admitir toda experiência social (Miceli, 1987: 46).

O alargamento da noção de patrimônio é acompanhado pela sua inserção nas discussões acerca de desenvolvimento econômico, sustentabilidade e turismo. Após a reunião da Organização dos Estados Americanos (OEA), sobre *Conservação e utilização de monumentos e lugares de interesse histórico e artístico*, que resultou na aprovação das Normas de Quito, em 1967, a temática do turismo e sua associação ao desenvolvimento econômico serão incorporadas e integradas às discussões e ações no campo do patrimônio cultural. Paralelamente, estava em andamento um movimento internacional que operava, em relação aos monumentos históricos, uma transformação: reconhecia a ameaça a que estavam submetidos pelo desenvolvimento econômico, urbano e industrial e, ao mesmo tempo, os inseriam em lógicas da valorização econômica e inserção urbanística. Estes movimentos e novas premissas tinham implicações sobre:

1. a inserção dos monumentos históricos, quase todos de caráter nacional, na indústria cultural nascente, valorizando estratégias turísticas;
2. o estabelecimento de uma relação entre monumentos e planejamento urbano e
3. em uma diversificação de órgãos e agentes governamentais envolvidos na responsabilidade das salvaguardas patrimoniais.

Michel Parent ao realizar sua visita ao Brasil e elaborar seu relatório reitera estas perspetivas e influenciado pela Lei Malraux, promulgada na França em 1962, enfatiza as questões do

> planejamento urbanístico de conjunto, baseado em um forte controle administrativo, ainda que descentralizado; na revitalização global dos sítios, com a identificação das construções cuja restauração fosse mais urgente e a reconversão dos usos desses edifícios; e a preservação da natureza principalmente por meio da determinação de áreas *non aedificandi* e de reservas naturais.
>
> (Leal, 2008: 31)

Parent apresenta as cidades como lugares de desafio para se pensar o futuro do país. Dentre outras questões (analfabetismo, falta de cultura tecnológica, persistência de culturas tradicionais) problematiza o impacto do turismo em universos "já manifestamente desequilibrados das grandes cidades da costa e, em particular, as do *Nordeste: Salvador e Recife*" (Parent, 2008: 44. Itálicos no original).

A Missão francesa de Michel Parent: Miscigenação, cultura e modernidade

Este capítulo tem como proposta entender a vinda da missão francesa ao Brasil em um quadro de negociações estabelecidas entre o IPHAN e a UNESCO. Neste processo, o órgão nacional de preservação mobilizará as novas diretrizes e possibilidades de financiamento internacional, para reforçar e manter o seu entendimento do patrimônio cultural como parte da estratégia de construção de uma identidade nacional. Nesta associação entre patrimônio e nacionalidade são essenciais os vínculos de pertencimento com a cultura europeia.

O IPHAN, como afirma Sergio Miceli, é um

> capítulo da história intelectual e institucional da geração modernista, um passo decisivo da intervenção governamental no âmbito da cultura e o lance acertado de um regime autoritário empenhado em construir uma "identidade nacional" iluminista no trópico dependente. A geração de intelectuais e políticos mineiros que deu forma e controlou este órgão e suas políticas culturais faz com que a política de patrimônio no Brasil ostente essa marca classista em tudo o que lhe diz respeito, selecionando como objetos de patrimônio uma 'amostra requintada e reverenciada das culminâncias de seu universo simbólico e, ao mesmo tempo, o inventário, arrolado á sua imagem e semelhança, dos grandes feitos, obras e personagens do passado.
>
> (Miceli, 2001: 360)

Dr. Rodrigo Melo Franco de Andrade[5] é um destacado membro desta elite moderna, mineira e intelectualizada e preside o IPHAN desde sua criação em 1937 até 1968 quando se aposenta.

[5] Rodrigo Melo Franco de Andrade nasceu em Minas Gerais em 1898. Advogado, jornalista e escritor, formou-se em direito pela Universidade do Rio de Janeiro. Foi redator-chefe (1924) e diretor (1926) da *Revista do Brasil.* Chefe de gabinete de Francisco Campos, ministro da Educação e Saúde Pública, foi o principal responsável pela indicação de Lúcio Costa para a direção da Escola Nacional de Belas Artes em dezembro de 1930. Chefiou o Serviço do Patrimônio Histórico e Artístico Nacional (SPHAN), desde a fundação do órgão, em 1937, até se aposentar em 1967. Morreu na cidade do Rio de Janeiro, em 1969.

> Ícone na história do SPHAN, Rodrigo institucionaliza este vínculo temporal entre o passado e o presente – como nos apresenta Rubino (1991) – articulando os trabalhos do serviço com a necessidade de dialogar com os países civilizados, modernizados.
>
> (Costa, 2009: 92)

Ele tem papel decisivo na vinda e em todas as ações relacionadas e decorrentes da presença da Missão Francesa: na busca de financiamentos internacionais, na aproximação com a UNESCO, na definição dos interlocutores nacionais e do roteiro de viagem de Michel Parent. É na esteira de uma discussão interna ao órgão sobre as formas e possibilidades de preservação das cidades históricas, com seus problemas decorrentes da expansão de atividades industriais (notadamente a expansão das grandes mineradoras em Minas Gerais) que articula a vinda da Missão da UNESCO.

A disponibilização de recursos internacionais estava diretamente articulada com as novas diretrizes para o patrimônio mundial que vinculavam desenvolvimento econômico, turismo e sustentabilidade. Nesta perspetiva o patrimônio ia, gradativamente, assumindo características de mercadoria de valor universal e assim se distanciando da exclusividade de sua "marca de nascença", ou seja, a ideia de monumentos nacionais.

A ação de Rodrigo Melo Franco insere-se nesta transformação internacional, mas ele a faz sem abandonar a perspetiva do monumento nacional. Para ele,

> o que se denomina patrimônio histórico e artístico nacional (representa parte muito relevante e expressiva do acervo aludido, por ser o espólio dos bens materiais móveis e imóveis aqui produzidos por nossos antepassados, com valor de obras de arte erudita e popular, ou vinculados a personagens e fatos memoráveis da história do Brasil.) São documentos de identidade da nação brasileira.
>
> (Andrade, 1987: 57)

O objetivo central – a captação de recursos – devia permitir ao IPHAN uma ação mais eficiente na preservação dos monumentos por ele definidos como patrimônio nacional. Claudia Leal afirma que o peso dado

> à atividade turística pela UNESCO mostrava-se superior àquele atribuído a tal atividade pelo DPHAN. Os documentos sugerem um maior interesse, por parte da Diretoria, pela assistência financeira e técnica envolvida no

> plano de incentivo e que poderia ser utilizada em prol da conservação e recuperação de monumentos e proteção da natureza do que propriamente pela criação de relações mais íntimas entre turismo e património cultural brasileiro.
>
> (Leal, 2008: 19)

Parent assumirá, ao longo do extenso texto de seu relatório, a leitura do Brasil e de sua nacionalidade elaborada pelos intelectuais modernos brasileiros e que marcou a ação e intervenção do IPHAN ao longo de suas décadas de atuação. Em 1961, Rodrigo de Melo e Franco, interlocutor de Parent, reafirmava sua leitura da nacionalidade, fundamentada em, naquele momento já longeva, tradição intelectual. Dizia o diretor do IPHAN:

> O que constitui o Brasil não é apenas seu território, cuja configuração no mapa do hemisfério sul do continente americano se fixou em nossa memória, desde a infância, nem esse território acrescido da população nacional, que o tem ocupado através dos tempos. Para que a nação brasileira seja identificada, há que considerar-se a obra de civilização realizada neste país. Somente a extensão territorial, com seus acidentes e riquezas naturais, somada ao povo que a habita, não configuram de fato o Brasil, nem correspondem à sua realidade. Há que computar também, na imensa área povoada e despovoada, as realizações subsistentes dos que a ocuparam e legaram às gerações atuais: a produção material e espiritual duradoura ocorrida do norte ao sul e de leste a oeste do país, constituindo as edificações rurais e urbanas, a literatura, a música, assim como tudo mais que ficou em nossas paragens, com traços de caráter nacional do desenvolvimento histórico do povo brasileiro.
>
> (Andrade, 1987: 57)

A missão de Parent, realizada nos últimos anos da gestão de Rodrigo Melo Franco, tomará como lugares de visitação e elaboração de planos exatamente os monumentos e símbolos que reiteravam a perspetiva de atuação do IPHAN. Dos mais de 200 bens nominalmente citados no relatório de Parent, cerca de 70% eram tombados pelo IPHAN ou estavam incluídos na proteção de conjuntos mais amplos (Leal, 2008:30; 327-338). Nas visitas realizadas pela Missão Francesa opera-se o mesmo procedimento analisado por Márcia Chuva sobre as publicações do IPHAN:

> os estudos (apresentados nas publicações e que se referiam a monumentos posteriormente visitados por Parent) aprofundavam o conhecimento sobre esses objetos e divulgavam o patrimônio histórico e artístico nacional, sem questionar, obviamente, as escolhas feitas, mas consagrando-as e, com elas, os intelectuais que colaboravam com o SPHAN.
>
> (Chuva, 2009: 250)

Não só as visitas seguiam roteiro definido pelo órgão de preservação. As análises apresentadas por Parent, a compreensão do patrimônio nacional reiterada no seu texto e as sugestões apresentadas revelam um diálogo definidor com os intelectuais ligados ao IPHAN e com a compreensão da nacionalidade por eles estabelecida. O relatório, ao reafirmar a visão majoritária do IPHAN, contrapõe-se a outras leituras sobre o país que afirmavam seu caráter exótico, ainda que, paradoxalmente, valorizando os mesmos elementos presentes na leitura do IPHAN: a miscigenação, as festas, o caráter nacional. Estas leituras, como veremos, serão criticadas por Parent e desqualificadas como "exotismo pueril".

Parent apresenta o Brasil a partir das ideias de miscigenação, da relação entre natureza e cultura, e modernidade. Estes recortes e seus conteúdos coincidem com aqueles contemplados pelo IPHAN. Na articulação destes elementos o país e seu patrimônio cultural aproximam-se da Europa. Esta aproximação coloca desafios pois a motivação para o turismo é mais eloquente quando há, como no México, apelo ao estranho. No caso brasileiro o turismo deve atrair pela similitude (Parent, 2008: 159). Se nesta perceção não há, no Brasil, lugar para o exótico, também não o há para a cópia. A similitude é também diferença.

A miscigenação significou no Brasil, segundo Parent, a

> criação de uma cultura própria ao mesmo tempo muito diversificada e bem particular. Este processo não comprometeu a presença (determinante) da cultura europeia através da aceitação da grande revolução tecnológica moderna e das grandes revoluções do pensamento contemporâneo universal.
>
> (*idem*; *ibidem*)

Contudo, paralelamente, a cultura popular afro-americana seguiu subterraneamente seu caminho, e hoje se revela aos pesquisadores em toda a "extensão de seu significado humano e força de seu sentido do sagrado" (*idem*: 50). Esta miscigenação com assimilação constitui "um contexto brasileiro exemplarmente desprovido de qualquer espécie de racismo" (*idem*: 51) e com uma forte presença do sagrado. Omar R. Thomaz afirma que o modernismo de Gilberto Freyre é otimista pelas peculiaridades da miscigenação e pela valorização do regional na constituição da nacionalidade:

> A miscigenação que aponta para o ideal democrático, tem na assimilação a característica da sociedade brasileira (que) tenderia a incorporar os elementos exógenos que, longe de representar possível desordem, acabariam por se adaptar às bases dos valores culturais luso-brasileiros responsáveis pela formação de uma comunidade cristã, de fala portuguesa e sem preconceitos de raça.
>
> (Thomaz, 2001: 18)

O autor também afirma que desde meados do século XIX havia a ideia de que a compreensão do país exigia especial atenção aos grupos raciais e étnicos formadores – indígenas, portugueses e africanos – o lugar de cada um desses grupos no passado, no presente e, sobretudo no futuro da *nação* e do *povo* despertava acalorados debates.

Nesta perspetiva vale lembrar a análise realizada por Scheneider sobre Silvio Romero mostrando como este teria sido, ainda no século XIX, "o primeiro intelectual a construir uma obra inteira partindo do princípio de que o Brasil é uma sociedade mestiça de alto a baixo", associando a "miscigenação à democracia, acreditando ser essa uma das características essenciais do país" (Schneider, 2005: 227). A mestiçagem como possibilidade de construção de uma civilização original nos trópicos, tese central de Freyre, retoma discussões quase obsessivas sobre a mestiçagem brasileira ocorridas a partir de finais do século XIX. Parent assume, quase literalmente, as teses de Freyre que também são encampadas por, dentre outros, Rodrigo Melo Franco e Lúcio Costa.

> O vínculo de Gilberto Freyre com o SPHAN não se restringia a Costa e Melo Franco: era um prestígio forte junto ao núcleo dominante da instituição. A primeira publicação do SPHAN, *Mucambos do Nordeste*, livro de Freyre, prefaciado pelo diretor do serviço, atesta essa posição de referência para os arquitetos do património. Outra das publicações do IPHAN, *A Revista do Património*, apresenta no seu primeiro número artigos de Freyre e Lucio Costa. Este, no texto hoje clássico *Documentação Necessá-*

ria, defende e lança 'sua tese e marca de sua arquitetura: a aproximação entre o colonial e o moderno'.

(Rubino, 2003: 271)

O arquiteto Lucio Costa promove esta aproximação através da positivação da ideia da mistura e da qualidade da arquitetura popular portuguesa. O texto de Freyre *Sugestões para o estudo da arte brasileira em relação com a de Portugal e das colônias* reafirma suas teses sobre o papel central da miscigenação, da centralidade da herança portuguesa e da existência de uma produção artística colonial importante e merecedora de estudos (Chuva, 2009: 262). Estes temas/teses constituem matrizes contundentes de ação do IPHAN, reafirmando as posições de Freyre sobre a força criadora do português que liga-se no Brasil ao "poder artístico do índio e do negro e, mais tarde, ao dos outros povos, sem entretanto, desaparecer, conservando-se" (Freyre, 1937).

Quando, a partir desta compreensão da miscigenação e de sua centralidade na definição do nacional, Parent pensa a questão do turismo, afirma que este não deve ser de massas e que, o visitante deve ser preparado para reconhecer a especificidade do modelo sociocultural da realidade brasileira de forma a não "desnaturar um capital cultural que estudiosos atentos estão tentando preservar" (Parent, 2008: 51). Reconhecer esta especificidade e agir para que ela seja compreensível para o visitante significa impedir a vulgarização turística destas manifestações. Aqui, explicita-se pela primeira vez no relatório o contraponto da visão de Parent, fundamentada e apoiada nos diálogos modernistas estabelecidos com seus interlocutores do IPHAN,[6] com aqueles de exotização expressas pelo show business (*idem*: 52). Ainda que a menção a esta vulgarização operada pelo show business seja bastante genérica é impossível não relacioná-la a imagens do Brasil, veiculadas, pelo menos desde os anos 1940, com as emblemáticas figuras do Zé Carioca e de Carmem Miranda, e atualizadas pelo órgão oficial de turismo – a EMBRATUR, criada em novembro de 1966 (Alfonso, 2006). Lançando mão dos mesmos referenciais: a miscigenação, a natureza e a modernidade produzem conteúdos antagónicos aos elaborados pela leitura do IPHAN e seus intelectuais.

[6] É conhecida a forte relação dos modernistas do IPHAN com o pensamento de Gilberto Freyre. A proximidade construída entre Freyre e Lucio Costa origina-se "desde os dias de *Casa Grande e Senzala*, da criação do SPHAN e da construção do campo da arquitetura moderna ele (Costa) se torna o sociólogo dos arquitetos" (Rubino, 2003: 278).

Na compreensão da relação com a natureza, mais uma vez, manifestam--se os atributos constitutivos da nação. Uma natureza pujante, indomada, mas que só é compreensível pela ação da cultura europeia que colonizou, civilizou.

> ...a cultura estabeleceu com a natureza relações ao mesmo tempo infinitamente mais violentas e mais constantemente próximas... O Brasil não nasceu de uma lenta adaptação do homem à terra ou do sítio ao homem... a natureza permanece como rival da posse do território.
>
> (Parent, 2008: 55)

Mais uma vez é a ação europeia que define a relação aproximando, sem igualar, o Brasil à civilização. Parent reitera a explicação dos ciclos económicos que operam a articulação Brasil/Europa e a ligação direta entre passado colonial e modernidade. Na sua leitura as cidades tem papel central a tal ponto que Brasília assume a potência de um marco temporal equivalente ao da cana de açúcar. Para o relator da UNESCO é no confronto entre "natureza rebelde" e construção do "espaço vital" que emerge a nação.

> (1) *A epopéia da cana-de-açúcar*, nos séculos XVII e XVIII, fez o *Nordeste* e suas cidades de arte: Salvador, Olinda, Recife, Igaraçu, São Luis, Alcântra, etc. (2) *A epopéia dos bandeirantes e a extração do ouro e das pedras preciosas*, no século XVIII, fizeram as cidades de arte do Estado de *Minas Gerais*: Ouro Preto, Congonhas, Sabará, etc. (3) *A epopéia do café*, no século XIX, fez o desenvolvimento do *Rio e de São Paulo*. (4) Mais recentemente, a breve *epopéia da borracha*, na Amazônia, polarizou pela quarta vez as energias brasileiras e deixou como marca, no coração da floresta impenetrável, a fantasmática cidade de *Manaus*. (5) E, no século XX, devemos acrescentar a *epopéia da criação* mais promissora, *Brasília*, a "capital da esperança".
>
> (*idem*: 44; itálicos no original)

A modernidade, terceiro recorte de análise, manifesta-se na capacidade que o país revela de assimilar o novo, mantendo o tradicional. A arquitetura é mobilizada como grande elemento explicativo: da arquitetura tradicional das igrejas, fazendas e conjuntos urbanos que caracterizam as cidades de arte para a pujança da arquitetura moderna. Entre uma e outra, assim como na escolha dos monumentos do patrimônio, não há nada merecedor de ser memorável.

> O vasto espaço dedicado ao levantamento da produção colonial brasileira serve ao mesmo tempo para afirmar, por omissão, a irrelevância da produção eclética que marcou o ambiente arquitetônico durante os últimos decênios do século XIX e os primeiros do século XX e por apontar a naturalidade e a inevitabilidade da emergência da linguagem moderna.
>
> (Martins, 1987: 10)

Esta leitura é também claramente identificada na seleção dos bens representativos, no mapa da arquitetura, que se cristaliza pela exposição do MoMA em 1943, *Arquitetura Nova e Antiga: 1652-1942* (Costa, 2009). O episódio *Brazil Builds* – a exposição, e também o livro que circulou mundo fora – "inventou" a arquitetura moderna e o fez a partir de indicações muito precisas ditadas por Rodrigo Melo Franco e Lucio Costa. Nesta leitura que construía o colonial, o vernacular e suas ligações com a arquitetura moderna não havia espaço para o exotismo.

Na escolha do roteiro de viagem, assim como na eleição dos monumentos e conjuntos a serem incorporados pelo turismo cultural, encontramos a tradução dos ideais defendidos pelo IPHAN. Estes princípios constroem vínculos diretos, sem intermediações, entre o passado colonial e a nação moderna. Significativamente Lúcio Costa é nomeado no relatório de Parent como exemplo desta capacidade nacional de simultaneamente defender o patrimônio antigo e criar um Brasil do futuro (Parent, 2008: 54). Valc lembrar que

> a aproximação de Freyre e Costa e, em seguida, de Freyre com todo o grupo do SPHAN, por meio do apreço à arquitetura que restou do período colonial, com suas supostas marcas de abrasileiramento, nos ajuda a entender a política da instituição dirigida por Rodrigo Melo Franco de Andrade, a postura que privilegia o patrimônio até o século 18.
>
> (Rubino, 2003: 272)

Marcia Sant'Anna afirma que a prática de preservação do período implicava em intervenção reduzida a uma única solução: eliminar o que não fosse colonial e acrescentar somente o que fosse moderno ou de linguagem colonial.

> O dispositivo de patrimônio agenciado pelos modernistas estruturava-se discursivamente em torno de enunciados de nacionalidade, qualidade artística, originalidade e autenticidade que, por sua vez legitimavam a seleção do que deveria permanecer e, ao mesmo tempo, informavam a

> decisão do que deveria ser eliminado ou, simplesmente, poderia ser destruído. Para os modernistas do IPHAN a área urbana era percebida como objeto de preservação e símbolo da nacionalidade, mas o fundamental era produzir discursos e visibilidades que apontassem o caráter brasileiro e construíssem, a partir de um mito de origem, a identidade nacional.
>
> (Sant'Anna, 1995: 147-149)

Parent reitera em seu relatório outra das questões centrais do IPHAN na elaboração de uma leitura sobre o Brasil e de construção de sua memória e da própria nacionalidade: a centralidade e proeminência da questão artística. O IPHAN, na definição dos monumentos nacionais e na classificação do patrimônio cultural, priorizava o artístico em detrimento do histórico. É assim que "inventa-se" o barroco nacional e sua força unificadora de toda uma leitura e compreensão do colonial. O barroco, inventado pelo IPHAN no final da década de 30, é a categoria que unifica o passado colonial e que permite a construção de uma origem mítica da nação. Márcia Chuva mostra como na elaboração desta matriz explicativa "afirmava-se (...) que o Brasil é uma nação porque possui cultura; é civilizado porque suas raízes advêm da arte universal" (Chuva, 2009: 274).

O relatório de Parent reitera esta perspetiva ao aproximar o Brasil da Europa afirmando que, na perspetiva das tradições artísticas, o Brasil fez em 400 anos o que a Europa levou 20 séculos (Parent, 2008: 49). A valorização do passado colonial constitui o cerne da história a ser contada, "representando as origens da nação, conferindo-lhe uma ancestralidade. Que deveria referenciar-se numa matriz portuguesa, mas que, a partir dela, configuraria um universo tipicamente brasileiro" (Chuva, 2009: 273).

O Brasil que emerge no relatório de Parent tem simultaneamente

> um espaço natural (...) rico em lugares espetaculares e em espécies preciosas úteis para a ecologia em geral como em potenciais agrícolas e industriais; uma vida cultural vigorosa e complexa nascida da confluência histórica de três correntes: América indígena, Europa latina e África negra; e enfim, a capacidade virtual de seus habitantes (...) de empenhar em combates vitais todas as forças de seu espírito e de seus braços.
>
> (Parent, 2008: 43-44)

Por estes motivos este é um território propício a implantação de um turismo que se distancie daquele movimento indesejável de viajantes que

> preserva de modo ciumento no próprio deslocamento seu modo de viver e julgar, sua satisfação e conveniência, preconceitos e isolamentos. Nada é mais destrutivo para o país visitado e para o grupo de visitantes que um contato que se limite à confirmação de certos estereótipos baseados em um exotismo fácil e condescendente, por um lado, de avidez, por outro, e de ignorância comum.
>
> (*idem*: 60)

Ao criticar o turismo de massas em expansão Parent vê o Brasil, por suas qualidades estabelecidas a partir de uma leitura modernista de sua nacionalidade, como território privilegiado para a consagração de um turismo que associe patrimônio cultural e beleza natural. "O Brasil tem condição de oferecer ao mundo mais do que a realidade vazia dos paraísos ditos exóticos" (*idem*: 45).

É ainda nesta leitura do Brasil, emanada diretamente das elaborações e práticas dos modernistas do IPHAN, que Parent irá distinguir o Brasil de outras regiões latino-americanas.

A aproximação com a Europa, ainda que na construção de uma "formação sociocultural específica" não seria atributo de todas as regiões colonizadas, nem da América em geral. Ao distanciar e distinguir as formas pelas quais o turismo deve se relacionar com as tradições e potencialidades locais e auxiliar na construção e valorização de um patrimônio cultural, Parent (re)afirma diferenças profundas entre as diferentes regiões de colonização ibérica. Aliás, esta construção de distâncias entre o Brasil e as demais regiões da América de colonização espanhola integra, vivamente, o quadro de construção da nacionalidade brasileira.

O Brasil não é, para o nosso autor, um paraíso exótico esvaziado de tradições culturais. Portanto, só a natureza ou só o passado não são suficientes para inseri-lo nas novas diretrizes patrimoniais e reafirmar seus vínculos com a cultura europeia. Mas também o Brasil não é o México ou o Perú. Não evoca, por sua cultura, "magias e mistérios". Não existe no Brasil nada similar a "civilizações pré-colombianas prestigiosas (que) exaltam a imaginação ocidental... O poder sugestivo do México e do Peru é o poderoso domínio da metáfora... do insondável" (*idem*: 158). Outro elemento da diferença é que se no México e Perú os lugares de visitação são "ruínas de monumentos enterrados" no Brasil são monumentos inseridos em "cidades (de arte) em atividade" (*idem*: 160). Parent afirma, na construção da diferença americana, que "[a] chave do turismo brasileiro, pelo menos no plano monumental, ao contrário do turismo mexicano, não é um apelo ao estranho. É, ao contrário, a atração da *similitude* e, eu diria, da *familiaridade*" (*idem*: 159).

Por isso a relação entre patrimônio cultural e turismo deve qualificar os espaços e a autenticidade das manifestações culturais impedindo que sejam transformadas apenas em "grandes espetáculos que oferecem, do Brasil e para o Brasil, a imagem de um exotismo pueril...(este) fato é apenas uma caso particular de um fenômeno mundial: a prosperidade comercial do show business" (*idem*: 52). Nada mais modernista e coadunado com a visão de nação elaborada pela IPHAN. Mais uma vez refaz-se, alegoricamente (Sevcenko, 1996), a vinculação do Brasil com a Europa, traço definidor, ainda que não exclusivo, de nossa nacionalidade.

Em todas as ações o turista deve ser educado para não sucumbir a esta leitura fácil do "exotismo pueril veiculado pelo show business" e também pela apreciação superficial de fenômenos de ritualização. Ambos poderiam reiterar uma visão exótica e, portanto esvaziada, do Brasil.

Trata-se de qualificar um conjunto pois, "a salvaguarda do patrimônio brasileiro só será assegurada por uma política que ultrapasse a política das artes, ou a do turismo, mas que se relacione com a forma de vida e que envolva o país inteiro" (Parent, 2008: 159). É nesta perspetiva que mais uma vez Parent opera a aproximação Brasil/Europa sugerindo que aqui como lá sejam utilizados os festivais como recurso de "manutenção rigorosa das festas tradicionais". Estes festivais devem operar articulando a "festa" com o "cenário arquitetônico". Esta estratégia aproxima o Brasil de Salzburg e o distancia, novamente, do México, onde os festivais urbanos dizem mais sobre a "etnologia e profundezas da alma", ou seja sobre "civilizações desaparecidas". No Brasil, ao contrário, as comunidades estão vivas e expressam-se pela e através da "cidade colonial" (*idem*; *ibidem*).

Mais uma vez é esta colónia una, articulada pelas artes, que promove o vínculo com o moderno e nos (re)insere na cultura europeia através de nossa capacidade de assimilação. Esta articulação entre conjuntos arquitetónicos, natureza e modos de vida retoma as teses modernistas de que somos os mesmos nos trópicos e por isso mais generosos.

Ao assumir a compreensão do IPHAN sobre o patrimônio cultural, o turismo e a sustentabilidade económica deverão agregar valores e sentidos aos bens culturais previamente definidos pelo órgão nacional de preservação. Nesta operação preserva-se a compreensão do patrimônio cultural como sendo o elenco de bens que constituem os monumentos nacionais. A ampliação de sentidos não significou a perda de sua condição de monumentos nacionais. Reitera-se assim, em 1967, a capacidade do IPHAN em definir os objetos e critérios da nação seja na política interna relativa ao patrimônio cultural seja na sua articulação e extroversão internacional. É sobre o legado desse conjunto de práticas que, algumas décadas depois e já no contexto das chamadas cidades globais, o patrimônio de diversas cidades brasileiras será relido e ressignificado em outros termos, incorporando o turismo mundializado e a comodificação de espaços e imagens enobrecidos.

Referências Bibliográficas

Alfonso, Louise Prado (2006), *EMBRATUR: Formadora de imagens da nação brasileira.* Campinas: IFCH-UNICAMP. Dissertação de mestrado.

Andrade, Rodrigo Melo Franco de (1987), *Rodrigo e o SPHAN.* Rio de Janeiro: Ministério da Cultura, Fundação Nacional Pró-Memória. Publicações SPHAN n. 38.

Chuva, Márcia Regina Romeiro (2009), *Os arquitetos da memória: Sociogênese das práticas de preservação do patrimônio cultural no Brasil (anos 1930-1940).* Rio de Janeiro: UFRJ.

Costa, Eduardo Augusto (2009), *'Brazil Builds' e a construção de um moderno, na arquitetura brasileira.* Campinas: IFCH. Dissertação de mestrado.

Costa, Lúcio (1937), "Documentação necessária". *Revista do SPHAN,* 1, 31-39.

Dicionário Histórico Biográfico Brasileiro Pós-1930 (2001), Rio de Janeiro: Ed. FGV.

Freyre, Gilberto (1937), "Sugestões para o estudo da arte brasileira". *Revista do SPHAN,* 1, 40-44.

Leal, Claudia Feierabend Baeta (2008), "A missão de Michel Parent no Brasil", in Leal, Claudia Feierabend Baeta (org.), *As missões da UNESCO no Brasil: Michel Parent.* Rio de Janeiro: IPHAN/COPEDOC.

Martins, Carlos Alberto F. (1987), *Arquitetura e Estado no Brasil: Elementos para a investigação sobre a construção do discurso moderno no Brasil. A obra de Lúcio Costa, 1924-1952.* São Paulo: FFLCH-USP. Dissertação de mestrado.

Miceli, Sergio (2001) [1987], "SPHAN: Refrigério da cultura oficial", in Miceli, Sergio, *Intelectuais à brasileira.* São Paulo: Companhia das Letras.

Parent, Michel (2008) [1967], «Brésil protection et mise en valeur du patrimoine culturel brésilien dans le cadre du dévelopment touristique et économique (24 novembre 1966 - 8 janvier 1967) (19 avril -1er juin 1967)", in Leal, Claudia Feirabend Baeta (org.), *As missões da UNESCO no Brasil: Michel Parent.* Rio de Janeiro: IPHAN.

Rubino, Silvana (1992), *As fachadas da história: Os antecedentes, a criação e os trabalhos do SPHAN, 1936-1967.* Campinas: UNICAMP-IFCH. Dissertação de mestrado.

Rubino, Silvana (2003), "Entre o CIAM e o SPHAN: Diálogos entre Lúcio Costa e Gilberto Freyre", in Kosminsky, Ethel V. *et al.*, *Gilberto Freyre em quatro tempos.* São Paulo: UNESP; Bauru: EDUSC.

Sant'Anna, Márcia (1995), *Da cidade-monumento à cidade-documento. Trajetória da norma de preservação de áreas urbanas no Brasil (1937-1990).* Salvador: UFBA - Arquitetura e Urbanismo. Dissertação de mestrado.

SCHNEIDER, Alberto Luiz (2005), *Silvio Romero: Hermeneuta do Brasil.* São Paulo: Annablume.

SEVCENKO, Nicolau (1996), "As alegorias da experiência marítima e a construção do europocentrismo", in SCHAWARCZ, Lilia M. e QUEIROZ, Renato da S., *Raça e diversidade.* São Paulo: Edusp.

THOMAZ, Omar Ribeiro (2001), "Prefácio do autor", in THOMAZ, Omar Ribeiro (org.), *Freyre, Gilberto. Interpretação do Brasil: Aspectos da formação social brasileira como processo de amalgamento de raças e culturas.* São Paulo: Companhia das Letras.

SOBRE OS AUTORES

Ana Lúcia Duarte Lanna

Doutora em História pela USP, é professora titular da Faculdade de Arquitetura e Urbanismo da Universidade de São Paulo. Pesquisadora CNPq. Coordenadora do Projeto Temático FAPESP, São Paulo: os estrangeiros e a construção da cidade. Publicou, entre outros, *Santos, uma cidade na transição, 1870-1913* (HUCITEC, 1996) e coorganizou a coletânea *São Paulo, os estrangeiros e a construção das cidades* (Alameda, 2011).

Ana Rosas Mantecón

Doutora em Antropologia, professora e investigadora no Departamento de Antropologia da Universidade Autónoma Metropolitana-Iztapalapa. Áreas de interesse: Indústrias culturais; Políticas e Consumos culturais; Património histórico-cultural. Participou recentemente [como coordenadora do Grupo de Trabajo sobre consumos culturales del Consejo Latinoamericano de Ciencias Sociales]. Entre outras obras publicadas, é coautora de *El consumo cultural en México* e de *Consumo cultural y recepción artística*.

Carina Sousa Gomes

Investigadora do Núcleo de Cidades, Culturas e Arquitetura do Centro de Estudos Sociais da Universidade de Coimbra. É Licenciada em Sociologia, pela Faculdade de Economia da Universidade de Coimbra e Mestre em Sociologia pela Faculdade de Ciências Sociais e Humanas da Universidade Nova de Lisboa. É doutoranda em Sociologia, no programa "Cidades e Culturas Urbanas", da Universidade de Coimbra e Assistente Convidada da Universidade Católica Portuguesa (Viseu), onde leciona no Mestrado Integrado em Arquitetura. É autora de "Novas imagens para velhas cidades? Coimbra, Salamanca e o turismo nas cidades históricas". *Sociologia*, 2012, XXIII, 37-49.

Carlos Fortuna

Ph.D. em Sociologia (State University of New York – Binghamton), é professor de Sociologia na Faculdade de Economia da Universidade de Coimbra e investigador do Centro de Estudos Sociais. Coordenador dos Programas de Mestrado e de Doutoramento em "Cidades e Culturas Urbanas" e coordenador português da "Rede Brasil-Portugal de Estudos Urbanos" (CPLP/CNPq e CAPES-FCT). É autor de *Identidades, percursos e paisagens culturais* (Oeiras, Celta, 1999) e de "In praise of other views: The world of cities and the social sciences", *Iberoamericana*, XII, 45, 137-153 (2012). É editor de *Cidade, cultura e globalização* (Oeiras, Celta, 1997), *Projecto e circunstância: Culturas urbanas em Portugal* (Porto, Afrontamento, 2002),

Plural de Cidade: Novos léxicos urbanos. (Coimbra: Almedina, 2009. Com Rogerio P. Leite) e *Simmel: A estética e a cidade* (São Paulo, Annablume, 2011).

Clarissa Gagliardi
Docente da PUC São Paulo e da ECA-USP e pesquisadora do Observatório das Metrópoles (São Paulo). Graduada e Mestre em Turismo pelo UNIBERO, Master em Valorização e Gestão de Centros Históricos pela Università La Sapienza di Roma, Mestre e Doutora em Sociologia pela PUC-SP. É autora do livro *As cidades do meu tempo: Turismo, história e patrimônio em Bananal* (São Paulo, FAPESP/Annablume: 2011).

Claudino Ferreira
Doutor em Sociologia pela Universidade de Coimbra, é professor da Faculdade de Economia da Universidade de Coimbra, investigador do Centro de Estudos Sociais e diretor da *Revista Critica de Ciências Sociais.* Entre outras publicações, é autor de "A Expo'98 e os imaginários do Portugal contemporâneo: Cultura, celebração e políticas de representação" (Coimbra, FEUC, 2005).

Cristina Meneguello
Doutora em História, professora do Departamento de História do Instituto de Filosofia e Ciências Humanas da UNICAMP, com pós-doutoramentos junto à IUAV (Instituto de Arquitetura de Veneza) e ao CES - Universidade de Coimbra. É bolsista produtividade do CNPq. Foi diretora associada do Museu Exploratório de Ciências da Unicamp e é Coordenadora Nacional da Olimpíada Nacional em História do Brasil (MEC/MCT) e membro do Conselho de Defesa do Patrimônio Histórico, Arqueológico, Artístico e Turístico do Estado de São Paulo. É autora de, entre outros títulos, *Da ruína ao edifício* (Editora Annablume, 2008).

Fraya Frehse
Professora do Departamento de Sociologia da USP, com pós-doutoramento em Sociologia (Urbana) pelas Universidades Livre e Humboldt de Berlim. É mestre e doutora em Antropologia Social pela USP, com doutorado-sanduíche na Universidade de Oxford. Pesquisadora colaboradora da Rede Brasil-Portugal de Estudos Urbanos, coordena o Núcleo de Estudos e Pesquisas em Sociologia do Espaço (NEPSE) na USP. É autora, entre outros, de *O tempo das ruas na São Paulo de fins do Império* (Edusp, 2005) e de *Ô da rua! O transeunte e o advento da modernidade em São Paulo* (Edusp, 2011), além de coorganizadora (com Samuel Titan Jr.) de *Roger Bastide: Impressões do Brasil* (Imprensa Oficial, 2011).

Heitor Frúgoli Junior
Doutor em Sociologia (USP) e mestre em Antropologia Social (USP), com Pós-Doutoramento no Instituto Universitário de Lisboa (ISCTE-IUL). É professor do Departamento de Antropologia da FFLCH-USP, foi professor visitante da Universidade de Leiden, é coordenador do Grupo de Estudos de Antropologia da Cidade (GEAC-USP) e pesquisador do CNPq. É autor, dentre outros, de *Centralidade em São Paulo* (Edusp/Cortez, 2000) e *Sociabilidade urbana* (Jorge Zahar, 2007).

Irlys Alencar Barreira
Doutora em Sociologia pela USP com Pós-Doutoramento em Sociologia pela École des Hautes Ètudes en Sciences Sociales, Paris e pelo Instituto de Ciências Sociais da Universidade de Lisboa - ICS. Professora titular da UFC e pesquisadora do CNPq, é também presidente da Sociedade Brasileira de Sociologia. É autora, entre outros, dos livros *O reverso das vitrines, conflitos urbanos e cultura política* (Rio Fundo, 1992), *Chuva de papéis, ritos e símbolos de campanha eleitoral no Brasil* (Relume Dumará, 1998) e *Imagens ritualizadas, apresentação de mulheres em cenários políticos* (Pontes Editores, 2008).

Jessica Sklair
Mestre em Antropologia Social (USP) e doutoranda em Antropologia no Goldsmiths College, Universidade de Londres, onde desenvolve pesquisa sobre desigualdade socioeconómica e a filantropia das elites no Brasil e na Inglaterra. É autora de *A filantropia paulistana: Ações sociais em uma cidade segregada* (Humanitas, 2010).

João Teixeira Lopes
Doutor em Sociologia da Cultura e da Educação pela Faculdade de Letras da Universidade do Porto, da qual é Professor Catedrático, coordenando o Instituto de Sociologia e o curso de doutoramento. É autor, dentre outros, de *Tristes escolas: Práticas culturais estudantis no espaço escolar urbano* (1997), *Cidade e cultura* (2000) e *A tutoria do Porto: Estudo sobre a morte social temporária* (2001), sob a égide da Editorial Afrontamento.

José Guilherme Cantor Magnani
Doutor em Ciências Humanas pela USP, é professor Livre-Docente do Departamento de Antropologia dessa Universidade e pesquisador do CNPq. Autor, entre outras publicações, de *Festa no Pedaço* (Hucitec 3 ª Ed., 2003), *Mystica urbe* (Studio Nobel, 1999) e coorganizador de *Na metrópole: Textos de antropologia urbana* (3ª Ed. EDUSP, 2008). É coordenador do Núcleo de Antropologia Urbana da USP (NAU/USP) e de sua revista eletrônica *PONTO.URBE*.

Lucia Bógus

Doutora em Arquitetura pela Faculdade de Arquitetura e Urbanismo da USP, pesquisadora do CNPq, Professora Titular do Departamento de Sociologia da PUC--SP. Investigadora e coordenadora do Observatório das Metrópoles (São Paulo). É coeditora dos *Cadernos Metrópole* e autora, entre outros trabalhos, de *Como anda São Paulo* (EDUC/SP, 2006), em colaboração com Suzana Pasternak.

Luciana F. Moura Mendonça

Doutora em Ciências Sociais pela UNICAMP. Pós-Doutoranda do Centro de Estudos Sociais da Universidade de Coimbra e bolseira da Fundação para a Ciência e a Tecnologia. Desenvolve investigação sobre "Circuitos do fado de Lisboa e dinâmicas culturais urbanas". Entre as suas publicações contam-se "Sonoridades e cidades", in Carlos Fortuna e Rogério P. Leite (orgs.), *Plural de cidade: Novos léxicos urbanos.* Coimbra, Almedina, 2009, 139-150 e "O fado e as "regras da arte": "autenticidade", "pureza" e mercado". *Sociologia*, 2012, XXIII, 71-86.

Paula Abreu

Doutorada em Sociologia pela Universidade de Coimbra, é Professora na Faculdade de Economia da Economia da mesma Universidade. Investigadora no Centro de Estudos – Núcleo de Estudos sobre Cidades, Culturas e Arquitetura – tem desenvolvido investigação nos domínios da cultura, com interesse especial nos hábitos, práticas e políticas culturais, na atividade nas esferas artísticas e culturais locais e nacionais e nas indústrias da cultura.

Rogerio Proença Leite

Doutor em Ciências Sociais (UNICAMP), Pesquisador do CNPq, Professor associado da UFS e colaborador do Programa de Mestrado/Doutorado em Cidades e Cultura Urbana da U. Coimbra. É coordenador brasileiro da Rede Brasil-Portugal de Estudos Urbanos (CPLP/CNPq e CAPES-FCT) e, atualmente, é Diretor da ANPOCS. Publicou, entre outros, *Contra-usos da cidade,* (Ed. Unicamp, 2º ed, 2007) e organizou a coletânea *Cultura e vida urbana: Ensaios sobre a cidade* (EdUFS, 2008).

Roselane Bezerra

Doutora em Sociologia pela Universidade Federal do Ceará. Pós-Doutoranda em Sociologia no Centro de Estudos Sociais da Universidade de Coimbra, com bolsa da Fundação para a Ciência e a Tecnologia. É autora, dentre outras publicações, do livro *O bairro Praia de Iracema entre o adeus e a boémia: Usos e abusos num espaço urbano* (LEO/UFC, 2009).

Sérgio Ivan Gil Braga

Doutor em Antropologia Social pela USP. É professor do Departamento de Antropologia e dos programas de pós-graduação em Antropologia Social, Sociedade e Cultura na Amazônia e colaborador do programa de pós-graduação em Sociologia da Universidade Federal do Amazonas. Superintendente do Instituto do Patrimônio Histórico e Artístico Nacional no Amazonas. Pesquisador da (FAPEAM) e do CNPq. Agraciado com menção honrosa no Prêmio Pierre Verger – vídeo etnográfico pela ABA (2006). É editor da coletânea de *Cultura popular, patrimônio imaterial e cidades* (EDUA e FAPEAM, 2007).

Silvana Rubino

Doutora em Ciências Sociais pela UNICAMP, com Pós-Doutoramento em Sociologia pela École des Hautes Ètudes en Sciences Sociales, Paris. É professora do Departamento de História Universidade Estadual de Campinas e autora, dentre outras, de "A Curious Blend? City revitalization, gentrification and commodification in Brazil", *in* Rowland Atkinson e Gary Bridge (eds.), *Gentrification in a global context: The new urban colonialism*. London: Routledge (2005).

Susana Pasternak

Arquiteta, mestre e doutora pela Faculdade de Saúde Pública da USP. É livre docente da da USP e professora titular da FAU-USP. É vice-coordenadora do Observatório das Metrópoles (São Paulo). Entre as suas publicações recentes estão: "Thinking about urban services in fast-growing cities: Housing in São Paulo" (Birch, E./Wachter, S. (orgs.) *Global urbanization*. Filadélfia, University of Pennsylvania Press, 2011: 294-310); "De vila a metrópole" (Vormittag, E. e Saldiva, P. (orgs.) *Meio ambiente e saúde: O desafio das metrópoles*. São Paulo, Ex Libris, 2010: 23-45); "Evolução espacial dos loteamentos irregulares em São Paulo" (Bógus, L. e Raposo, I. (orgs.), *Da irregularidade fundiária urbana à regularização: Análise comparativa Brasil-Portugal*. São Paulo, EDUC, 2010: 385- 419).